Coalición de sangre

Coalición de sangre

Sherrilyn Kenyon
y
Dianna Love

Traducción de Lola Romaní

TERCIOPELO

Título original: *Rise of the Gryphon*

Copyright © 2013 by Sherrilyn Kenyon and Dianna Love

Primera edición: julio de 2015

© de la traducción: Lola Romaní
© de esta edición: Roca Editorial de Libros, S. L.
Av. Marquès de l'Argentera 17, pral.
08003 Barcelona
info@terciopelo.net
www.terciopelo.net

Impreso por LIBERDÚPLEX, S.L.U.
Crta. BV-2249, km 7,4, Pol. Ind. Torrentfondo
Sant Llorenç d'Hortons (Barcelona)

ISBN: 978-84-15952-67-1
Depósito legal: B. 12.153-2015
Código IBIC: FRD

RT52671

Dedicamos este libro a los Menyon Kenyon,
que nos ofrecen su apoyo de mil formas distintas.
Gracias por estar ahí, en todas las paradas que hacemos
durante las giras, y por mandarnos vuestro amor
a través de cartas y correos electrónicos.

Uno

*U*na información fiable era lo que marcaba la diferencia entre salir de una situación peligrosa con vida... o no.

Evalle Kincaid miró la rocosa pendiente de las montañas del norte de Georgia. No disponía de información fiable al respecto.

Había conseguido una ventaja de cuarenta y ocho horas en la carrera para encontrar a Tristan. Él también era un mutante, como ella. Tenía poderes similares, y los mismos ojos verdes y brillantes; pero no gozaba de la visión nocturna natural de Evalle, una habilidad que le había sido muy útil para subir esa montaña en medio de la noche.

Disgustada, susurró:

—Eso no es una reunión.

—No —asintió Storm. Se acuclilló al lado de la chica. Su aliento formaba nubes blancas en el helado aire de octubre—. Parece más bien un festival raro y peligroso.

Su pelo, negro como el carbón, le llegaba hasta los hombros y se confundía con la chaqueta de piel negra. A Evalle le encantaba acariciar ese pelo suave. La piel cobriza y los afilados rasgos del rostro eran una mezcla de genes asháninca y navajo, al igual que había heredado de los *skinwalker* la habilidad de convertirse en un mortífero jaguar negro.

Se encontraban agachados detrás de un grupo de rocas, y Evalle se inclinó hacia delante para observar la zona de noventa metros que se extendía hacia abajo. La luz de la luna bañaba el valle. Allí se habían reunido, por lo menos, veinte seres —la mayoría de ellos no humanos—, y estaban llegando más.

—¿Hay alguna hembra en el grupo que pueda ser una bruja?

Storm negó con la cabeza.

—De momento, solo se ven formas humanas masculinas. Ni siquiera estoy seguro de qué son aquellos que tienen una parte humana y otra de animal.

Un ser que tenía el cuerpo de lagarto, de dos metros y medio y de color naranja, cuatro brazos humanos y cabeza de buitre avanzó entre la multitud, que se abrió como el mar Rojo ante él. La mayor parte de los seres que se habían congregado allí se distribuían alrededor de un círculo de nueve metros de diámetro marcado por unas grandes antorchas clavadas en el suelo.

¿Un círculo de ceremonias?

Fuera lo que fuera, Evalle quería que la fiesta empezara pronto.

Storm, como si hubiera notado su malestar, le preguntó:

—¿Crees que la diosa habrá aplazado la fecha?

—¿Otra vez? Ni soñarlo. Ya me sorprendió que Macha me concediera cuatro días más.

Eso había sucedido dos días antes, y Evalle había recibido esa prórroga solo gracias a que había derrotado a un demoníaco trol svart antes de que este arrasara con todo a su paso.

Una oportunidad como esa no se conseguía todos los días.

Lo cual era bueno porque, si no, estaría en movimiento perpetuo.

Pero que Macha le hubiera concedido dos días más de libertad compensaba el hecho de que el svart la hubiera hecho papilla. Macha era la diosa que gobernaba a los veladores, una raza de poderosos guerreros celtas que protegían a los seres humanos. Macha había ofrecido cobijo en su panteón a todos los mutantes que le juraran fidelidad.

Pero en ello había una trampa.

Evalle, en primer lugar, debía descubrir el origen de los mutantes, que eran, en parte, veladores y en parte, desconocidos. Puesto que los mutantes se transformaban en bestias capaces de matar a seres muy poderosos, Macha quería conocer cuál era esa parte de origen desconocido antes de ofrecer la libertad absoluta a los mutantes.

Y Tristan disponía de esa información.

Por desgracia, Tristan había sido capturado la semana anterior mientras intentaba ayudar a Evalle a escapar de un mortífero enemigo. Evalle se negaba a pensar en las mil terribles formas en que Tristan podía estar sufriendo en ese momento. Liberarlo se había convertido en su prioridad.

Lo único que debía hacer era encontrar a una bruja llamada Imogenia, de la cual se decía que poseía información sobre los mutantes y, en particular, de Tristan, y acerca de TÅµr Medb, hogar del aquelarre Medb, el aquelarre de los mortíferos practicantes de magia Noirre, y el lugar donde Tristan se encontraba cautivo.

Se suponía que Imogenia asistiría a la reunión del valle esa noche.

Evalle sentía una náusea de arrepentimiento que se hacía más fuerte a cada minuto que pasaba sin que la bruja apareciera por ninguna parte. Hacía dos horas que había partido de Atlanta con Storm para subir la ladera del monte Oakey. No hubiera perdido ese tiempo si no hubiera tenido confianza en su merodeador. En general, Grady era un espectro en quien se podía confiar.

—Malditos fantasmas —se quejó Storm, con la voz ronca como un gruñido.

—¿De verdad no me lees el pensamiento? —preguntó Evalle, que todavía no estaba segura de qué podía hacer, y de qué no podía hacer, Storm.

—No tengo telepatía.

Pero sí tenía una poderosa empatía, y detectaba la ansiedad de Evalle. Lo cual explicaba que hubiera hecho ese comentario.

—No culpes a Grady —dijo Evalle—. No puede hacer más que repetir lo que oye.

Evalle cambió de postura para sentirse más cómoda sobre el suelo frío. Sabía que Grady tenía limitaciones siendo un merodeador, un sintecho que había muerto años atrás en las calles de Atlanta.

En esos días, él era su mejor fuente de información. En general.

Evalle vio que Storm apretaba los dientes, pero esa era la única señal de la frustración que sentía.

—Cuando encontremos a Tristan, quiero disponer de diez minutos con él a solas antes de que lo entregues a Macha.

—Lo necesito vivo —le recordó Evalle, aunque sabía que él

no tenía intención de matar a Tristan. A pesar de ello, esos dos no podían estar en el mismo lugar sin que hubiera el riesgo de que corriera la sangre—. Necesito a todos los mutantes que podamos encontrar. Ahora mismo, Macha se siente insultada por el hecho de que ningún mutante haya aceptado su oferta. No tengo ni idea de dónde voy a encontrar a otro mutante, aparte de Tristan y, con suerte, su hermana.

Evalle soltó un profundo suspiro, exasperada. Había confiado mucho en que ese sería el golpe de suerte que necesitaba.

—¿Grady dijo que este era el lugar?

—Sí. Dijo haber oído que Imogenia tenía una reunión en el valle del norte del monte Oakey cuando el reloj marcara el paso del viernes al sábado.

—¿Te contó con detalle la información que se supone que tiene de los Medb?

—En eso Grady fue poco preciso. Dijo que, mientras escuchaba, empezó a perder su forma corpórea y eso le impidió oír parte de la conversación. Sí oyó que ella mencionaba algo acerca de los mutantes, y que iba a entregar eso a los Medb. Además, ella pronunció el nombre de Tristan.

—Eso. Hummmm. Quizá esté aquí buscando más información para venderla a los Medb.

Evalle pensó en esa posibilidad.

—Solo espero que aparezca y que, si sabe algo sobre otros mutantes, poder convencerla de que haga el pacto conmigo en lugar de con los Medb.

—¿Crees que tienes algo más que ofrecer que ellos?

—No lo sé. Alguien del aquelarre de Carretta quiere asumir el mando con la sangre del sacrificio de Imogenia. Una bruja oscura como ella debería estar dispuesta a vender el alma de su madre para saber de quién se trata. —Evalle inspeccionó el valle con la mirada, y vio algo que le hizo sentir punzadas de ansiedad. ¿Qué estaba sucediendo? Abrió y cerró los puños con fuerza—. En cuanto llegamos, supe que este lugar no era el lugar donde se reunirían las brujas; es una zona demasiado abierta.

—Es verdad, pero yo tenía esperanzas.

—¿En serio quieres disponer de diez minutos con Tristan? —bromeó Evalle.

Storm se dio la vuelta y la obligó a mirarlo cogiéndole la barbilla con un dedo.

—Hace dos días que no duermes, casi no comes y sientes una frustración constante intentando encontrar una pista que nos lleve hasta Tristan. Pues aquí está, y llegar hasta aquí ha sido difícil. Quiero obtener la información de esa bruja esta noche y encontrar a Tristan tanto como tú.

—¿De verdad? Pero... —Evalle se contuvo. ¿Por qué lo estaba cuestionando? Storm no podía mentir sin sentir dolor; esa era la contrapartida de tener la capacidad de saber de forma inmediata cuándo alguien mentía.

Storm sonrió sin alegría.

—No me entiendas mal. Me sigue sin importar en absoluto Tristan. Por mí, podría pudrirse en el infierno por todas las veces que te ha decepcionado, pero si hay alguna posibilidad de que Imogenia posea alguna información sobre los mutantes, no podemos irnos hasta que no estemos seguros de que no está aquí.

—Estoy de acuerdo. —Entre el gélido aire y la inmovilidad física, empezaba a perder sensibilidad en las piernas y el trasero—. Estar quieta sería más fácil si no hiciera este maldito frío.

—Esto no es frío. Te gustaría la sensación si te estuvieras divirtiendo de alguna forma, si acamparas o hicieras senderismo.

—En absoluto —gruñó ella—. Quien subiera esta montaña en invierno por diversión haría el *picnic* en el infierno.

—Ni siquiera es invierno todavía.

Storm la obligó a darse la vuelta y, pasando un brazo por debajo de su chaqueta, la atrajo hacia él. Evalle se acurrucó, agradeciendo el calor que desprendía su poderoso cuerpo. Storm era un horno natural, y olía a montaña y a... hombre. A muy hombre. Él le cogió el rostro y la besó como si tuviera todo el derecho de hacerlo.

Por lo que a él respectaba, lo tenía.

Los labios de Storm juguetearon con los de ella, invitándola a otras cosas a las que el cuerpo de Evalle respondía de inmediato. El corazón le decía que lo intentara con Storm. Que tomara la decisión.

Pero su cabeza aún no opinaba lo mismo que su corazón.

Storm tenía más paciencia que todos los hombres del mundo. Y, si era sincera, debía admitir que estaba harta de permitir que su pasado dictaminara cuál sería su futuro. A pesar de ello, tenía buenos motivos para dudar, aunque sabía que Storm sería un amante increíble. Su miedo consistía en la posibilidad de perder el control y que eso tuviera como consecuencia que lo matara.

Un miedo muy sensato para una mutante como ella.

Storm le rodeó la nuca con los dedos y empezó a hacerle un suave masaje mientras le besaba la oreja y el mentón.

—Deja de preocuparte por tonterías, cariño.

Su ternura despertó en Evalle una cálida sensación en el estómago, como si una brasa se hubiera encendido con sus besos.

Storm se apartó un poco y apoyó la frente en la de ella. En un susurro, le dijo:

—Echo de menos sentir tu abrazo ante la chimenea. Quiero que regreses, y que descanses. Empiezo a estar cansado de ayudarte con un mutante renegado, pero lo haré para sacarte a Macha de encima. Y cuando, esta vez, encontremos a Tristan, lo haré ir hasta Macha aunque tenga que arrastrar su miserable esqueleto hasta ahí.

Esas palabras eran más propias del Storm del principio, el que perseguía a Tristan cuando se encontraron por primera vez. Pero la verdad era que Storm solo era sincero… si uno contemplaba los actos de Tristan desde un punto de vista de negro o blanco.

Y el trabajo de Evalle a menudo requería contemplar las tonalidades grises de las cosas.

Justo como en ese momento, en que toda su situación había dado un giro inesperado. Por el aspecto del grupo que se había reunido en el valle, todo indicaba que habría problemas. Le había pedido a Storm que viniera con ella para que la ayudara con sus habilidades de rastreo a seguir a Imogenia cuando terminara la reunión, no para que arriesgara la vida para ayudar a alguien a quien casi no soportaba.

¿Era justo que ella siempre aceptara el apoyo y el consuelo que él le ofrecía cuando no era capaz de acompañarlo en la cama?

Una cama en la que cualquier mujer estaría más que dispuesta a meterse, con un hombre tan atractivo y tan sensual como Storm. Un hombre con una masculinidad tan pura que las mujeres se lo comían con los ojos. Igual que estaba haciendo ella en ese momento. «Vuelve a ocuparte de tu trabajo».

Ya habría tiempo para explorar los siguientes pasos, cuando volvieran a estar delante de la chimenea. Después de que hubiera cumplido con las exigencias de Macha.

Evalle se apartó y se dio la vuelta para observar a la multitud del valle, que cada vez era más numerosa. Storm también lo hizo, y le acarició el hombro con la punta de los dedos.

De repente, Storm se puso en alerta y se inclinó hacia delante.

—Esa tiene que ser ella.

Evalle observó la rara mezcla de seres que deambulaban ahí abajo, buscando una figura que encajara con su descripción. Vio que había llegado alguien nuevo. La luz de las antorchas iluminaba una máscara dorada que cubría el rostro de una mujer de una altura media y cabello blanco. No plateado, tampoco rubio, sino un cabello rizado y blanco que le caía por encima de los hombros.

—Por lo menos, la descripción que me dieron parece encajar. ¿Pero qué es lo que está a su lado, atado con una cadena?

—Se me ocurre que es un demonio con la cabeza cubierta y un collar de metal. Pero no comprendo por qué una bruja necesita encadenarlo, si lo tiene bajo su control.

Evalle rozó con los dedos el borde de la bota, donde llevaba la daga cuyo filo había recibido un hechizo y con la cual había matado a más de un demonio.

—Parece raro, ya que él, o eso, sea lo que sea, parece muy enclenque. Desde luego, por como le cuelga la ropa, no mide metro ochenta. ¿Crees que es una víctima sacrificial?

—No. —Storm se puso en cuclillas. Las rocas ocultaban sus movimientos de las miradas procedentes de abajo—. Necesito estirar los músculos. —Con un movimiento ágil, se puso en pie y le ofreció la mano. Evalle se la aceptó. Storm retrocedió, arrastrándola hacia las sombras de unos pinos—. Eso cambia el plan: pasamos de observar a rastrear.

—¿Por qué? Podemos esperar a que se vaya y seguirla.

—Eso si se tratara de una reunión de brujas. Ha sido imposible encontrar a Imogenia hasta aquí, y —hizo un pausa, y con un gesto de cabeza señaló la zona iluminada por las antorchas— no se trata de una reunión, de gente en la que confía. Con tantos seres peligrosos aquí, seguro que tiene una manera de desaparecer para que nadie pueda seguirla. Quizá ni siquiera yo.

Eso tenía sentido. Storm había conseguido seguir a Evalle hasta Sudamérica a pesar de que nadie más había sido capaz de encontrarla. Excepto en el caso de alguien que pudiera teletransportarse, Storm era capaz de seguir un rastro en cualquier parte del planeta.

Evalle observó al grupo otra vez.

—¿Y crees que se trata de algún tipo de ceremonia sacrificial?

—No.

—¿Y qué dirías que es?

—No hace falta imaginarlo. Sé lo que está pasando.

Storm se apoyó en un árbol y estiró las pantorrillas.

—¿Ah, sí?

Si Evalle no hubiera percibido, gracias a su creciente capacidad empática, que Storm empezaba a sentirse un tanto inquieto, hubiera querido oír la respuesta. Era como si estuviera anticipando problemas.

—¿Por qué no lo has dicho antes?

—Porque no lo he sabido hasta ahora. Echa un vistazo.

Evalle volvió a observar con atención la reunión del valle.

Dos machos con forma humana habían entrado en el círculo de las antorchas. Uno de ellos tenía la piel de un desagradable color verde. No llevaba nada puesto excepto un trozo de tela gris en la entrepierna, y tenía una cola que le llegaba hasta el suelo. Su contrincante vestía un chaleco de color verde y un pantalón marrón. Era más bajo, y tenía el cuerpo fornido y musculoso. De los dos, era el que tenía más aspecto humano. Llevaba su pelo marrón desaliñado, y dos cuernos cortos le sobresalían de la frente.

Bueno, además sus dos brillantes ojos rojos eran claramente visibles a pesar de la distancia.

—Demonios —dijo Storm sin dudarlo.

Evalle asintió.

Los dos demonios daban vueltas, el uno frente al otro, con los hombros hundidos y los brazos levantados, listos para atacar.

Evalle se metió las manos en los bolsillos de la chaqueta.

—¿Qué están haciendo?

—Luchan.

—¿Por qué?

—Es el Club de Bestias.

Evalle miró a Storm para comprobar que hablaba en serio, y su rostro debió de delatar la confusión que sentía.

Él se explicó:

—Es un club de lucha ilegal, pero de no humanos.

Las piezas empezaban a encajar. El gentío se apretujaba alrededor del cuadrilátero, y gritaban igual que Evalle lo había visto hacer en televisión, en las luchas entre humanos.

—Nunca había oído hablar de un club de bestias. ¿Cómo lo sabes?

—Porque en Sudamérica también existe. La única manera que tienes de saberlo es siendo un patrocinador... o un luchador.

Evalle deseaba hacerle más preguntas sobre el tiempo que había vivido allí, pero no era el momento adecuado.

De repente, las montañas devolvieron el eco de un chillido de dolor. Evalle se dio la vuelta y vio que el demonio de piel verdosa acababa de arrancar la cabeza al que iba vestido con el chaleco. Evalle no calculaba que el más fornido perdiera la pelea... por lo menos, no tan pronto.

Se pasó una mano por la nuca, intentando elaborar un nuevo plan.

—Debo informar a VIPER.

—Si te pones en contacto con ellos, te dirán que te quedes quieta y que les dejes manejar esto. Si, por una pequeña casualidad, el valle es propiedad de una persona que goce de inmunidad diplomática para las operaciones de VIPER, esta será quien tenga el derecho de anfitrión de la lucha. Cuando VIPER haya terminado con esta reunión, tu bruja ya habrá desaparecido.

En su calidad de agente de VIPER —una coalición de poderosos seres que protegían al mundo de los depredadores sobrenaturales—, si esto resultaba ser una operación ilegal y los de VIPER se enteraban de que ella lo sabía y de que no había informado, Evalle tendría serios problemas.

Si debía elegir entre las responsabilidades que tenía con VIPER, su promesa de entregar a Tristan a Macha y su compromiso con los veladores, para Evalle lo primero era su deber hacia los veladores y hacia Macha. Eso significaba que ponerse a salvo del peligro era lo último, como siempre.

Pero eso tampoco resolvía su necesidad de hablar con la bruja, si no podían seguirla.

—Mierda. ¿Qué posibilidades tenemos ahora de llegar hasta Imogenia?

—Bastantes, en realidad. Si ella tiene aquí a su competidor, no podrá irse hasta que su demonio, o lo que sea, haya luchado.

—Entonces debemos llegar pronto hasta donde esté ella. ¿Pero cómo?

—Esa parte es fácil. Simplemente, vamos.

A Evalle no le gustó el tono en que lo dijo, era un tono de «ya tengo un plan en mente».

—¿No se van a dar cuenta de que no nos han invitado?

—No se necesita una invitación formal para asistir a una lucha de bestias como esta. Lo único que hay que hacer —hizo una pausa, se llevó las manos detrás de la cabeza y se desperezó— es ir en calidad de luchador o llevar a un luchador.

«Que la gracia esté con Macha». Evalle se imaginó lo que él le estaba proponiendo.

—No. Ya te vi una vez en que estuviste a punto de morir. No voy a pasar por eso otra vez.

Storm bajó los brazos y dio un paso hacia ella. La atrajo contra su pecho y le susurró al oído:

—No sé por qué hay un Club de Bestias en América del Norte, pero ahora que sé que hay uno y que sé quién es la bruja que está metida en esto, no pienso dejarla e irme, y que tú te quedes aquí luchando sin mí. Pienso ir ahí abajo y encontrar a Imogenia ahora. Puedes decidir si quieres ser mi patrocinadora, o si quieres esperar aquí.

Dos

Storm tenía una expresión tranquila y se movía con calma. Lo hacía por Evalle. No le daba miedo nada, pero si le contaba a Evalle que, la última vez que había estado en un Club de Bestias, estuvo a punto de ser decapitado, seguro que ella llamaría a VIPER solo para protegerlo. Sabía que llamaría a pesar de que eso significara perder la oportunidad de encontrar a Imogenia.

Evalle siguió con paso decidido a Storm por la ladera del monte.

—Desearía que no hicieras esto —gruñó.

«No tanto como yo desearía que tú no vinieras conmigo», pensó Storm.

—El ejercicio me vendrá bien.

—Creí que habías dicho que estás en plena forma otra vez.

Después de que Evalle fuera puesta bajo custodia, Storm pasó semanas en coma. Su cuerpo no era más que una montón de huesos rotos. Volvería a hacerlo.

—Estoy al cien por cien, y me siento bien, pero no me hará ningún daño poner a prueba mis reflejos antes de volver al servicio activo.

—¿Así que vas a regresar a VIPER? —preguntó Evalle, procurando no darle importancia.

—Quizá. VIPER todavía necesita un rastreador en su zona.

Y Evalle necesitaba un compañero que le cubriera las espaldas sin darle una puñalada.

—Bueno, espero que estés en forma, porque si vas a comportarte como un estúpido, será mejor que estés fuerte.

Storm se rio, sin hacer caso del tono irónico que ella utilizaba para esconder sus verdaderos sentimientos. La reacción natural de Evalle ante la preocupación era el enojo. Storm alargó la mano y le acarició la mejilla con el dorso de la mano, obligándola a detenerse.

—Soy duro de pelar.

—Dice el hombre que pasó tres semanas en coma después de que Sen intentara matarlo —puntualizó Evalle en tono frío.

Sen había disparado a Storm cuando este último había intentado impedir el arresto de Evalle. En su calidad de vínculo entre los agentes y la coalición VIPER, Sen tenía autoridad sobre los agentes. Además sentía un odio irracional hacia Evalle y los mutantes. Sen había puesto a Storm en el punto de mira cuando él se negó a emplear su detector de mentiras contra Evalle.

Storm solo quería que Evalle estuviera a salvo, pero si le contaba eso no conseguiría más que hacerle perder los estribos. Le acarició la suave mejilla con el dedo.

—Si Sen vuelve a intentar matarme, estaré preparado.

Evalle farfulló algo ininteligible y sujetó la mano de Storm.

—¿Cómo vas a estar preparado ante alguien que puede teletransportarse y que tiene los poderes propios de un dios? Si no lo obligaran a actuar de vínculo para VIPER, casi creería que es un dios o un semidiós. Pero alguien más poderoso consigue obligarlo. La próxima vez que te estampe contra un muro de ladrillos, se asegurará de que estés muerto y esconderá tu cuerpo antes de desaparecer.

—Y al igual que la última vez, mi espíritu guía le mostrará a alguien dónde encontrar mi cuerpo.

—Muy consolador.

—Pero eso es preocuparse por el futuro. Ahora tenemos otra cosa entre manos.

Storm le dio un suave empujón y continuaron bajando por la ladera en dirección a ese batiburrillo de mortíferos seres. Sabía que Evalle no se hubiera quedado en el monte, pero por una vez deseó que no se metiera en ese lío. Si no supiera que era capaz de ir en busca de Imogenia por su cuenta sin que nadie le cubriera las espaldas, la hubiera obligado a volver a Atlanta de inmediato.

Evalle tenía unas enormes habilidades como luchadora y era capaz de enfrentarse a la mayoría de los seres sobrenaturales, pero Storm se sentiría más tranquilo si ella empleara todos sus poderes y no solo la energía o la telequinesia. Pero era más probable que, antes, los demonios se convirtieran en ángeles. Evalle nunca rompería su promesa a los veladores de no adoptar su poderosa forma de bestia mutante, aunque su vida dependiera de ello.

Storm contaba con la magia y con su forma de jaguar, pero emplear la magia en un Club de Bestias era provocar una cruenta batalla. Como esas sangrientas batallas que se había visto obligado a soportar en manos de su patrocinador, en Sudamérica.

Antes de que pudiera escapar de ese patrocinador... la bruja.

Ya habían llegado a terreno plano y se acercaban a la luz de las antorchas, así que quedaba poco tiempo para la conversación.

—Cuando lleguemos ahí, quiero que sigas mis instrucciones con exactitud.

Evalle se irritó, y Storm se dio cuenta. No necesitaba esa capacidad empática para saber que había dado en un punto sensible.

—No me entiendes. No se trata de que sea yo quien decida. Tú eres la patrocinadora. Yo soy el luchador. Por lo que a ellos respecta, yo te pertenezco.

—¿Me perteneces? ¿Quieres decir que eres de mi propiedad? —Evalle lo miraba con amargura.

—Sí. Esto es como en las peleas de gallos, pero aquí los luchadores son demonios u otros seres subordinados.

Evalle pensaba, intentaba imaginar qué significaba que él hubiera luchado en Sudamérica. De aquellos tiempos oscuros él no deseaba hablar en ese momento, pues no quería mencionar a esa bruja que había matado a su padre.

Storm no podía correr el riesgo de pronunciar, ni siquiera mentalmente, el nombre de esa bruja, puesto que ella retenía su alma: el mero hecho de pensarlo sería establecer una conexión a través de la cual ella podría localizarlo.

«Bruja» era un buen apelativo para ella.

«Bruja muerta» sería mucho mejor.

Pero cuando estuviera listo para conseguirlo, prefería ir a su encuentro en lugar de provocar que ella fuera al encuentro de él y apareciera de forma inesperada. Por las visiones que había tenido, sabía que la bruja tenía interés en Evalle.

Si creyera, como al principio había creído, que Evalle estaba en peligro, le hubiera hablado de la bruja. Pero conocía a Evalle, y sabía que ella iría en busca de esa bruja por su cuenta. No pensaba permitir que eso sucediera. Esa malvada bruja había estado en la zona de Atlanta durante la semana anterior, según los merodeadores. Eso significaba que, probablemente, no tendría interés en enfrentarse a una mutante que poseía unas capacidades poco conocidas o comprendidas.

Storm, después de discutirlo con su espíritu guardián, Kai, creía que él continuaba siendo el objetivo final de la bruja. Así que estaría listo cuando apareciera.

Pero una cosa lo inquietaba. ¿Qué sabía esa bruja acerca del interés que él sentía por Evalle?

Esa bruja se alimentaba de dolor.

Seguro que en ese momento estaba a la espera, y que tenía intención de infligir tanto sufrimiento como fuera posible, puesto que él la había humillado con su huida.

¿Qué creía Storm que sucedería? Que la bruja no iría a por él hasta que no dispusiera de un plan para castigarlo. Eso no había preocupado a Storm hasta que conoció a Evalle. Ahora, solo de pensar que le podía pasar algo a Evalle, se le hacía un nudo en el estómago. Pero antes de permitir que eso sucediera, él haría correr la sangre.

—¿Puedes elegir con quién luchar? —preguntó Evalle, sacándolo de sus cavilaciones sobre el pasado y obligándolo a regresar al presente.

—No.

—¿Puedes rechazar una pelea?

—No funciona así. Primero debemos averiguar qué está en juego, y cuáles son las reglas. Luego los patrocinadores empiezan a negociar los puestos de pelea. La primera pareja de tu luchador debe pertenecer a la categoría que se te otorgue. Un único enfrentamiento es el único requisito del Club de Bestias. Después, el luchador puede aceptar a cualquier oponente siempre y cuando los patrocinadores se pongan de acuerdo en las condiciones.

—Te refieres a unas apuestas al margen.

—Exacto.

Evalle permaneció callada unos instantes y luego preguntó:

—¿Así que podemos encontrar un oponente fácil?

Eso no era probable, puesto que Storm podía adoptar otra forma y eso requeriría enfrentarse a criaturas mortíferas. Pero no quería que Evalle se preocupara, así que repuso:

—Quizá.

—¿Qué consigue el patrocinador si su luchador gana?

En ese momento, le hubiera gustado poder mentir, pero no podía permitirse el dolor que eso comportaría ahora que debía prepararse para el combate.

—Nada en los primeros enfrentamientos, y, en un evento de este tipo, a veces llaman «puré» a la primera serie de enfrentamientos. Los ganadores continúan luchando hasta que mueren o renuncian. Cuando ganas, la única manera de no continuar luchando es renunciar a una victoria, lo que sucede raramente.

—¿Y entonces qué?

—El ganador de cada categoría recibe un premio que va desde dinero a alguna cosa que un no humano valora mucho. Hagas lo que hagas, no se te ocurra preguntar cuál es el premio de mi categoría porque sería como levantar un trapo rojo. Quien conoce este club sabe cuál es el premio.

Evalle se detuvo en seco, pero al cabo de un momento continuó caminando.

Para que Evalle no pidiera respuestas sobre las cuales no quería especular, Storm desvió la conversación y empezó a prepararla antes de llegar al círculo de lucha.

—Concentrémonos en lo que debes hacer. Yo soy tu luchador. Tú eres la única que puede aceptar o declinar una propuesta de pelea, pero tal como he dicho, debes aceptar, por lo menos, una.

Evalle, evidentemente disgustada, preguntó:

—¿Y tú qué eres? ¿Mi esclavo?

—Más o menos. —Y, para quitar un poco de hierro al tema, intentó animarla un poco—: No me importaría ser tu esclavo de amor.

Evalle miró al cielo y soltó un bufido, aunque solo para disimular lo que esas palabras habían suscitado en ella.

—Solo en tus sueños.

—Siempre en mis sueños.

—Eres imposible.

Verla sonreír le hizo sentir una punzada en el corazón. Por lo que sabía, Evalle no había tenido muchas oportunidades de sonreír antes de que se conocieran. Storm no tenía ni idea de por qué le importaba tanto que ella fuera feliz, pero así era.

Estaba ansioso porque terminara la noche y pudieran regresar a su casa. Deseaba darle otro motivo para sonreír.

Con los ojos fijos en el grupo, Evalle preguntó:

—¿Quién empezó con estos humillantes eventos?

—Gente codiciosa. —Y volvió a obligarla a pensar en prepararse—: Se trata de fingir, así que debes entrar ahí como si conocieras el lugar. Nadie le pone la mano encima a un patrocinador. —Por eso Evalle estaría a salvo—. Pero algunos tienen la lengua larga. No te tocarán físicamente, pero no permitas que te agredan verbalmente. —«O me veré obligado a hacerles daño.»

—De acuerdo.

Evalle se alisó el pelo con las manos y se ajustó la goma con que sujetaba la coleta. Tenía un aspecto sencillo y adorable. Era toda una mujer, y con un cuerpo excepcional. Las largas piernas, enfundadas en un pantalón tejano ceñido, podían matar de una patada a cualquier demonio. Llevaba una chaqueta de GoreTex de motorista, de color gris, y unas botas de piel negras en las que escondía sus mortíferas dagas.

Letal y sexy. Terriblemente *sexy*.

Y si no dejaba de imaginar el aspecto que tendría sin la ropa, pronto tendría problemas. Diablos, la deseaba. La había deseado desde el primer momento en que la había visto. Pero ella había sido herida por alguien, y no quería presionarla.

Evalle era una joya, y valía la pena esperar el tiempo que fuera necesario hasta que se sintiera cómoda al sentirse tocada y amada. Pero ya no podía faltar mucho, pues últimamente había dado alguna señal de que quería más.

En cuanto estuviera lista, él se lo daría todo y, luego, más.

Evalle miró a lo lejos y susurró:

—Ojalá hubiera sabido lo de este Club de Bestias. Lo habría estudiado.

—Todo irá bien. —Calculó la distancia que les quedaba por

recorrer y se detuvo bajo un grupo de árboles que estaban a su lado—. Párate un minuto y dame tu daga.

Evalle sacó la daga de la bota, susurró algo en la hoja y se la ofreció.

Storm notó una corriente de energía procedente del hechizo de la daga. Se apartó el faldón del abrigo de piel y, con la punta de la daga, desprendió un diamante amarillo del tamaño de media canica que hacía las veces de ojo de jaguar en su cinturón de plata. Se la ofreció a Evalle, diciéndole:

—Esto es lo que vas a apostar.

Evalle observó la piedra a través de las oscuras gafas de sol que llevaba siempre, incluso de noche. Eso hubiera resultado extraño a quien no la conociera, pero las gafas de sol servían para ocultar sus brillantes ojos verdes de mutante, y para protegerlos, pues eran hipersensibles a cualquier luz y podían ver de noche, al igual que los de Storm. Pero a él no le dañaba la luz diurna, mientras que a Evalle la podía dejar ciega e, incluso, matarla.

Storm se desabrochó el cinturón y se lo sacó.

—No quiero llevar nada de valor ahí. Por favor, emplea tu capacidad cinética y lánzalo a ese árbol que tienes a la derecha.

Evalle cerró la mano alrededor de la piedra y preguntó con suspicacia:

—¿Cuánto vale?

«¿Un raro diamante amarillo canario? Muchos ceros».

—Lo suficiente para abrirnos las puertas de este evento.

Evalle señaló con el dedo el cinturón que él sostenía y luego desplazó la mano hasta señalar un viejo roble que había perdido todas las hojas. El cinturón se elevó por los aires hasta el árbol y se enroscó en una de las ramas.

Storm asintió con la cabeza.

—Lo recuperaremos cuando nos vayamos. ¿Preparada?

Evalle dudó un momento. No dijo nada, pero sintió una punzada de temor en todo el cuerpo. Storm sabía que si intentaba consolarla, no conseguiría más que hacer que se enojara.

—No te separes de mí, o sospecharán que no somos un patrocinador y un luchador.

Evalle empezó a caminar de nuevo.

—¿Y qué pasaría entonces?

—Se darían cuenta de que no estamos aquí para luchar, y lo entenderían como una amenaza. Los organizadores no tardarían mucho en sospechar que somos agentes de VIPER y todos irían a por nosotros.

—Fantástico. —Evalle farfulló algo ininteligible y añadió—: Será mejor que Tristan valore esto. Si tú no sales de aquí por tu propio pie, seré yo quien lo arrastre hasta Macha por sus joyas familiares.

Valía la pena hacer correr un poco de sangre para ver eso. Disimulando una sonrisa, Storm se dio la vuelta hacia la multitud iluminada por las antorchas y continuaron caminando.

—Adopta una actitud de superioridad. En ese círculo, los patrocinadores son poderosos. Yo entraré delante de ti, como si también ejerciera de guardaespaldas. Cuando encontremos al domjon, dile que solicitas un combate.

—¿Qué es un domjon?

—El jefe del cuadrilátero, el hombre que se lleva las apuestas. Él tiene la última palabra en cualquier situación que se presente en el Club de Bestias, incluso en un altercado entre patrocinadores. Cuando acepte tu apuesta, nosotros daremos un paseo y observaremos el entorno. En cuanto localicemos a Imogenia, desafiaremos a su demonio. Eso te dará la oportunidad de llegar a un trato con ella.

—Parece demasiado fácil.

Normalmente, las cosas que parecían fáciles no lo eran, pero Storm no había terminado de dar instrucciones.

—El domjon echaría a quien abusara de su poder en esta arena, pero, a pesar de ello, no permitas que la bruja te toque, y no le cuentes nada personal.

—Mi amiga Nicole ya me avisó de cómo manejarme con las brujas.

—Nicole no es una bruja negra.

—No, pero tampoco es una bruja normal. —Evalle se metió las manos en los bolsillos de la chaqueta y calló un momento—. No me entiendas mal, pero ¿cuál es la mejor manera de ganar con facilidad?

Storm aprovechó la preocupación de Evalle para insistir en que mantuviera su papel.

—Haz lo que te he dicho. Cuanto más arrogante te muestres, más oportunidades tendrás de elegir con quién me enfrentaré.

Eso hizo que Evalle levantara la cabeza en un gesto de arrojo.

—Sin problema.

¿Había dicho que era *sexy*? Además de su cuerpo, sus ojos exóticos y sus piernas interminables, la confianza que tenía en sí misma resultaban terriblemente *sexy* también. Pero eso también hacía que estuviera constantemente preocupado por su seguridad.

Evalle susurró:

—¿Me tienes que decir algo más antes de que estemos demasiado cerca para hablar?

—Yo te conduciré hasta el domjon. Cuando el trato esté cerrado, tú tomarás la iniciativa mientras damos una vuelta buscando un combate. Eso será un claro mensaje de que yo soy tu luchador y de que tú buscas los contrincantes.

Al llegar al perímetro de la zona de combate vieron unos destellos verdes y azules que titilaban en un halo de luz que rodeaba el valle. Storm aminoró el paso:

—Hay un escudo que protege el evento.

—¿No podemos entrar?

—Lo sabré en un minuto.

Storm se acercó al halo e introdujo la mano en él. De inmediato, unas chispas de luz se encendieron sobre su piel oscura, y unos diminutos destellos azules y blancos formaron un arco alrededor de él lo bastante grade para que pasaran dos personas. Era un escudo para mantener alejados a los humanos y para evitar que pudieran ver la lucha y los asistentes a ella.

Storm miró a Evalle y asintió con la cabeza. Ella pasó delante de él, levantando las manos para mantener el arco abierto.

Mientras descendían por la ladera ya oían el sonido de los combates, pero ahora que habían atravesado el halo, esos sonidos eran un fragor de violentos golpes y gritos de la muchedumbre. Los asistentes se apretaban unos contra otros, y les impedían ver la lucha que se llevaba a cabo en ese momento.

Storm avanzaba un poco por delante de Evalle. Pronto reconoció el familiar olor a sudor, alcohol e incienso, pero esta vez también notó el inusual olor de nicotina.

A veces deseaba que su olfato no fuera tan fino, y que su memoria no fuera tan buena.

Miró a su alrededor con actitud amenazadora, para hacer saber a todos que era tan peligroso como parecía, y que nada le impedía atacar.

Evalle lo seguía tan de cerca que Storm notaba su olor. Cuanto menos la mirara, más convincentes resultarían, puesto que los demás creerían que él tenía alguna habilidad especial que le permitía saber por dónde caminaría ella sin siquiera mirarla... o, mejor, incluso, que ella era tan peligrosa como él.

Mientras observaba la multitud de rostros en busca del domjon, Storm percibió el olor de algo que podía ser humo mezclado con regaliz. Ese olor pertenecía a alguien que practicaba la magia con los demonios, como la bruja de Sudamérica.

Storm siguió el rastro de ese olor por entre la multitud hasta que encontró el lugar de dónde procedía. Una mujer mayor, envuelta en una sábana repleta de símbolos asiáticos, estaba sentada en el suelo, ante varios quemadores de incienso. De ahí procedía el olor.

—Puro Fenghuang, a un precio especial para el Club de Bestias.

Un opiáceo. Ahora comprendía por qué olía a regaliz.

Storm levantó la vista al cielo.

—Vendedores —dijo, y condujo a Evalle hacia la zona donde había más gente y donde deberían encontrar al domjon. Pronto lo localizó, pues sobrepasaba una cabeza de altura al resto de asistentes. Al mirar con mayor detenimiento, se dio cuenta de que el hombre, rechoncho y bajito, con una chaqueta de lana roja con el cuello y los puños amarillos, se encontraba encima del caparazón de una enorme tortuga. Las puntas del pelo, rizado y negro, le sobresalían por debajo de un sombrero negro, y unos grandes pendientes con unas calaveras grabadas le deformaban las orejas. Varios collares hechos de metales raros y engarzados con piedras brillantes le adornaban el cuello.

El domjon gritó con tono de subastador:

—Dos demonios, un cuadrilátero, uno desconocido en el límite, aceleran, aceleran, aceleran y aprovechan la oportunidad, no hay desafío demasiado pequeño, no hay muerte demasiado rápida, pero nos encanta que lo hagan durar.

Storm se detuvo delante de él. Se plantó con las piernas abiertas y cruzó los brazos, esperando a que Evalle llegara a su lado. Evalle, al acercarse, arrugó la nariz en un gesto de desagrado.

«Buen toque.»

El domjon se fijó en ella con la rapidez de una serpiente que detecta el calor de la presa. Los diminutos ojos negros se le encendieron con una expresión de interés que no tenía nada que ver con el dinero.

Storm estuvo a punto de hacerle engullir el diamante amarillo con el puño. Pero ese hombre jugaba un papel, también.

—Bueno, bueno, bueno, carne fresca —dijo el domjon con una risa de satisfacción—. ¿Qué deseas, pequeña dama?

Evalle le devolvió la sonrisa y soltó una carcajada siniestra.

—Tu cuello, si vuelves a llamarme pequeña dama.

Eso borró la sonrisa del domjon.

—No tengo ninguna intención de insultar, en absoluto, hay que fluir, tener sentido del humor, no ser irascible si no se está en el cuadrilátero. ¿Qué tienes?

—Solicito un combate.

—Es caro, pero no tanto como el cielo. Muestra lo que ofreces para participar en el puré.

Evalle sacó la mano del bolsillo y lanzó la brillante gema amarilla hacia el domjon con el mismo desinterés que si lanzara una moneda encontrada en el suelo. Él la atrapó al vuelo y se la acercó al rostro. Un ojo se le desprendió de la cuenca y recorrió el perímetro de la piedra, estudiándola, antes de volver a introducirse en su sitio.

La multitud emitía un murmullo sordo. Algunos habían perdido el interés en el combate que se estaba llevando a cabo y tenían curiosidad por la carne fresca que había entrado en los combates.

Storm temió por un momento que el domjon decidiera que la piedra no era un buen precio para entrar en el combate, pero el hombrecito anunció:

—Está dentro.

—Reglas —ordenó Evalle.

—Luchar a muerte, no se permite el empate a no ser que el patrocinador oponente acepte un acuerdo. Un trato es un trato. —El domjon dirigió los diminutos ojos hacia Storm—: Anúnciate.

Había llegado el momento de decidir.

Si no se anunciaba como *skinwalker*, lo cual significaba que podía cambiar de forma y que disponía de magia, y lo descubrían, podía ser descalificado. En el combate, si se empleaba el poder de transformación, la magia no estaba permitida; pero a Storm no le hacía falta la magia para ganar a esas bestias. Y si declaraba que podía emplear la magia, quedaría en desventaja frente a quienes tenían una magia más poderosa que la suya.

Por otro lado, solo necesitaba enfrentarse en un combate para que Evalle tuviera tiempo de hablar con la bruja. Ser descalificado o renunciar después de ese combate sería bueno para ellos porque les daría la oportunidad de marcharse rápidamente.

Así que respondió:

—Forma dual. Animal.

—¿Cambiante? —preguntó el domjon.

—Sí.

Una súbita y fuerte punzada de dolor recorrió el abdomen de Storm, que casi no pudo disimularlo. Había sido una reacción suave por haber mentido, puesto que técnicamente era verdad que mutaba a animal, y el domjon no le había preguntado exactamente «¿Eres un cambiante?».

La multitud soltó una exclamación de aprobación.

El domjon chasqueó los dedos tres veces.

—De acuerdo, de acuerdo, de acuerdo, ve a buscar un combate.

Lanzó un disco de plata al aire y Storm lo cogió al vuelo. En el centro, había tallado un cráneo con dos cuernos, y en la parte superior había un agujero del cual colgaba un clip. Storm se sujetó la moneda en el cinturón, lo que significaba que era uno de los contrincantes.

Evalle estaba muy tensa, pero fingía una actitud de profundo aburrimiento.

Como si todo el mundo estuviera perdiendo el tiempo. Storm se sintió orgulloso de ella, pero fue una satisfacción para su ego darse cuenta de que Evalle solo tenía ojos para él. Evalle se dio la vuelta y se alejó. Storm la siguió mientras dirigía, a su paso, una mirada amenazadora para dejar claro que nadie debía acercarse a ella.

En ese lugar había un ambiente parecido al de las peleas de perros. Los patrocinadores gritaban discutiendo los términos de un acuerdo, o inspeccionaban a los luchadores de los combates. Una mujer llevaba a un demonio de dos cabezas que siseaba en estéreo.

Evalle avanzaba con calma pero, de repente, estuvo a punto de detenerse, dubitativa.

Storm observó el gentío a su alrededor, y finalmente vio a un hombre que había clavado los ojos en ella. Quizá era unos cinco centímetros más alto que Storm, lo que significaba que medía un metro noventa y tres. Tenía el cabello grueso y corto, de un color amarillo limón, y su rostro era del color del azafrán, y estaba adornado con una gran nariz con forma de gancho. Storm pensó que no había en él nada significativo que pudiera preocuparlo hasta que le vio los ojos: unos ojos negros de depredador, vacíos como las cuencas de una calavera.

Storm amplió su sensibilidad empática —que hasta el momento había dirigido exclusivamente hacia Evalle— para que llegara hasta ese hombre. Percibió que una profunda rabia bullía tras ese rostro impasible, y un gran poder se desprendía de su delgado cuerpo.

Quizá un brujo, o un mago.

Evalle se detuvo un momento, interesada en una pelea.

El mago echó un vistazo a Storm e hizo caso omiso del objeto de interés de Evalle. Al cabo de un momento, Evalle vio el brillante disco rojo que colgaba del cuello de una mujer que se encontraba de pie al lado del mago. La cabeza de ella, de pie, llegaba a la altura del hombro de él. Esa luchadora debía de esperar un combate de magia. Era calva, excepto por un mechón de cabello violeta que le caía a un lado del rostro hasta la mandíbula. Tenía los ojos profundos y unas densas pestañas. Llevaba los labios pintados, y su cuerpo era muy musculoso. Se movió despacio, y las tiras de piel que le cruzaban delante de los pechos y el pantalón corto que llevaba, también de piel, desprendieron destellos de color canela. No parecía tener frío.

Debía de disponer de una gran cantidad de magia si la malgastaba para no pasar frío.

Al ver que el mago la ignoraba, Evalle continuó avanzando. Habían recorrido varios metros cuando oyeron un fuerte gruñido procedente del lado izquierdo de donde estaba Storm.

Evalle aminoró la marcha al oírlo, y ambos vieron al responsable del gruñido al mismo tiempo.

Esa cosa medía un metro ochenta y ocho, y tenía la cabeza cubierta por unos afiladísimos cuernos. Su mandíbula era tan ancha que podía partir el brazo de un hombre de un mordisco. El tono de su piel era el del barro seco, y unas verrugas rosadas del tamaño de un pulgar la cubrían por entero. Las piernas eran gruesas, y tenía los pulgares de los pies enfrentados, como los de un mono. Pero Storm no había visto nunca a un mono con unas garras como esas, ni con unos colmillos largos como dedos.

Tampoco había visto nunca unas alas de murciélago grandes como esas. Los brazos, largos, le colgaban hasta más abajo de la cintura. Esa bestia se movía hacia delante con los brazos extendidos y las afiladas garras abiertas, sujeto solamente por una cadena invisible. Lo único que tenía que hacer era agarrar a cualquiera y arrancarle el cuello para ganar el combate.

Su dueño, con el pelo fino y una barriga protuberante escondida tras un traje gris pálido, era un hombre de altura normal con el aspecto distraído de un oficinista. Pero era evidente que controlaba a esa bestia, y lo hacía sin esfuerzo aparente. ¿Se trataba de otro brujo o mago? ¿Era esa bestia algún tipo de golem? El propietario levantó el disco plateado que llevaba en la mano y llamó a Evalle con una voz sorprendentemente grave.

—Tú tienes una forma dual. Yo tengo una forma dual. De momento, solo tres. Deberíamos hablar. Soy Zymon.

Storm sintió un escalofrío de intranquilidad.

¿En qué demonios se convertiría esa cosa? Storm todavía no había encontrado ningún contrincante al cual no pudiera matar, y eso seguiría siendo así siempre y cuando no se viera obligado a enfrentarse a una magia más poderosa que la suya.

Si esa cosa tenía el poder de la magia de un brujo o de un mago, Storm podría perder. En ese caso, si lo descubrían, Zymon sería descalificado; pero si esa cosa era un golem, Zymon solo tendría que crear otro nuevo.

Y Storm estaría muerto, y dejaría a Evalle sin protección. A pesar de la expresión de indiferencia que mostraba, Evalle bullía de ansiedad. Debía de estar pensando lo mismo que Storm, pero además temía que él muriera.

Zymon volvió a insistir en un tono más fuerte:

—Venid, venid. Debemos llegar a un acuerdo, o el domjon elegirá a nuestro contrincante. Es difícil encontrar un combate, y esta noche necesito ganar.

Evalle se llevó un dedo a la mejilla en actitud de duda:

—Necesitaré muchos incentivos para malgastar la energía del mío en matar al tuyo.

«Esa es mi chica».

Zymon salió de entre las sombras y la observó con un brillo de reconocimiento en sus ojos grises e indiferentes.

—Muy segura, ¿verdad? Te diré el qué. Voy a añadirle atractivo. Si ganas, pongo un demonio.

Oh, diablos. Mostrar desdén ante una oferta como esa resultaría sospechoso. Storm empezó a medir a esa bestia con detenimiento, preparándose para enfrentarse a ella.

Evalle soltó una carcajada para ganar tiempo mientras intentaba encontrar la manera de salir de esa situación.

—¿Un demonio? ¿Esa es tu mejor oferta?

Entonces, una mujer gritó:

—No te precipites sin haber visto todos los competidores mutantes.

Storm y Evalle se dieron la vuelta al mismo tiempo y vieron a Imogenia a unos seis metros de distancia. Llevaba a su luchador encadenado.

Por suerte, Evalle no dejó traslucir el alivio que sintió. Miró a Imogenia con incredulidad.

—¿En qué se convierte? ¿En un tejón? ¿Una mangosta?

—En nada tan atractivo, pero es un luchador fuerte.

Eso sí que era un golpe de suerte.

Era mejor ese escuálido bastardo de Imogenia que la criatura de Zymon, que probablemente tenía magia o veneno en las garras.

Evalle ladeó la cabeza con la arrogancia que debía mostrar y observó al luchador de la bruja. Luego soltó una risita de desprecio y dijo:

—No insultaré a mi luchador haciendo que luche contra... eso.

¿Qué? Ese habría sido un buen momento para que tuviera la habilidad empática que compartía con sus amigos veladores.

Pero era culpa de Storm. La hubiera debido aconsejar mejor, porque ahora no podía decirle que aceptara ese combate sin descubrirse. Si Zymon tenía razón, Evalle solamente tenía dos opciones, y acababa de rechazar la única oportunidad de ganar que tenía si Imogenia se iba.

Tres

*P*resenciar cómo una bestia hacía trizas a Storm o cómo este estampaba a una bestia escuálida contra el suelo. De cualquiera de las dos maneras, a Evalle no le parecía que esa velada fuera a terminar bien. Si Storm se enfrentaba al luchador de la bruja y se contenía, parecería sospechoso. Si luchaba con demasiada fuerza, podía dañar o matar al tipo.

Pero Evalle tampoco quería que luchara contra la bestia de Zymon.

Imogenia hizo un gesto de desagrado con los labios. Luego, con cierto esfuerzo, esbozó una sonrisa, como si se esforzara por ocultar la reacción que había tenido. ¿Un temperamento vivo?

Evalle había rechazado la oferta de la bruja para ganar tiempo y poder pensar en qué hacer, puesto que aceptar demasiado pronto no sería adecuado, ¿verdad? Pero Storm se había irritado, lo cual significaba que quizá Evalle había metido la pata al rechazar a la bruja.

¿Podía cambiar de opinión?

Imogenia se libró de la rabia que parecía haberla asaltado y miró a Evalle con la cabeza ladeada y una sonrisa en el rostro. La luz de las antorchas iluminaba la máscara dorada con que se cubría la frente, las mejillas y la nariz. Hizo un gesto con la cabeza en dirección a la bestia de Zymon:

—Si tu mascota gana, podrás aumentar la apuesta inicial con Zymon.

Parecía muy decidida a conseguir que Storm se enfrentara a su luchador. ¿De verdad pensaba que Storm iba a perder?

Si perdía, el demonio de la bruja debería enfrentarse a esa cosa de Zymon.

El monstruo de Zymon soltó un rugido.

Evalle lo miró un momento y vio un hilo de sangre colgando de sus labios. Hecho.

Miró a Zymon y se encogió de hombros:

—Valoraré tu oferta mientras dejo que mi luchador se caliente un poco con el de ella. —Y, con una mirada altiva hacia Imogenia, añadió—: Acepto.

Imogenia sonrió y los dientes le brillaron. Demasiado confiada.

Evalle observó al luchador de la bruja con detenimiento. Le temblaba la mano.

¿Había algo de lo que no se había dado cuenta acerca de esos dos?

Ahora que había pactado el combate, Evalle se colocó fuera del círculo de antorchas que marcaba la zona del cuadrilátero. Storm se puso a su lado izquierdo, con las mandíbulas apretadas y el cuerpo tenso, y observó la pelea que mantenía un trol de dos metros de altura contra un tipo con cuerpo de lagarto y piel anaranjada.

Imogenia se puso al otro lado de Storm y dio un tirón de la cadena con que llevaba atado a su luchador, obligándolo a colocarse cerca de ella. Entonces se inclinó hacia delante para decirle a Evalle:

—¿Cuántos tienes?

—Uno.

Evalle había respondido demasiado deprisa, pero detestaba la idea de deber nada a nadie.

—¿Uno?

Imogenia rio y murmuró:

—Aficionada.

¿Estaba intentando desmoralizarla? Evalle pensó que Imogenia había insistido en luchar contra Storm para no arriesgarse a que su pequeño luchador fuera devorado por esa enloquecida bestia de Zymon.

Evalle miró por encima del hombro a la bruja, que era, por lo menos, doce centímetros más baja que ella, y pensó en varias respuestas. Pero se reprimió. «Será mejor que haga mi papel, será más seguro para Storm». Además, debía encontrar la manera de hablar con Imogenia, y esa conversación no iría bien si Storm mataba a su luchador.

Evalle, en un gesto por mantener su personaje, acarició la mejilla de Storm con el dedo en un gesto posesivo mientras se disponía a decirle a Imogenia con tono seductor:

—Si tuvieras a uno como él, comprenderías por qué uno es todo lo que necesito.

Storm clavó la mirada en los ojos de Evalle, y ella sintió que una brasa se le encendía en el estómago. Storm le guiñó un ojo, como si le prometiera que ya le recordaría ese sugerente comentario más tarde. Evalle lo miró como diciéndole «compórtate», y él se limitó a sonreír. Luego volvió a observar el combate con rostro impasible.

—¿Ah, sí? —repuso Imogenia con sarcasmo. Encogió un poco los dedos de la mano, temblorosos, como si se esforzara por no apretarlos en un puño. Respiró profundamente y volvió a esbozar la falsa sonrisa de antes—. En ese caso, si puedo impedir que el mío mate al tuyo, quizá me sea de utilidad —hizo una pausa y miró detenidamente a Storm— para ver si podemos llegar a un acuerdo.

Evalle tuvo que emplear toda su fuerza de voluntad para no abalanzarse sobre Imogenia y estrangularla por haberse atrevido a sugerir que podía poseer a Storm. O tocarlo.

Era una pena que los patrocinadores no pudieran encontrarse en el cuadrilátero.

Storm estaba cumpliendo su papel, y no mostró el más mínimo interés en el comentario de Imogenia, así que Evalle miró a la bruja con la ceja levantada:

—Disfruta de tu fantasía durante los últimos minutos que te quedan.

Entonces se oyó un profundo gruñido y volvió a dirigir la atención hacia el combate. El trol giraba alrededor del lagarto naranja, que tenía los dos pares de brazos colgando. El lagarto intentaba darle un mordisco al trol, y este saltaba hacia atrás y hacia delante, esquivándolo, hasta que el lagarto empezó a sacar una apestosa y oscura nube de aire por la boca que parecía gas sulfúrico.

Evalle se cubrió la boca y la nariz con la mano.

Mientras el trol tosía y batía el aire con el brazo para apartar esa nube pestilente, el lagarto le asestó un golpe con la cola que lo tumbó. El trol cayó con la cara contra el suelo. Entonces el lagarto utilizó los cuatro brazos para doblarlo por la mitad —y por la espalda— hasta que se oyó un fuerte crujido. Debía de haberle partido la columna vertebral.

Entonces el domjon gritó:

—Troles fuera, demonios siguen ganando. Los mutantes van a intentarlo. Esperemos que muten y que nos den un buen espectáculo.

Evalle cruzó una mirada con Storm y en sus ojos no vio más que una resuelta determinación. Storm se quitó la ropa. Tiró la chaqueta de piel al suelo, y luego se sacó la camisa, las botas y los calcetines.

Evalle nunca lo había visto mutar con la ropa puesta, pero estaba segura de que podía rasgar un pantalón tejano.

Imogenia estaba demasiado cerca, así que Evalle solo pudo decirle:

—No me decepciones.

Storm la miró con un brillo de comprensión en los ojos. Comprendió que debía salir vivo de ahí. Asintió rápidamente con la cabeza y entró en el cuadrilátero. Luego se dirigió hasta el otro extremo y se dio la vuelta, esperando a su contrincante.

Evalle esperó, igual que el resto del público, mientras Imogenia desenganchaba la cadena del collar de su luchador. Este tenía tanto miedo que Evalle casi podía olerlo. De repente tuvo miedo de lo que podía pasar y miró a Storm. Él había cruzado los brazos, y su rostro no mostraba ninguna emoción.

Imogenia sujetó a su luchador por los hombros y, de espaldas a Evalle y al cuadrilátero, le dijo:

—¿Preparado para este nuevo reto, larguirucho?

—No. —La tela de la capucha con que se cubría el rostro tembló.

—No seas tímido. Ambos sabemos de qué eres capaz.

Imogenia le quitó la capucha.

El público contuvo una exclamación.

Desde donde se encontraba, Evalle solo podía verle un poco la rala barba rojiza. Tenía el pelo corto y rizado, del mismo color, pero no lo veía bien. Imaginó que no debía de tener más de veintitrés o veinticuatro años. Casi la misma edad que ella.

Solo un joven. ¿Podía ser peor?

Imogenia le dijo:

—Ha llegado el momento, larguirucho. ¿Dónde está tu espíritu?

—Me llamo Bernie. —Había cerrado los puños, pero el cuerpo le temblaba.

—Larguirucho es muy adecuado para ti —susurró Imogenia con voz suave, pero Evalle la oyó—. Entra en el cuadrilátero y no lo mates hasta que yo te lo diga, o deberé visitar a tu chica. Esta noche.

—No. No te acerques a ella. —La voz de Bernie delataba su rabia y su miedo.

—Entonces ponte en marcha. Ya llevo aquí más rato del que pensaba estar.

Cuando Bernie se dispuso a entrar en el cuadrilátero, Evalle pudo verle bien la cara.

Unos ojos verdes y brillantes.

Un mutante.

Evalle miró a Storm, que tenía la mirada fija en Bernie. Los ojos de Storm le devolvieron la mirada y expresaron una advertencia que ella comprendió perfectamente. «No te metas.»

Storm se había enfrentado con troles demonios, hechiceros y con muchas otras cosas cuyo nombre ella no conocía, pero nunca se había medido con un mutante. Por lo menos, no que Evalle supiera, puesto que ella misma era la primera con la cual se había encontrado. Por la escasa información que Evalle había podido obtener sobre los mutantes, sabía que normalmente cada uno tenía una habilidad o un poder específico.

¿Cuál era el de Bernie?

Evalle sufría una reacción letal ante la luz del sol, pero no sabía si habría algún otro mutante al cual le sucediera lo mismo. ¿Tendría Bernie alguna debilidad?

Imogenia soltó una carcajada de placer. Esa bruja había disfrazado a su mutante. Evalle no creía que este necesitara ni la cadena ni el collar, puesto que la amenaza sobre su novia era suficiente.

Storm descruzó los brazos y dio un paso hacia delante, preparado para el ataque. Apretó los puños y arqueó la musculosa espalda mientras soltaba un gruñido.

Bernie se quedó quieto en el otro lado del cuadrilátero, temblando.

Imogenia le desabrochó la camisa y se la quitó, dejando al descubierto un cuerpo enjuto y huesudo. La multitud empezó a reír y a burlarse, pero Imogenia se puso de puntillas y gritó:

—¿Debo recordaros lo que sucedió en Tennessee?

El cuerpo del joven se tensó como un arco. Giró la cabeza a un lado y la miró por encima del hombro con una expresión mortífera en los ojos. Luego, con un rugido, se dio la vuelta hacia Storm.

Sus mandíbulas se ampliaron, los dientes se alargaron hasta convertirse en colmillos y la cabeza se le hizo más grande. Con unos fuertes chasquidos, los cartílagos y los huesos del cuerpo se le extendieron y engrosaron. Sus pies se hicieron tan grandes como el antebrazo de Evalle, y cada uno tenía cuatro dedos. El vello rojo que mostraba en piernas y brazos creció de golpe. Su cuerpo aumentó hasta los tres metros, haciendo trizas la ropa que llevaba puesta, y el torso se le cubrió de venas protuberantes y oscuras.

Cerró los dedos de las manos formando puños, y soltó un poderoso rugido.

¿Quizás habría sido mejor elegir el monstruo de Zymon?

Storm se quitó el pantalón tejano y lo lanzó a un lado, sin mostrar la más mínima señal de inseguridad por aparecer desnudo.

Evalle ignoró los murmullos de apreciación de las hembras. No podía culparlas. Ella también se habría dejado llevar por la fascinación si no estuviera ocupada procurando que ese increíble cuerpo continuara entero y de una pieza.

Storm abandonó la forma humana y su cuerpo se transformó en el de un enorme jaguar, mucho más grande que el de un jaguar normal, en cuestión de segundos. Un brillante pelaje negro cubría el cuerpo de ese depredador de ciento trece kilos. Su cabeza llegaba a la altura del hombro de Evalle. Storm soltó un imponente rugido que resonó en todo el valle.

Los brillantes ojos amarillos del jaguar se clavaron en Bernie con expresión letal, a pesar de que este bien podía partirlo en dos.

Evalle sabía que debía detener la pelea, pero hacerlo significaba ponerse a la multitud en contra de los dos. Y llamar a VI-

PER pondría a Storm en un gran riesgo, puesto que Sen lo tenía en el punto de mira.

Pero no estaba dispuesta a dejarlo morir en ese cuadrilátero.

La gigantesca masa de pelo, músculo y colmillos en que se había convertido Bernie se abalanzó hacia Storm y le lanzó un zarpazo, pero Storm tenía los reflejos de un gato sobrenatural: rodeó al mutante y le infligió un profundo arañazo en el muslo, que quedó cubierto de sangre.

Evalle reprimió un grito de ánimo, obligándose a mantener el control. Miró a Imogenia, quien observaba la pelea con expresión transfigurada.

Cuando Evalle volvió a dirigir la mirada hacia los combatientes, el mutante empezó a dar saltos y a hacer temblar el suelo.

Storm se movía de un lado a otro y le daba algún que otro arañazo no demasiado profundo pero haciéndole sangre. El enorme jaguar corría alrededor de Bernie una y otra vez, obligándolo a girar en círculo.

Evalle se dio cuenta de que Storm intentaba cansar a Bernie, procurando pillarlo desprevenido para derribarlo.

Bernie soltó un agudo chillido de frustración, y giró los brazos sobre las articulaciones. ¿Tenía articulaciones dobles? De repente, Bernie dio un tajo a Storm en la espalda.

Las patas del jaguar se cubrieron de sangre.

Evalle sintió ese golpe como si lo hubiera recibido en su propio cuerpo.

El jaguar se dio la vuelta, encarándose al mutante, y emitió un rugido tan amenazador que habría hecho revivir a un muerto.

Entonces, Imogenia gritó:

—Acath-amee.

¿Qué significaba eso? A Evalle no le pareció que esa palabra encerrara ninguna clase de magia. Imogenia la había pronunciado como un entrenador de perros que da la orden de ataque con una palabra que el perro no podía oír de labios de nadie más.

Bernie se quedó quieto, extendió un brazo con la palma de la mano hacia arriba. Luego hizo un movimiento de giro.

Como si lo hubieran cortado de raíz, el cuerpo de jaguar de Storm salió volando por los aires y aterrizó en el suelo con un fuerte golpe. Bernie había empleado un golpe cinético.

Entonces Evalle lo comprendió. La debilidad de Bernie era la falta de agresividad. La bruja utilizaba las órdenes para obligarlo a luchar.

El mutante giró la cabeza para mirar a Imogenia, quien le mostró un pulgar levantado, y rápidamente volvió a dirigir la atención hacia Storm. Lo señaló con el dedo y, empleando de nuevo el poder cinético, lo levantó cuatro metros y medio en el aire y lo dejó caer.

La siguiente vez que Bernie utilizó la misma estrategia, Storm consiguió hacer una voltereta en el aire y aterrizar sobre las cuatro patas. Pero trastabilló un poco, mareado.

A Evalle se le había desbocado el corazón.

La bestia mutante que llevaba dentro deseaba salir a luchar. Notó que le vibraban los músculos, amenazando con expandirse. Se metió las manos en los bolsillos del pantalón tejano para no lanzar un golpe cinético a ese mutante y tumbarlo al suelo, e inmediatamente se concentró en no transformarse. A diferencia de Bernie, ella no podía convertirse en una bestia sin el consentimiento de Macha o Brina. Y si empleaba su poder cinético, todos sabrían que ella y Storm no eran quienes decían ser.

Bernie pateaba el suelo con los pies, como un niño emocionado ante un partido.

Storm trastabilló a un lado y a otro, y luego se quedó muy quieto, con la cabeza caída, como si hubiera olvidado dónde se encontraba. Bernie dio unos pasos hacia él, con la cabeza ladeada en una especie de actitud pensativa.

Evalle solo conocía otro mutante que fuera capaz de controlar su estado de bestia. Tristan. Bernie actuaba a partir del miedo y la rabia. Ahora estudiaba a Storm con curiosidad. ¿Conservaría quizá cierta humanidad que le permitía sentir tristeza por haber zarandeado a Storm como si no fuera más que una muñeca?

Imogenia, dirigiéndose a Evalle, dijo:

—Si me das a tu luchador, le salvaré la vida.

Storm la había advertido de que las apuestas eran vinculantes. De todas maneras, aunque no lo fueran, esa bruja estaba loca si creía que podría quedarse con Storm.

—Te hago la misma oferta.

Imogenia replicó:

—Loca.

El público alrededor del cuadrilátero quedó en silencio, atento, esperando a ver qué haría Bernie.

Imogenia no parecía preocupada por la pasividad de Bernie. ¿Por qué? De repente, Evalle lo comprendió.

Porque Bernie no era pasivo, en realidad. No, en su estado de bestia. Solo necesitaba la orden.

Cuando se transformó, Evalle se dio cuenta demasiado tarde de que todo eso no había sido más que una actuación de Bernie.

Imogenia apretó los dientes y gritó:

—¡Ahora!

Cuatro

*B*ernie se lanzó contra Storm. Era una bestia imponente capaz de aplastar a cualquier jaguar.

Pero Storm se movió tan deprisa que Evalle ni se dio cuenta.

El jaguar, inmóvil, dio un salto repentino antes de que el mutante cayera al suelo boca abajo, con la fuerza de un edificio al derrumbarse. Storm soltó un rugido y saltó sobre la espalda de Bernie. Sus grandes fauces rodearon el cuello del mutante. El cuerpo de Bernie sufrió dos espasmos; luego no se movió más.

El público soltó vítores de júbilo.

Imogenia chilló:

—¡Nooooo!

Evalle tuvo que hacer un esfuerzo para que las piernas no le fallaran a causa del alivio que la invadió. Storm había sido capaz de engañar al mutante, de aprovecharse de su gran tamaño y de su torpeza.

El domjon gritó, alegre:

—Dual en la montaña, en el primer tiempo. Cambiante, uno. Mutante, *ceeeeeerooo*. Entrada garantizada para la gran noche.

Evalle habría querido preguntar al domjon qué era la «gran noche», pero eso habría levantado sospechas. Ya había aprendido lo suficiente sobre el Club de Bestias por una noche, y solo quería sacar a Storm de allí antes de que se enfrentara a la criatura de Zymon.

Pero todavía debía encargarse de Imogenia.

Esa bruja, mirando a Evalle, le soltó:

—Has matada a mi mutante, zorra. Pagarás por esto.

Eso sí era fastidiar la misión para obtener datos. Evalle ya no podía perder nada si respondía en los mismos términos, así que dijo:

—No deberías haber traído a tu segundo luchador. Ah, claro, no tienes un primer luchador.

Imogenia temblaba de furia. Cruzó los brazos sobre el pecho, como en un esfuerzo por controlarse y no lanzarse contra Evalle.

«Adelante, zorra».

—Señoritas, señoritas, señoritas —dijo el domjon para tranquilizarlas—. Todavía no se ha perdido nada. El cambiante espera que su patrocinador levante o baje el pulgar. Sea como sea, acaba la ronda de combates.

Imogenia se giró hacia el cuadrilátero:

—¿Está vivo?

La multitud empezó a gritar:

—¡Muerte, muerte, muerte!

¿Así es como debía de ser en los tiempos del coliseo de los romanos?

¿Había empleado Storm la magia para dejar al mutante en un estado de semicoma? ¿Eso estaba permitido? Tal como se encontraba en esos momentos, con las fauces alrededor del cuello de Bernie, lo único que Storm debía hacer era destrozarle los músculos para que la cabeza se le soltara del cuerpo.

Pero si Bernie vivía, la situación con Imogenia cambiaba.

Evalle le preguntó:

—¿Estás dispuesta a llegar a un acuerdo para mantener a tu luchador con vida?

Imogenia clavó los ojos en Evalle, y por fin lo hizo con la expresión de respeto que debería haber utilizado desde el principio. Estaba claro que la bruja luchaba por controlar sus emociones. ¿Qué era lo que tenía a Imogenia tan exaltada?

Imogenia dio un paso hacia Evalle. Los gritos de la multitud le impedían hacerse oír, pero preguntó:

—¿Qué quieres?

—Información.

Eso provocó una mueca de tensión en los labios de Imogenia.

—Demasiado vago.

Había llegado el momento de jugar.

—Te lo voy a poner más que fácil. Te devolveré a tu mutante si respondes con la verdad a todas mis preguntas sobre TÅµr Medb, el aquelarre Medb y Tristan. Si no, me quedo con los dos luchadores.

Imogenia achicó los ojos, que llevaba cubiertos con la máscara.

—¿Qué te hace creer que sé algo sobre eso?

—No lo creo. Lo sé.

Los ojos de Imogenia delataron cierta comprensión.

—Por eso has venido esta noche.

No era una pregunta, pero Evalle respondió.

—En parte. Toma una decisión. Esta noche tengo otro compromiso.

—Trato hecho.

Evalle esperó mientras Imogenia le comunicaba al domjon que habían llegado a un acuerdo para salvar al luchador. El domjon le recordó a Imogenia que no podía abandonar la zona de combate hasta que Evalle levantara el pulgar para expresar que el trato se había cumplido.

Evalle dijo a Storm:

—Deja vivir al mutante.

La multitud silbó, y por la expresión de las caras estaba claro que no se tardaría mucho en verter sangre.

Todo iba bien hasta que Storm dirigió sus demoníacos ojos amarillos hacia Evalle. Al ver que dudaba en soltar a Bernie, Evalle se sintió desconcertada. ¿Estaba Storm atrapado por la sed de sangre? ¿Debía entrar en el cuadrilátero para detenerlo?

¿Un patrocinador podía hacer eso?

Finalmente, Storm soltó al mutante y se dirigió hacia donde tenía el pantalón. Una vez allí cambió a forma humana.

Evalle se relajó. Storm no había hecho más que ofrecer un poco de espectáculo al público.

Imogenia llamó a Bernie, pero lo hizo en un idioma que Evalle no comprendió. Después de unos lentos movimientos, y con evidente esfuerzo, el mutante recobró su forma anterior. Se puso en pie y, puesto que iba desnudo, cruzó el cuadrilátero en dirección a Imogenia encogiendo el cuerpo.

Imogenia hizo un gesto con la cabeza, indicando una zona cercana al perímetro externo, y le ordenó:

—Espérame ahí, al lado de ese árbol.

Storm se puso el pantalón tejano y cruzó el cuadrilátero con paso triunfante.

Se podía permitir ese alarde después de haber vencido. Salió del cuadrilátero y se agachó para recoger la camiseta. Entonces Evalle vio que tenía una herida en la espalda que le sangraba. Storm tenía ciertos poderes mágicos y una habilidad sobrenatural que le permitía curarse rápidamente, pero Evalle detestaba verlo herido.

Imogenia observaba todos los movimientos de Evalle, así que ella procuró fingir un interés calculador hacia Storm y, con un encogimiento de hombros, volvió a dirigir la atención hacia Imogenia.

—Vamos a buscar un lugar seguro donde hablar.

Imogenia se puso en marcha, a la cabeza, y eligió un espacio rodeado por unos altos pinos. Mirando a Storm, preguntó:

—¿Y tu luchador?

Storm, que ya se había vestido, se colocó al lado de Evalle y cruzó los brazos, en la actitud propia de un centinela. Evalle respondió:

—Se queda.

—Muy bien.

Imogenia levantó los brazos y susurró unas palabras mientras giraba en círculo. Cuando terminó, dijo:

—He lanzado un hechizo para evitar que los demás nos vean o nos oigan.

Evalle miró a la bruja.

—¿Qué sabes de Tristan?

—Es un mutante que trabaja para el Medb.

Así que el Medb hacía correr esa mentira, ¿verdad? Evalle meneó la cabeza y repuso en tono burlón:

—Cuéntame algo que no sepa.

Imogenia jugueteó con uno de sus mechones de pelo plateados.

—Está reuniendo a un equipo de luchadores mutantes.

¿Podía ser cierto eso?

—Los mutantes son más difíciles de encontrar que un dios en quien confiar.

—Dímelo a mí. ¿Por qué buscas a Tristan?

Evalle hubiera podido negarse a responder, pero era mejor darle la información que quería que repitiera en lugar que dejar que especulara libremente.

—Voy a ser generosa y responderé tu pregunta, a pesar de que ahora poseo a los dos luchadores.

El cuerpo de Imogenia delataba la tensión que sentía, pero no dijo nada, esperando la respuesta de Evalle.

—La última vez que lo vi, Tristan se marchó con prisas. Se escabulló sin pagar una deuda que le pensaba cobrar. —Evalle dirigió una mirada a Bernie.

—¿Dónde encontraste a tu mutante?

—No lejos de aquí, pero no tengo por qué decirte dónde, puesto que eso no forma parte del trato.

—En ese caso, hablemos de lo que me interesa. ¿Hay alguna forma de entrar en el TÅµr Medb sin ser detectado?

Imogenia soltó una risita:

—No te lo puedo decir.

—Parece que no tenemos nada más que hablar, pues.

—No he dicho que no te lo diría, he dicho que no podía decírtelo.

Evalle se giró hacia Storm.

—¿Está diciendo la verdad?

Él se lo pensó un momento y asintió con la cabeza.

—¿Quieres hacerme creer que puede detectar una mentira?

—Cree lo que quieras, pero si me mientes una sola vez, me iré con tu mutante.

Evalle sentía tener que dejar a Bernie con Imogenia, pero Storm ya había corrido un gran riesgo para conseguir la información que necesitaban. Y no pensaba malgastar esa oportunidad. Ya iría a buscar a Bernie más adelante, cuando hubiera recuperado a Tristan.

A ese ritmo, pronto necesitaría tarjetas de identificación que anunciaran «Rescate de Mutantes Evalle».

Evalle continuó con el interrogatorio:

—He oído decir que pensabas vender tu mutante al Medb.

Los ojos de Imogenia, tras la máscara, la miraron, amenazadores.

—¿Quién te dijo eso?

Eso no había sido más que una suposición.

—Retomemos el hecho de que no soy yo quien responde las preguntas. ¿Cómo piensas encontrarte con el Medb si no sabes dónde está TÅµr Medb?

—Igual que todos los que quieren llegar a un trato —repuso Imogenia con un gesto de la mano que significaba que eso era de conocimiento general—. En el CBA.

Evalle pensó si debía admitir que no sabía de qué estaba hablando, pero se dio cuenta de que si no lo hacía, habría perdido la oportunidad de conseguir información. Jugar fuerte o irse a casa. Se pasó una mano por el pelo.

—¿El CBA?

—¿No lo conoces? —Imogenia disfrutó de un momento de superioridad—. El Campeonato de Bestias Aquiles.

—Un campeonato de lucha. ¿Dónde? ¿Cuándo?

Imogenia dejó transcurrir unos momentos, como si aún dudara.

—Mañana por la noche. En la isla Cumberland.

A más de cuatrocientos ochenta kilómetros, justo en el extremo sureste de Georgia. Pero era más probable conseguir información si fingía no saber nada.

—¿Dónde está eso? Acabamos de llegar de Brasil hace dos semanas.

Imogenia asintió con la cabeza y pareció relajarse.

—Me preguntaba por qué no he oído hablar de ti… ni de él en las peleas de bestias. Hoy en día nunca se es suficientemente cuidadoso.

Explicó que se podía llegar a la isla Cumberland por ferri, desde una ciudad llamada Saint Marys, en el extremo sureste de Georgia, en la costa Atlántica.

Evalle dirigió una mirada a Storm, pero le dijo a Imogenia:

—¿Se refería a eso el domjon cuando hablaba del gran juego?

—Sí.

—¿Cuál es el precio del CBA?

—Buscan una competición fuerte. Los patrocinadores de

los formas duales y de los mutantes necesitan un volonte para entrar, pero cualquier mutante sin patrocinador entra gratis. Todos los demás negocian en la puerta.

—¿Qué es un volonte?

—No accedí a ser tu instructora privada en los asuntos de poder.

Evalle dejó que el silencio se impusiera unos instantes. Al final, Imogenia carraspeó.

—Los volonte son los huesos de la tumba del hechicero Guillory.

—Y... —apremió Evalle, conteniéndose para no estrangular a esa bruja por darle la información en cuentagotas— ¿quién era ese hechicero?

Imogenia hizo un dramático gesto con las manos, como diciendo, «da igual».

—Guillory murió en Francia en el siglo X. Sus seguidores robaron su cuerpo y lo volvieron a enterrar. Todos pensaron que no habían sido más que ladrones que buscaban los anillos mágicos que llevaba en las manos. Esto fue hasta hace un año, cuando una excavación arqueológica abrió su tumba y lo identificaron por los anillos que llevaban el escudo de Guillory. Entonces su cuerpo volvió a desaparecer hasta hace unas semanas. Los que estamos informados, sabemos que robaron su cuerpo por los huesos.

«Los que estamos informados» se refería a las brujas negras. Evalle miró a Storm, quien inspiró profundamente y asintió con la cabeza.

—Está diciendo la verdad —aunque estaba claro que no confiaba en ella——. ¿Por qué son tan valiosos esos huesos?

Imogenia miró a Evalle, y esta le devolvió la mirada.

—Responde la pregunta.

Sorprendida por ser interrogada por alguien a quien no consideraba más que un esclavo envanecido, Imogenia se encogió de hombros.

—Todos sus huesos tienen poder, pero los de las manos todavía llevan su poder. En manos de alguien hábil, un volonte otorga poder sobre espíritus y demonios. Por ejemplo, si yo quisiera hablar con los muertos, los dedos de su dedo índice me otorgarían el poder de la nigromancia. Guillory entregó reinos a reyes... hasta que se metió en la cama con la amante favorita de un rey.

Imogenia se pasó un dedo por el cuello.

—Ruedan cabezas cuando pasan cosas como esa. El cuerpo de Guillory se encontró decapitado.

Evalle no sentía ningún interés por un hechicero incapaz de tener la bragueta abrochada, abotonada o como fuera que se la sujetaran entonces.

—¿Cuántos huesos puede haber por ahí?

—No muchos, puesto que es ilegal negociar con ellos.

—Entonces no pueden esperar que aparezcan muchos en el CBA.

—Oh, pero sí aparecerán. —Imogenia se pavoneaba de ser la única que lo sabía—. Siendo el Medb el que montará un espectáculo y el que cerrará los acuerdos antes de los combates, esperan que aparezcan muchos.

Si no hubiera sido por el tono de emoción de Imogenia, Evalle habría considerado que se trataba de unas excelentes noticias en cuanto a dónde encontrar a un grupo de mutantes.

—¿Cuál es la recompensa para el patrocinador de un mutante?

—Enorme, si su mutante llega al combate final.

A ese paso iban a tardar toda la noche.

—Cuanto más concreta seas y más deprisa contestes mis preguntas, más oportunidades tendrás de irte con Bernie.

Los ojos de Imogenia, tras la máscara, brillaron de rabia. Cerró los puños. Alargó el cuello y sacudió un poco los hombros. Luego llevó los dedos hasta el esplendoroso colgante de ópalo de fuego que le bajaba entre los pechos y jugueteó un poco con él. Respiró profundamente y, por fin, empezó a dar los detalles.

—Las apuestas más altas son para los combates de mutantes. Si tu mutante muere, quedas fuera de la competición. Pero los cinco que sobrevivan a la final de rounds de élite darán derecho a su patrocinador a llegar a un acuerdo con los Medb.

Imogenia no necesitaba explicarlo mejor.

Cualquier bruja negra del planeta se desviviría para obtener conocimientos de magia Noirre de los Medb. Ofrecer hechizos de magia Noirre a cinco brujas negras que habían sido lo bastante poderosas para tener a su disposición a unos mutantes era como dar los planos de una bomba nuclear a los cinco peores terroristas del mundo y, además, suministrarles el uranio.

Justo antes de que los Medb capturaran a Tristan, él le había dicho a Evalle que los Medb buscaban mutantes para utilizarlos en un plan contra los veladores. Esa era una buena manera de capturar mutantes. Organizar una competición de alto nivel y dejar que todos hicieran su trabajo.

Rescatar a Tristan y a su grupo, en el cual se encontraba su hermana Petrina y dos amigos, era más complicado. Ahora Evalle también debía encontrar una manera de evitar que los Medb tomaran posesión de los luchadores mutantes que participaban en el Campeonato de Bestias Aquiles.

Pero Imogenia habría podido perder a su mutante esa noche.

Evalle preguntó:

—¿Por qué has puesto en riesgo a tu luchador aquí?

—No tengo por qué contestar…

Storm la interrumpió.

—Para entrenarlo.

Imogenia dirigió una mirada maligna hacia Storm y farfulló.

—No pienso tolerar ninguna insolencia.

Evalle no le hizo caso.

—¿Y qué hay de los mutantes sin patrocinador? ¿Para qué luchan?

—Oh, los cinco mejores mutantes se salvarán de la persecución y se convertirán en luchadores inmortales.

Si Evalle no hubiera estado apretando los dientes todo el rato, habría abierto la boca de asombro. La posibilidad de obtener la inmortalidad atraería a cualquier mutante.

¿Por eso Tristan se había afiliado a los Medb?

Si es que lo había hecho.

Evalle preguntó:

—¿Tienes más de un mutante?

—No.

Storm no reaccionó, así que debía de haber dicho la verdad. ¿Y ahora qué? ¿Utilizar la información que había guardado hasta ese momento? Miró a Bernie con actitud pensativa.

—Dudo que encuentre ningún hueso sagrado antes del CBA, y no pienso participar, así que quizá deba llevarme a tu mutante, después de todo.

—No. He respondido todas tus preguntas.

El cuerpo de Imogenia vibraba de energía. El cabello se le puso en punta, alejándose de los hombros, y le tembló el cuerpo, pero Evalle no sabía si esa reacción era de miedo o de rabia.

Le pareció percibir paranoia… y preocupación. ¿Cuántas oportunidades podía tener una bruja de conocer la magia Noirre de los Medb sin poner en riesgo su persona? Evalle repuso:

—No, no has respondido todas mis preguntas. Ni siquiera sabes cómo acceder a TÅµr Medb. No estoy satisfecha.

Pero seguro que Imogenia pensaba aparecer con un hueso volonte para que su mutante fuera admitido. Si Evalle podía hacerse con eso, habría encontrado la manera de que ella y otro miembro de VIPER entraran de incógnito en el campeonato. En su condición de mutante, Evalle podría entrar gratis si lo hacía como luchadora. Pero no, eso no era posible, a no ser que estuviera dispuesta a morir, pues le estaba prohibido realizar una mutación completa. Un volonte le garantizaría la entrada en caso de que fuera alguien más con ella.

Alguien que no fuera Storm. Basta de peleas a muerte para él. Evalle no permitiría que volviera a arriesgar su vida por ella. Y, decididamente, tampoco por VIPER. Sen podría elegir quien entraría con ella como luchador.

Imogenia jugueteó con la cadena del colgante.

—¿Qué más quieres saber?

Evalle se cruzó de hombros y se dio unos golpecitos impacientes en el bíceps con el pulgar.

—Para ser sincera, prefiero hacer entrar a mi cambiante en el CBA que a tu mutante, así que este es el trato: me quedo con tu mutante hasta que me traigas un hueso volonte. Luego recuperarás a Bernie. Sencillo.

Imogenia soltó el colgante y cerró los puños. El tono de su voz hubiera puesto los pelos de punta a cualquier ser vivo:

—Él es mi mutante.

Esa bruja se estaba cociendo en su propio caldo: tenía los nervios de punta.

Imogenia respiró profundamente para calmarse, pero soltó una amenaza:

—Si acudo al domjon y él decide que estás negociando de mala fe, decidirá en mi favor. Si eso sucede, yo me iré con los dos luchadores.

Oh, mierda. «Si me retiro ahora, sabrá que ha podido conmigo y se invertirán los papeles». A pesar de que la sangre se le había helado en las venas al oír la amenaza, Evalle respondió como si no le importara.

—Quizá sí, ¿pero y si no lo hace? Perderás a tu mutante sin ninguna duda, porque yo no continuaré negociando a partir de ese momento.

Imogenia se quedó inmóvil.

Evalle continuó presionando.

—Parece que sabes dónde conseguir un hueso, ya que estabas decidida a inscribir a Bernie. Si no me puedes decir cómo entrar en TÅµr Medb y no tienes ningún hueso, nuestra negociación está en punto muerto.

Imogenia se quedó unos instantes pensativa. La máscara se le iluminó con una luz brillante y blanca. Al cabo de un momento, la luz se convirtió en una suave iridiscencia y ella soltó un suspiro.

—Yo tengo un volonte.

—¿Dónde?

—Aquí.

No era posible. Demasiado bueno.

—Muéstramelo.

Imogenia levantó el antebrazo y le mostró un brazalete hecho de hilos de bronce y oro. El brazalete desprendía un olor a viejo que resultaba extrañamente atrayente.

Evalle y Storm se inclinaron hacia delante al mismo tiempo. Entre los hilos entrecruzados vieron un pequeño hueso que podía ser de la punta de un dedo de un hombre.

Imogenia, en un tono que detonaba un mayor control, dijo:

—Si me ofreces algo que valga la pena, te daré el hueso, siempre y cuando digas que el trato se ha cumplido.

—¿Qué quieres?

—Un mechón de pelo.

Storm apretó la mandíbula: sabía que Evalle quería responder con un no. Evalle se rio, dejando claro que le parecía una propuesta estúpida:

—¿Darte algo que puedas utilizar contra mí?

—Yo utilizo el pelo para muchas cosas. No siempre relacionadas con el donante.

—Te diré lo que haremos. Te daré otra cosa mejor.

—¿Como qué?

—El nombre de la bruja de tu aquelarre que quiere hacerse con el poder y ofrecer tu sangre en sacrificio.

La bruja se quedó boquiabierta.

—Estás mintiendo.

—No, yo no soy Imogenia —repuso Evalle—. Lo demostraré. En vuestro último aquelarre, una de vuestras brujas sacrificó al animal equivocado. Un lobo para el cual tenías otros planes.

—¿Cómo es posible que…?

—No perdamos tiempo preguntándome quién me lo dijo o cómo supe tu nombre. Yo necesitaba algo con que comprar la información que, según me dijeron, tenías sobre Tristan y el Medb. ¿Tienes algo más que decirme sobre esos dos?

—No.

Evalle miró a Storm. Este levantó la cabeza, confirmando que la bruja estaba diciendo la verdad. Evalle volvió a dirigir la atención hacia Imogenia.

—Te hago una oferta final. Tú me das el hueso. Yo te doy el nombre de la bruja. Damos el asunto por zanjado. Bernie se va contigo.

—De acuerdo.

Storm preguntó:

—¿Cómo vas a conseguir que tu mutante entre en el CBA?

Imogenia sonrió.

—Tengo una manera. Bueno, quiero saber el nombre de esa traidora.

La furia que despedían los ojos de Imogenia era, esta vez, a causa de esa traición.

—Primero el hueso.

—Este brazalete debe ser ofrecido y aceptado. Debes querer el volonte. ¿Lo quieres, y aceptar poseerlo cuando yo me lo quite?

Storm soltó un gruñido, pero Evalle, exasperada, repuso:

—Sí. ¿Podemos continuar?

—No debes tener ningún tatuaje, ningún *piercing*, ni ninguna joya desde el codo a los dedos.

Evalle se levantó la manga y mostró que tenía el antebrazo completamente desnudo. Entonces Imogenia levantó el brazo y susurró:

—Te ofrezco a otro. Suéltate.

El brazalete se soltó del antebrazo y cayó sobre la palma de la mano de la bruja.

Evalle ofreció la mano para recibir el brazalete.

Imogenia le colocó el brazalete y se lo abrochó.

De repente, Storm, con la velocidad de un rayo, sujetó a la bruja por el cuello y la levantó del suelo.

—Sácaselo. ¡Ahora!

La visión de Evalle se hizo borrosa.

Imogenia dio unos golpes en el aire con ambos brazos. Tenía los ojos desorbitados y farfullaba:

—Ella... ella...

Evalle miró la pulsera que tenía en la muñeca y tuvo una rara sensación de relajación, como si no pasara nada. No notaba ningún cosquilleo, ninguna sensación de poder, solamente tenía la percepción de que todos los canales de su cuerpo estaban abiertos y fluían.

Evalle oyó algo que le hizo dirigir la atención hacia la boca de Imogenia. Era como un gorgorito. Los labios de Imogenia palpitaban, como los de un pez fuera del agua que busca el aire.

Evalle sacudió la cabeza y volvió a tener una visión enfocada de lo que había a su alrededor. No conocía las reglas del Club de Bestias, pero no creía que ella y Storm pudieran salir vivos de ahí si mataba a uno de los patrocinadores, así que le tocó el hombro y le dijo:

—Suéltala. La pulsera no me hace nada.

Storm, a regañadientes, dejó a Imogenia en el suelo, pero sin quitarle las manos del cuello preguntó:

—¿Por qué hueles a regaliz?

—¿Qué? —Imogenia todavía tenía los ojos desorbitados—. Incienso. Lo he comprado.

—Quítale le pulsera y dale el hueso —ordenó, amenazador.

Imogenia tosió. Evalle dijo:

—Storm, déjala respirar.

Cuando Storm hubo soltado el cuello de la bruja, Evalle dijo:

—Ahora, quítamelo.

Imogenia se frotó el cuello y alargó una mano temblorosa.

—Deja que te lo explique. El hueso ya estaba sujeto a la pulsera cuando me lo dieron, y no se puede sacar. Los hilos de oro y cobre tienen quinientos años de antigüedad, y protegen el poder del volonte. —Asintió con la cabeza y continuó—: Deberá quitarse la pulsera de la misma manera cuando se lo ofrezca a otro, o el hueso la atacará. No le gusta que lo roben. Cada vez que pasa de una persona a otra, debe ser ofrecido como regalo para que no ataque tanto al propietario anterior como al nuevo. Y —mirando a Storm con los ojos achicados, añadió—: si se lo das a un cambiante, no podrá cambiar.

Vaya, un hueso mascota con problemas emocionales. Justo lo que Evalle necesitaba.

—¿Me lo puedo sacar para ducharme o ir a la cama?

—No. El volonte se vengará si te lo quitas para otra cosa que no sea para ofrecérselo a alguien que lo acepte.

—¿Cómo se vengará?

—Te quedarás ciega. —Imogenia miró a Storm, que respiraba agitadamente a causa del enojo—. Estoy diciendo la verdad.

—¿Qué más debo saber sobre esta cosa? —preguntó Evalle, mirando con suspicacia el brazalete.

Imogenia no respondió tan deprisa como a Storm le hubiera gustado, así que le soltó un gruñido. La bruja se apresuró a dar las instrucciones:

—Antes de darlo, debes haber tomado plena posesión de él diciéndole que te pertenece.

Evalle notó una sensación de calor en la muñeca.

—¿Cuándo?

—Cuanto antes. Se calienta cuando se enfada, hasta el punto que te puede quemar si esperas demasiado. Luego te puede quemar todo el brazo. Cuando empieza, tu cuerpo empieza a morir. ¿Ya está caliente?

—Sí —dijo Evalle.

—Entonces, háblale.

—No puedo creer que deba... —De repente, sintió que tenía la piel del brazo encendida—. Vale. —Evalle lo levantó—. Me perteneces. —Había leído el horóscopo en el periódico por la mañana, pero no decía nada de que tendría un esclavo luchador ni un hueso de cadáver con sensibilidad.

Imogenia continuó ofreciendo instrucciones.

—Cuando estés lista para ofrecer el volonte, haz lo mismo que he hecho yo. Dile al hueso que lo estás ofreciendo como regalo, luego ordénale que se suelte y abróchalo en el brazo del nuevo propietario.

Storm miró el brazo de Evalle y, en voz baja, advirtió a Imogenia:

—Si ese hueso le hace daño, volverás a verme.

—Si hace lo que he dicho, no pasará nada.

Storm no se dejaba convencer.

—¿Le has dado ese brazalete para hacerle algún tipo de daño?

—No.

—¿Cómo le afectará?

—A no ser que lo utilice en malas artes, el hueso solo aumentará su deseo en todos los sentidos. —Imogenia volvió a dirigir la atención hacia Evalle—. Ahora, debes decirme el nombre.

¿Sentir más deseo podía ser malo? Evalle no notaba que nada interfiriera con sus poderes de veladora, así que le dijo a Imogenia:

—La traidora es Daniella.

—Esa bruja traidora y mezquina. —Imogenia, con un gesto de manos, soltó una retahíla de palabras. Luego, mirando a Evalle, dijo—: Acabo de eliminar el hechizo que nos ocultaba. Hemos terminado.

Mientras la bruja se disponía a marcharse, Evalle dijo:

—Una cosa más.

—¿Qué? —gruñó Imogenia, dándose la vuelta rápidamente hacia Storm y Evalle.

VIPER necesitaba saber el nombre de la persona que ofrecía las negociaciones en los juegos, la persona que pasaría la eternidad encerrado por negociar con magia Noirre.

—¿Quién negocia de parte del Medb por los cinco mutantes al final del CBA?

—Tristan. Él está a cargo de todos los mutantes para el Medb.

¿Tristan?

—Eso te lo guardabas.

—No es cierto. Creí que lo sabías. Lo sabe todo el mundo.

—¿Cómo van a creerle?

Imogenia murmuró algo hacia sí misma.

—¿Tengo pinta de ser tu guía turística?

Evalle dio un paso hacia ella con actitud amenazadora y dijo:

—¿Tengo pinta de tener paciencia?

Imogenia dio un paso hacia atrás en silencio.

—No dije que no avisaría a Daniella de que irás a por ella —le recordó Evalle—. Dime por qué van a aceptar la palabra de los Medb y cómo puedo encontrar el lugar del CBA, y Daniella será toda tuya.

Eso convenció a Imogenia.

—El Medb patrocina este combate, y han hecho un juramento de sangre que respalda su oferta. Además, el Medb enviará a una mujer con Tristan, y ella mantendrá el acuerdo del Medb sometiéndose a un test de veracidad. Si falla el test, morirá en el acto. Pero el anfitrión no ha dicho nada más, así que no hay manera de prepararse para el test de veracidad.

—¿Y el acceso a Cumberland?

Imogenia rezongó en voz baja.

—El anfitrión pondrá unas embarcaciones a disposición para transportar a los no humanos, y esas embarcaciones sabrán dónde deben ir. Todavía no conozco el lugar de encuentro, pero la fuente que me informó lo está averiguando, así que pregúntale a tu fuente.

Evalle no tenía ninguna fuente excepto Grady. Si él hubiera sabido algo más, se lo habría dicho.

Sin esperar a que Evalle hiciera ningún comentario más, Imogenia hizo una señal hacia el domjon. Este miró a Evalle, y Evalle levantó un pulgar para indicar que habían llegado a un acuerdo. ¿Cómo iba a averiguar el punto de encuentro?

La bruja se alejó a toda prisa.

Evalle miró a Storm.

—Tristan no trabajaría para los Medb.

Storm tenía la atención dirigida hacia la bruja, quien, antes de salir del valle, se detuvo un momento y dio un tirón de la cadena con que llevaba atado a Bernie para obligarlo a ponerse en pie.

—Ha dicho la verdad, pero me sorprende que Tristan esté ayudando a los Medb. Quizá sufra el síndrome de Estocolmo.

—O quizá lo obliguen a hacerlo y no pueda demostrarlo. Cuando el Medb haya hecho esto, él será tan culpable como ellos.

Evalle sintió una enorme urgencia de dar caza a Kizira, la sacerdotisa Medb que había capturado a Tristan, y estrangularla para que lo soltara. ¿Qué había visto Quinn en Kizira? Evalle era la mejor amiga de Quinn, y procuraba mantener una mente abierta acerca de la misteriosa historia entre Quinn y la sacerdotisa Medb, pero Quinn era un velador y debía tener una mujer que lo mereciera. No debería tener tratos con el enemigo, y Evalle decidió que se lo diría la próxima vez que lo viera.

Los Medb no eran más que un puñado de brujas y de brujos asesinos que merecían sufrir una muerte lenta. La furia la inundaba: Evalle estaba sedienta de justicia. Ahora.

—¿Evalle? —preguntó Storm en voz baja—. ¿Qué sucede?

Al oír su voz, Evalle parpadeó, sorprendida al darse cuenta de que había olvidado dónde se encontraban y que él estaba allí. Evalle nunca perdía la cabeza, especialmente en lugares peligrosos, y se sintió mortificada al darse cuenta de que esa vez sí lo había hecho. Disimulando, respondió:

—No pasa nada.

Storm la observó, preocupado.

—¿Olvidas que no puedes mentirme?

Bueno, sí.

Evalle se apretó el puente de la nariz, asombrada ante la repentina furia que había sentido. Storm tenía razón, antes, al decirle que necesitaba dormir.

—Lo siento. Estoy preocupada por Tristan. Y por su hermana. Y sus dos amigos, a quienes capturaron con él. —Miró a su alrededor—. ¿Podemos irnos, ahora que ya has luchado?

Storm la observó un instante más, y dijo:

—Habremos terminado después de decirle al domjon que nos retiramos, para que la bestia de Zymon pueda ganar en mi categoría.

—Pues salgamos de aquí. Debo pensar en algunas cosas.

Por ejemplo, en cómo iba a convencer a cualquiera de que ayudara a Tristan.

VIPER, Macha y los veladores esperarían que ella diera caza a Tristan, al igual que a cualquier otro mutante que se hubiera puesto de parte del Medb. Evalle debía entrar en el campeonato de bestias —sin que Storm estuviera por medio— y convencer a Tristan de que se marchara con ella.

Eso era como apostar a que habría paz en el mundo.

Cinco

Subir un kilómetro y medio de una montaña y bajar por el otro lado a las tres de la madrugada enfrentándose a una brisa helada debería haber borrado la frustración de Storm.

Pero no, él continuaba deseando destrozar algo.

Las emociones de Evalle habían pasado por todas las gamas de rabia, preocupación, irritación, ansiedad y furia, hasta que se convirtieron en algo que se parecía mucho al deseo.

Esa última emoción hubiera merecido un canto de aleluya de no ser por la preocupación que sentía ante ese carrusel de emociones.

Evalle miró a Storm y se fijó en el cinturón, que él se había vuelto a poner.

—Nunca me has dicho lo que vale esa piedra que llevas en la hebilla.

Ahora tampoco se lo iba a decir.

—Se puede sustituir.

Pero ella no, y ese hueso la ponía en riesgo.

—Te vas a sacar ese brazalete esta noche —se quejó él.

—No —repuso Evalle—. Ya oíste lo que dijo Imogenia. Solo puedo dárselo a alguien que lo quiera.

—Yo me lo pondré.

—Tú no. No podrías adoptar tu forma de jaguar si lo llevaras puesto.

—Tú tampoco puedes mutar —señaló él.

—No debo hacerlo, a no ser que quiera enfrentarme a un tribunal o al castigo de Macha, así que no pasa nada si lo llevo. —Evalle se puso a su lado—. Todo va bien, Storm. Yo estoy bien.

—No, no lo estás. Ahí perdiste la noción de mí y de lo que

te rodeaba. Noté la rabia que emitía tu cuerpo. —Él también necesitaba soltar su rabia, pero no sabía adónde dirigirla—. Llevas puesta una pulsera con un objeto que puede controlar el espíritu. No tenemos ni idea de lo que este hueso puede hacerle a quien lo lleve puesto.

Evalle respondió con un tono de cansancio:

—Estoy cansada e irritada, eso es todo. Acabo de saber que Tristan está metido en un lío mayor de lo que imaginaba, y no sé cómo podré ayudarlo ahora.

—Ese mutante va a hacer que te maten. —Si eso sucedía, Tristan necesitaría a todo el Medb de su parte cuando Storm fuera a por él—. Sé lo que estás pensando.

—¿De verdad? ¿Ahora tienes telepatía?

Evalle no se había mostrado tan enojada con él desde que se encontraron por primera vez, pero Storm no hizo caso del tono de su voz. Sabía que unas cuantas horas de sueño le irían bien.

—Estás pensando en ir a ese campeonato de bestias, que es el último lugar al que deberías ir. El Medb está buscando mutantes, y ya sabes que van a por ti. No necesitan ver tus ojos verdes para reconocerte al instante. —Storm negó con la cabeza, preocupado.

—Eso es decisión mía.

Storm no le respondería con malos modos porque sabía que Evalle no tenía intención de mostrarse tan fría y distante. Era el hueso volonte, y el cansancio.

—¿Y si Tristan se ha afiliado al lado oscuro de forma voluntaria?

—Debo otorgarle el beneficio de la duda, la oportunidad de escapar.

—¿Y si te entrega a ellos?

Evalle caminó en silencio unos minutos, y al final dijo:

—No lo hará.

Su sentido de la lealtad resultaba admirable e irritante a la vez, puesto que lo ofrecía a alguien que no merecía el sacrificio que ella estaba dispuesta a hacer.

—Si estás decidida a ir a los juegos, yo seré tu luchador.

—No. No vas a arriesgar tu vida otra vez por esto. No es problema tuyo.

Storm se detuvo en seco.

Ella también se detuvo. Storm le puso los dedos bajo la barbilla y afirmó:

—Eso es decisión mía. Tú necesitas encontrar la manera de entrar en el CBA y de quitarte ese brazalete. Si vas a ir, yo iré contigo.

—Ya tengo una idea de qué hacer.

—¿Llevar el brazalete a VIPER?

El viento agitaba las hojas de los árboles e hizo volar el cabello de Evalle. Ella se lo apartó de los ojos.

—No exactamente. No puedo, simplemente, ir a VIPER y decir que me encontré en el cuadrilátero de un Club de Bestias y que me olvidé de avisar y que hice participar a mi luchador. Oh, y que acabé con un hueso volonte en mi poder.

—¿Pues cuál es tu plan?

—Primero debo decirle a Macha lo que sé.

Storm soltó un gruñido.

—Esas conversaciones siempre acaban con sangre, o con una deuda, o ambas cosas.

Evalle le explicó con calma:

—Esta vez no. He averiguado dónde se encontrarán los mutantes. Macha quiere encontrar a los mutantes, y que Tristan nos cuente lo que sabe sobre el origen de los mutantes. Le explicaré que me vi obligada a entrar en el Club de Bestias para saber si Imogenia quería cumplir su encargo. Ella tiene influencia en VIPER. Si les informa sobre el Club de Bestias, ellos no le preguntarán cómo lo sabe.

Bien pensado, siempre y cuando confiara en esa diosa. En absoluto.

—¿Y qué hay del brazalete?

—Ella puede decir a VIPER que lo envía al cuartel general conmigo, lo cual sería cierto, y que alguien debe quedárselo para que el volonte esté seguro. Así yo me desprendería de él, puesto que Sen no confiaría en mí.

Storm debía admitir que Evalle había pensado en todo eso detenidamente, y deseaba que eso significara que ella empezaba a ganar control.

Evalle terminó:

—Cuando VIPER sepa lo que está pasando, podrán utilizar el brazalete para que lo lleve un equipo de incógnito.

Quizá Storm fuera un cínico, pero le parecía demasiado fácil. Empezó a caminar en dirección al camión de nuevo.

—Quizá Sen te prohíba formar parte del equipo que entre en el CBA de incógnito.

Ojalá fuera así.

Evalle volvió a ponerse a su lado.

—No, si Macha pide que yo forme parte de él. Y sabes que lo hará, para que pueda encontrar a Tristan_y, quizá, a algún otro mutante.

—Pienso ir contigo de todas formas.

—Tú ya no estás en VIPER, y Sen no te volverá a aceptar.

Era cierto, pero Evalle necesitaba a alguien más para que vigilara, aparte de Tzader y Quinn. Esos dos veladores cuidaban de ella como si fuera su hermana pequeña, pero durante una operación no podían vigilarla solamente. Storm podía y lo haría.

Storm dijo:

—Ya cruzaremos ese puente cuando lleguemos a él.

Evalle farfulló algo que podía ser un asentimiento.

—¿Cómo tienes la espalda?

Era mejor cambiar de tema.

—Bien.

—Quiero verlo.

—Ya sabes que, con el tiempo, se curará...

—He dicho que quiero verlo —insistió ella con una determinación que, probablemente, era causada por la preocupación que sentía.

De acuerdo, señorita Cascarrabias.

—Vale. Cuando lleguemos al camión.

Evalle aceleró el paso cuando llegaron a la elevación que había al pie de la montaña, donde los pinos se mecían empujados por la brisa. Llegó hasta el todoterreno y se giró hacia él con una mirada de terquedad en los ojos. Evalle sabía que Storm podía recurrir a sus poderes de jaguar para sanar, y ya había empezado a hacerlo, pero continuaba teniendo esa mirada de terquedad y él quería que estuviera tranquila durante el regreso para que pudiera dormir. No había descansado de verdad en tres días.

Cuando llegó al todoterreno, Storm abrió la puerta del

asiento trasero, se quitó la chaqueta y la tiró dentro. Las luces del interior no se encendieron.

Las había desconectado para situaciones como aquella.

Hubiera sido más sencillo esperar hasta llegar a casa para quitarse la camiseta y emplear el canto de sanación para ayudarse a cerrar los cortes, pero el olor de la sangre podía molestarla y recordarle la pelea, así que se quitó la camiseta y se arrancó la costra que ya se había formado.

Evalle se dirigió al asiento del acompañante y sacó una botella de agua de la guantera. Cuando regresó a su lado, le quitó la camiseta de las manos y le ordenó:

—Date la vuelta.

En otras circunstancias, esa actitud mandona le hubiera parecido sexy, pero el tono de su voz no era juguetón. Todo su cuerpo delataba preocupación.

Las cosas que un hombre era capaz de hacer por una mujer.

Storm obedeció. Cerró la puerta y se apoyó en el techo del coche con los brazos cruzados.

Evalle se quejó de lo estúpido que había sido dejar que luchara. Tal como había pensado, Evalle se estaba poniendo nerviosa por la lucha con el mutante.

Storm notó el agua en la espalda, y luego, el suave contacto de un paño húmedo. El agua fría lo hizo estremecer. Por suerte tenía ropa en el camión. Mientras ella le lavaba la herida, Storm procuraba estar relajado, pero sentir sus manos le suscitaba un interés que pronto le sería imposible reprimir. La herida no era tan grave para necesitar tantos cuidados. Esos cortes eran más una molestia que una herida, y ella lo sabía.

Pero Evalle, cuando hacía algo por alguien que le importaba, se empleaba a fondo. Y eso incluía lanzarse a la batalla para proteger a sus seres queridos.

Pero ella no era Florence Nightingale.

Aunque Storm no se quejaba por eso.

Y mucho menos ahora, mientras sentía sus dedos acariciándole la piel.

Ese suave contacto le había provocado una corriente de fuego desde la espalda hasta la entrepierna.

Evalle había dejado de quejarse. Le frotaba la espalda lentamente con el paño húmedo, con un gesto que quería ser reconfortante, pero sentir ese contacto lo estaba matando. Él ya estaba en un estado de excitación constante solo con estar a su lado sin que ella hiciera nada más.

Storm cerró los ojos, esforzándose por concentrarse en el frío aire de la montaña, en la suave brisa, en cualquier cosa que no fuera su deseo de sentir el contacto de las manos de ella en su cuerpo. Ese no era ni el lugar ni el momento. Pero dile eso a tu cuerpo.

El paño húmedo desapareció.

Las manos de Evalle recorrían su espalda despacio, avanzando lentamente hacia sus hombros.

¿De verdad?

Storm se quedó inmóvil, reprimiendo el instinto de responder al contacto de sus manos. Evalle le acarició el cuello, enredó los dedos en su cabello y volvió a recorrerle la espalda y los brazos. Se detuvo un instante y después le puso las manos a cada lado de la cintura.

Storm contuvo la respiración, a la espera del próximo movimiento de ella.

Durante las últimas semanas Evalle se había mostrado menos desconfiada ante sus insinuaciones, más abierta a las primeras muestras de pasión, pero que ella tomara esa iniciativa había sido totalmente inesperado.

Evalle deslizó las manos hacia delante, hacia su estómago. Al hacerlo, se apoyó contra él.

Storm sintió el contacto de sus pechos.

Notó una corriente eléctrica en la entrepierna.

El corazón se le aceleró, fuera de control. Sabía que llegaría el momento en que ella estaría preparada para una mayor intimidad, pero, diablos, no había querido que fuera ahí en el bosque.

¿Qué era lo que le había hecho mostrar esa parte amorosa esa noche? ¿Ver a Storm tan cerca de la muerte? Él se la había imaginado desnuda ante un fuego crepitante, o tumbada encima de su cama, o debajo del chorro de agua de la ducha.

Evalle lo abrazó.

Deslizó las manos hacia arriba y le cogió los hombros..

Storm sintió la frente perlada de sudor. Debía tener cuidado con el siguiente movimiento. Alguien le había hecho daño físicamente en el pasado hasta tal punto que Evalle evitaba el contacto íntimo. Tenía miedo de perder el control de su bestia y de matarlo. Storm había pensado en pasar horas con ella cuando llegara el momento, en hacerlo todo muy despacio y detenerse en cuanto ella mostrara cualquier señal de pánico.

Pero no allí, en esa montaña llena de criaturas naturales y sobrenaturales. Ese era el último lugar en que él podía bajar la guardia para dirigir toda su atención en Evalle.

Por otro lado, si la detenía en ese momento, ella se sentiría rechazada.

Evalle le besó la espalda y deslizó los dedos hasta sus pezones. Un escalofrío de excitación recorrió la piel de Storm, y el esfuerzo por contenerse lo hacía temblar. Estaba indeciso. Cada latido de su corazón era como un puñetazo dentro del pecho. Si se le ponía más dura, rompería los pantalones.

Storm se apartó del coche, levantó los brazos y se dio la vuelta despacio hasta que la abrazó.

Ella rio, y el sonido de su risa quedó suspendido en el aire mientras recibía el abrazo de Evalle con una cálida sensación en el corazón.

Esa era la mujer que deseaba con toda la fuerza de su ser.

Evalle levantó la cabeza. Sus ojos estaban cubiertos por las oscuras gafas de sol. Se las podía quitar, pues la luz de la luna que se filtraba entre los árboles era escasa. Pero Storm no necesitaba verle los ojos para saber que era feliz. Todo su cuerpo emanaba placer y sus sentidos empáticos lo percibían.

De repente, como si se abrieran unas compuertas, el deseo de Evalle inundó sus sentidos.

Diablos, sí, deseaba eso. Deseaba a Evalle.

Evalle le lamió el pecho y él se estremeció.

Lo primero era proteger a esa sinvergüenza, pero eso no quería decir que no pudiera permitirse unos minutos de juego. Su olfato lo avisaría en caso de que alguien se acercara demasiado.

Despacio, con cuidado, Storm inclinó la cabeza y la besó. Sus labios se fundieron con los de ella. Los besos de Storm eran el único placer que ella había aceptado con entusiasmo desde el principio, incluso cuando se conocieron como rivales. Storm le sujetó la cabeza y, con suavidad, la obligó a girarla un poco más para hacer su beso cada vez más profundo.

Se le encendió la sangre en todo el cuerpo. Su jaguar gruñía, quería más. Quería marcarla como una posesión suya.

Quería aparearse.

Pero Evalle tenía la piel caliente, tan caliente que parecía a punto de entrar en combustión.

De repente, la pasión de Evalle se encendió.

Lo agarró por el pelo, acercándolo hacia ella, y lo besó como si tuviera fuego en las venas. Apretó las caderas contra él, frotándose contra su miembro en erección.

Storm apretó la mandíbula y gruñó.

Esa era su Evalle: nunca a medias. Por fin había confiado en él y se había permitido relajarse, explorar qué era lo que hacía semanas que había entre ellos. Semanas que parecían siglos.

A Storm le encantaba su boca, nunca se saciaba de sus labios.

No la presiones.

De momento, solo un paso más. Sujetándole la cabeza con una mano, le desabrochó el botón de la camiseta e introdujo la mano para sentir la suavidad de su piel. Evalle se estremeció al sentir la mano de él sobre su dulce pecho. Sin sujetador. Gracias.

Storm le acarició el pezón con el pulgar y Evalle contuvo una exclamación.

«Oh, sí.»

Eso estaba bien. La besó con pasión desenfrenada, sin reprimirse. Ese beso expresaba todo lo que quería hacer con ella, y más. La lengua de ella se enredaba con la de él en un sensual baile. Los dedos de Storm jugueteaban con un pecho y con otro hasta que Evalle empezó a temblar de deseo.

Diablos, él temblaba de deseo.

Un gemido de placer se escapó de la garganta de Evalle. Otro gemido como ese y él caería de rodillas y le daría todo lo que ella quisiera. Evalle suspiró y apretó la cadera contra él. Todos los músculos de su cuerpo se tensaron al sentir ese contacto intencionado con su erección. Evalle le mordió el labio con suavidad, y lo lamió para calmarle el dolor. Storm sentía puro fuego en la entrepierna.

Evalle era tan poderosa que el mero hecho de tocarla le provocaba la muerte de las células del cerebro.

Storm debía detenerse de inmediato si no quería arrancarle la ropa allí y en ese mismo instante. Justo cuando levantaba la cabeza para sugerir que continuaran en una postura más cómoda en casa, ella le desabrochó el pantalón e introdujo la mano dentro.

—¡Dios santo!

Storm no podía respirar.

Evalle empezó a acariciarlo, arriba y abajo.

Storm temblaba, resistiéndose al clímax que amenazaba con explotar en su cuerpo. Le sujetó la muñeca. Un momento, Houston. Tenemos un problema.

Le obligó a sacar la mano, y en cuanto dejó de notar el contacto de sus dedos comprendió lo que era la agonía.

El deseo le nublaba la mente.

Pero debía pensar. Lo cual era difícil, pues no le quedaba ni una gota de sangre en el cerebro.

—¿Qué sucede? —preguntó Evalle.

Por lo menos, no parecía molesta como Storm había temido. La sujetó por los hombros y, con suavidad pero firmemente, la apartó de él.

—Espera un momento.

—Te tenía bien cogido. Has sido tú quien me ha apartado.

Alargó la mano hacia su pantalón abierto con una sonrisa provocadora en los labios.

Pero Storm le apretó la muñeca y la apartó.

—Guau.

Maldición, le parecía imposible tener que detenerla, pero Evalle no sería así de agresiva.

No la primera vez.

Ella se apartó.

—Decide si quieres o no. No tenemos toda la noche.

¿Quién era esa mujer, y cómo había entrado en el cuerpo de Evalle? Ese maldito hueso estaba influyendo en ella. Sabría si estaba hablando con su Evalle en cuanto pudiera verle los ojos.

—Quítate las gafas.

—¿Qué mierda es esta? ¿Quieres follar a una bestia? Deberé mutar para conseguir el efecto completo.

Las señales de alarma inundaron la mente de Storm. Esa frase delataba tantas cosas erróneas que no sabía por dónde empezar a contar.

En primer lugar, Evalle nunca decía palabrotas. Brina, la reina guerrera veladora, se lo había prohibido. Y, además, ella había descrito exactamente la situación como follar. Y el hecho de que hubiera sugerido mutar era una locura.

Storm repitió, despacio:

—Por favor, quítate las gafas.

Ella se quitó las gafas. Lo miró con sus ojos verdes, los ojos de una mutante, pero esos ojos estaban velados por una neblina.

Justo lo que había pensado. Ese hueso. Debía encontrar la manera de…

Evalle se golpeó el muslo con las gafas.

—Bueno, ¿quieres continuar o debo ir a buscar a alguien más dispuesto?

De repente, Storm sintió un pinchazo de celos que le provocó un profundo gruñido.

Evalle parpadeó. Su rostro estaba rígido de rabia. Dio unos pasos hacia atrás y pateó el suelo con los pies. De las botas salieron los cuchillos escondidos.

Oh, vaya. Ahí estaba la guerrera.

Storm debía recuperar el autocontrol primero, lo cual no era un esfuerzo menor teniendo en cuenta que su cuerpo le pedía un desahogo y que ella estaba ahí delante, ofreciéndole lo que él había soñado todas las noches, las noches en que había conseguido dormir. Levantó una mano indicando que esperara un momento y se frotó el rostro con ambas manos. Piensa.

No era Evalle quien hablaba.

Evalle solo quería sexo a todas horas en su fantasía.

Ella continuaba golpeándose el muslo con las gafas, impaciente.

¿Cómo iba a quitarle ese hueso de la muñeca? No lo sabía, pero mientras debía ayudarla a recuperar el control. Respiró profundamente para fingir una calma que no sentía y le dijo:

—La pulsera te está influyendo, Evalle.

Ella lo fulminó con la mirada y soltó un bufido de exasperación.

—Si no me deseas, dilo. No me des vanas excusas. Seguro.

—Oh, te deseo, cariño, pero no así.

Al llamarla cariño, vio un destello en sus ojos que le resultó reconocible. Eso le hizo sentir alguna esperanza, pero el tema todavía no estaba resuelto.

—Te deseo tanto que me duele todo el cuerpo, pero te deseo si eres tú quien toma las decisiones.

Los ojos de Evalle se tornaron de piedra.

—Yo soy quien toma las decisiones. Si no tienes más que decir, voy a buscar a alguien que pueda satisfacerme. No te interpongas o te haré daño.

Decididamente, no era Evalle quien hablaba.

Storm contuvo la rabia, pero ella estaba dispuesta a cumplir su palabra si él no conseguía sacarla de esa situación.

Era posible que resultara herido si insistía en hacerse escuchar, pero debía ayudarla a controlar sus emociones.

—No necesitas buscar a nadie más.

Storm había hablado con el tono de voz más conciliador posible. Y luego, en tono provocador, añadió:

—Yo me encargo de ti.

Ella le sonrió, como si él acabara de acceder a convertirse en su juguete humano.

Eso sí era una oportunidad perdida.

¿Era posible que pudiera bloquear la influencia del hueso el tiempo suficiente para llegar hasta la auténtica Evalle? Quizá, pero solo si ella le daba el tiempo suficiente para que el hechizo funcionara. Pero Evalle pronto se daría cuenta de lo que Storm pretendía, y podía ponerse furiosa. Eso podía provocar que mutara y que lo matara, porque él se cortaría los brazos antes de hacerle daño.

Sonriendo, Storm dijo:

—¿Preparada para algo especial?

Los ojos de Evalle se iluminaron, casi tan radiantes como la sonrisa que le devolvió.

—Completamente. Adelante.

—Entonces cierra los ojos y tápate los oídos con las manos.

Evalle frunció el ceño, confundida:

—¿Por qué?

—Anular unos sentidos aumentará la sensibilidad al tacto.

Era cierto, pero jugaba con su inocencia en lo referente al sexo. Evalle era capaz de matar a un demonio de seis maneras diferentes, pero había tenido muy poca experiencia con los hombres.

—Ah. De acuerdo.

Se colgó las gafas en el escote de la camiseta, se tapó los oídos y cerró los ojos.

Como si la verdadera Evalle aceptara las cosas con tanta facilidad.

En voz baja, Storm empezó a cantar las palabras que había aprendido con la tribu asháninca, en la cual había crecido, mientras se movía en círculo alrededor de ella. Cuando le hubo dado una vuelta, se dio cuenta de que ya no sonreía y de que su rostro tenía una mueca de descontento, el ceño fruncido por la concentración.

Sus palabras le llegaban. Lo estaba oyendo.

De repente, abrió los ojos y su mirada prometía venganza. Bajó las manos y apretó los puños.

—Me has mentido.

Él continuó cantando en voz más alta cada vez.

No funcionaba.

Storm notaba el poder del hueso que se enfrentaba a él, que intentaba apartarlo. Se distanció un poco de Evalle y, en su lengua nativa, pronunció las palabras:

—No puedes tenerla. Ella es mía.

Evalle dio un paso hacia él con los puños apretados.

—Para. Te dije que nunca emplearas la magia conmigo.

Era verdad. Acababa de romper su promesa, pero haría cosas mucho peores para protegerla. Continuó cantando, ahora con voz potente y ronca, con sonidos que estaban imbuidos de su poder y que pronunciaban el hechizo.

—¡Maldito seas! —exclamó Evalle, lanzándose hacia él con las manos dirigidas a su cuello.

Justo en el momento en que Storm levantaba las manos para sujetar las de ella, el rostro de Evalle pasó de mostrar ira a expresar confusión. Cayó sobre él, repentinamente inerte por la pérdida de un poder desconocido, y Storm la sujetó. La levantó y la abrazó con ternura, susurrándole para reconfortarla.

Evalle jadeaba y temblaba como si hubiera subido a la cima del Everest corriendo.

Los corazones de ambos latían tan deprisa que Storm no sabía cuál era el suyo y cuál el de ella. Evalle recuperó la fuerza en las piernas y se sujetó en los brazos de Storm para incorporarse un poco y aguantarse en pie por sus propios medios. Storm la acompañó pero sin soltarla. Los ojos de Evalle mostraban una mezcla de emociones hasta que una de ellas se hizo predominante. Humillación.

Maldita fuera esa bruja y que ardiera en el fuego eterno.

Todavía no podía soltar a Evalle, no mientras ella lo mirara como si se hubiera degradado a sí misma.

Evalle respiró profundamente y dijo:

—Ha sido...

—No eras tú, cariño. Es ese hueso. Empezó a ejercer su influencia sobre ti en cuanto te lo pusieron en la muñeca en el Club de Bestias.

Evalle miró su muñeca y luego volvió a mirarlo a él.

—¿Qué es lo que me hace?

—Imogenia dijo que, a no ser que quisieras utilizarlo para las malas artes, solo aumenta tu deseo. Imagino que amplifica tu intención para que obtengas lo que quieres. Creo que cuando tú quieres algo, el hueso imbuye mayor fuerza a tu deseo hasta que este pasa por encima de cualquier otra cosa. Te exige que satisfagas tus necesidades a cualquier precio.

Evalle asintió con la cabeza y miró hacia otro lado sin fijar la vista en ninguna parte.

—Pero no me doy cuenta de cuándo las cosas cambian. Necesito saber en qué momento el poder del volonte empieza a dominarme.

Storm lo pensó un momento y recordó que la piel de ella se había encendido mientras la abrazaba.

—Intenta darte cuenta de cuándo tu piel se calienta. Noté que ardía bajo la influencia de la pulsera.

Evalle lo miró con una leve sonrisa de ironía.

—¿Seguro que no era tu influencia?

Storm, contento de notar su tono divertido después de lo que había sucedido, se inclinó hacia ella y olió su deliciosa fragancia.

—Cuando sea yo, te darás cuenta, y te pondré caliente de una forma mucho mejor.

Evalle tembló, y Storm sabía perfectamente que no era de frío.

—Cuidado —advirtió Evalle—. O volveremos a empezar desde el principio.

Pero lo dijo casi sin aliento, de una forma tan sugerente que Storm sintió una punzada de deseo todavía más fuerte que antes.

Evalle susurró:

—¿Qué hiciste… para que yo no te atacara hace un minuto?

Eso eliminó la tensión que amenazaba con partir su cuerpo en dos. Storm inhaló con fuerza y se irguió, apartándose de ella. Debía evitar que su cuerpo se acercase demasiado.

—Empleé un hechizo para anular ese poder, pero probablemente sea algo temporal. Dudo que dure mucho. Debemos quitarte esa cosa de la muñeca.

Evalle se pasó una mano por el rostro.

—Mientras tanto, seré… peligrosa, si estoy a tu lado.

Storm se dio cuenta de lo que quería decir.

—No pienso perderte de vista. Eso no me preocupa.

—Pues deberías preocuparte. No soy Bernie. Yo puedo matarte.

Él tenía más fe en ella que la que ella tenía en sí misma.

—Me arriesgaré.

Storm vio su expresión de terquedad, pero Evalle no discutió con él.

—Esa pulsera debía de ser la causa del comportamiento extraño de Imogenia la primera vez que la vi. Creí que estaba bajo el efecto de alguna droga. ¿Crees que utilizaba un hechizo para bloquear sus reacciones?

—Posiblemente, y uno mucho más fuerte que el mío.

—Hubiera podido hablarme de esto. Debería habernos dicho la verdad, pero distorsionó las cosas. Probablemente estaba enojada por el hecho de que yo había podido con ella. —Evalle se golpeó la palma de la mano con el puño y empezó a caminar de un lado a otro—. Voy a encontrar a esa bruja y le romperé el…

—E… Evalle.

Evalle se giró bruscamente y respondió con brusquedad:

—¿Qué?

Oh, diablos.

—Estás dejando que ese hueso te afecte de nuevo.

Evalle se quedó boquiabierta. Quiso decir algo, pero cambió de opinión y rezongó:

—Mierda. Debo hablar con Macha y con VIPER. Si me acerco a Sen con esta cosa, correrá la sangre.

La sangre de Evalle.

—Te lo vas a quitar.

—Debo regalárselo a alguien. ¿Recuerdas? ¿A quién se lo voy a dar?

—A mí.

—Ya hemos discutido esto. No. Además, no le daría esta pulsera ni a mi peor enemigo. —Se frotó el brazo—. Estoy cansada, Storm. Necesito llegar a casa y dormir un poco.

Si le decía que quería tenerla cerca para protegerla, Evalle volvería a enojarse, pero no podía dejarla sola con ese poderoso artefacto en la muñeca.

—Te vas a quedar en mi casa.

—No.

¿No se daba cuenta de que no era una pregunta? Si se quedaba sola, no estaría a salvo pues cualquiera le podría provocar una reacción demasiado fuerte.

—¿Por qué no?

—No quiero una repetición de Sexo en el Campo.

—Sabes que no haré nada.

—Me preocupa lo que yo pueda hacerte a ti, Storm. Además, debo hablar con Macha antes de que se entere de estos juegos por otra fuente y crea que estoy ocultando información.

¿Se había vuelto loca?

—¿Hablar con Macha mientras llevas puesto un brazalete con un hueso que te dispara los niveles de emoción? Ella es dinamita, y tú eres un fusible fundido. Ya te saca de tus casillas cuando está de buen humor, y ahora, con los mutantes, ha perdido la paciencia. Si le gruñes una sola vez, te destrozará con un solo dedo. No puedes hacerlo.

Evalle se inclinó hacia delante, apretó los dientes y, sin despegar los labios, afirmó:

—Voy a hacerlo, y esperemos que tu hechizo me ayude a sacar mi niña interior pasiva.

Sí, claro. No tenía ni una célula pasiva en su cuerpo, y no había un hechizo en toda la capa de la tierra que la pudiera convertir en una mujer dócil.

Seis

Storm conducía por el centro de Atlanta con una mano en el volante y la otra jugueteando con un mechón del negro cabello de Evalle, que se había dormido en el asiento del acompañante. Esa mujer le había hecho volver a sentir el corazón vivo. Había conseguido que la vida le importara de nuevo.

¿Cómo iba a conseguir mantener a salvo esa cabeza dura?

Si sus visiones y su espíritu guía tenían razón y la bruja de Sudamérica estaba cerca, debía encontrar la manera de mantenerla alejada de Evalle, en especial ahora que su autocontrol era inseguro.

Giró por Marietta Street y se dirigió hacia la zona que quedaba por debajo del nivel de la calle principal. Los neumáticos rebotaron sobre los viejos raíles de tren que daban un toque histórico al icónico centro de entretenimiento de la zona subterránea de Atlanta.

A pesar de las sacudidas, Evalle continuaba durmiendo como un leño, tal como había hecho durante todo el viaje de regreso de las montañas. Storm no quería despertarla, pero le quedaban menos de quince minutos para llegar a su apartamento antes de que la luz que ya se filtraba por el horizonte iluminara todo el cielo.

Tampoco quería dejarla sola, pero había accedido a hacerlo porque Evalle le había dicho que sería incapaz de descansar si se tenía que preocupar por la posibilidad de que pudiera hacerle algún daño.

Además, si la dejaba a salvo en su apartamento subterráneo, él podría dedicar tiempo a seguir algún rastro.

Recorrió el último tramo de cemento agrietado, lleno de malas hierbas que llegaban a la altura de la rodilla, y aparcó delante del destartalado edificio de ladrillos que albergaba el hogar de Evalle.

Antes de salir del coche, se quedó sentado unos segundos, disfrutando de un momento a solas con Evalle. Nadie a quien salvar. Nadie a quien matar. Lo que daría por hacer que ese momento se hiciera eterno.

Se inclinó hacia delante y le dio un suave beso.

Evalle se despertó con un sobresalto, alerta. Sus brillantes ojos verdes se clavaron en los de Storm. Él le había quitado las gafas de sol cuando se había quedado dormida. Se encontraban bajo la oscura sombra del edificio: allí no había luz que pudiera dañarle los ojos.

Evalle respiró profundamente y sonrió.

La luz del sol puede adoptar muchas formas. La bola de fuego que enciende el cielo durante el día no podía competir con su sonrisa. Evalle se inclinó y le devolvió el beso mientras jugueteaba con su pelo con los dedos. Luego le pasó la mano por la espalda y lo atrajo hacia ella.

Y de esta forma, Storm tuvo una erección infernal.

Le sujetó la cara y saboreó sus labios despacio a pesar de que temblaba de deseo por ella. Evalle deslizó los dedos por encima del hombro de él, quien a su vez le pasó una mano por el cuello.

La piel de Evalle empezó a calentarse, pero esta vez Storm estaba advertido e interrumpió el beso. O eso intentó.

Ella lo atrajo con fuerza, besándolo con mayor urgencia.

—Evalle… tesoro —murmuró Storm cuando consiguió separarse unos centímetros—. Debemos parar.

—No.

Esta vez no la abrazó. No podía hacer ningún movimiento impulsivo. Así que dijo:

—La pulsera.

Evalle se detuvo, le dio otro beso, y volvió a detenerse, dudando. Pero esta vez se apartó y soltó un suspiro de frustración.

Storm empatizaba con ella. La frustración se había convertido en un estado natural para él, pero parecía que el hechizo todavía se mantenía.

—¿Seguro que estarás bien?

—Sí.

Evalle cogió las gafas del salpicadero y se las puso antes de abrir la puerta del coche para salir. Storm también salió y se reunió con ella en la parte delantera del coche.

El horizonte empezaba a aclararse, pero todavía le quedaban once minutos para que el sol apareciera. Storm deseó aprovechar ocho minutos de ese tiempo pero no quería hacer nada que ella no pudiera manejar, así que se quedó a unos pasos de distancia.

Debía estar preparado para cualquier cosa.

Ella salvó la poca distancia que los separaba, le cogió la barbilla y acercó sus labios a los de él. Lo besó con suavidad. Storm mantuvo las manos quietas, y para ello tuvo que hacer el mayor esfuerzo de su vida.

Un hombre no podía resistir tanto.

Evalle separó su rostro y, sin soltarle la barbilla, dijo:

—Estoy preparada para... más. Para nosotros.

Esas eran las palabras que él había soñado oír algún día.

—No sabes cuánto me gustaría que fuera así, pero...

—Pero nada.

Evalle se levantó las gafas un poco para que él pudiera ver sus ojos claros y se las volvió a colocar.

—Soy yo, Storm. No es el hueso. Pediste que confiara en ti. Cuando me quite esta cosa de la muñeca, quiero intentarlo... contigo.

No había sido fácil pronunciar esas palabras.

El orgullo le había permitido evitar a Storm hasta el momento y no correr el riesgo de comportarse como una tonta o de hacerle algún daño. Pero ese mismo orgullo la obligaba a enfrentarse a sus miedos, a presentarse ante él en igualdad de condiciones. El profundo sentido del honor de Evalle la obligaba a ir hasta el fondo por mucho que eso la aterrorizara.

Y sentía una gran humildad por recibir una confianza que no tenía precio.

Él nunca le permitiría llegar al punto de que se sintiera aterrorizada, y Storm creía que Evalle mantenía un gran control sobre sus mutaciones cuando estaba en plena posesión de sus facultades.

Ninguna mujer podía compararse con ella.

Storm le cogió una mano y le dio un beso en la palma.

—Estaré aquí cuando estés preparada. Ahora mismo solo quiero quitarte eso de la muñeca antes de que intentes matar a Sen o a Macha.

Evalle se rio.

—Esperemos que sea más capaz de mantener el control cuando esté con ellos de lo que soy capaz cuando estoy contigo.

Storm quería estar ahí cuando se encontrara con esos dos.

—¿Dónde vas a encontrarte con Macha?

—Ahí arriba, en el tejado.

Evalle se quedaría en su apartamento hasta la noche, lo que le daba a Storm el tiempo que necesitaba.

—Ven a mi casa antes de ir a VIPER.

—No quiero que vuelvas a entrar en VIPER. No por este asunto de los mutantes.

—Te iré a buscar.

Ella levantó la mirada al cielo, exasperada, y farfulló algo en voz baja.

—Esta pelea es mía. Aunque vuelvas a entrar en VIPER, con este brazalete solo pueden ir dos personas al campeonato. Seguramente me costará una buena discusión hacerme con el equipo de VIPER, pero la opinión de Macha prevalecerá sobre la de Sen. Ya te digo ahora que no voy a apoyar que tú vayas, así que no tienes ningún motivo para regresar a VIPER.

—Con mis antecedentes, soy quien más información tiene sobre esas peleas de bestias, y tengo pensado averiguar más cosas.

Eso convertía a Storm en el principal candidato para ser luchador. Tzader estaría de acuerdo con él. La única otra opción era Evalle, pero ella no podía mutar a su forma de bestia, así que seguramente no podría encontrar a ningún otro mutante y ganar.

No importaba. Storm iría con ella de todas formas.

—Entonces comunícame lo que averigües y yo pasaré la información a VIPER.

—Ya hablaremos.

—Menos mal que tengo a mi bestia interna bajo control, porque ahora mismo quisiera hacerte entrar en razón a golpes.

Storm la besó rápidamente.

—Se te ha terminado el tiempo. Entra, y no te olvides de pasar por casa antes de hablar con Macha.

Evalle meneó la cabeza, levantó la mano y señaló la puerta de metal del ascensor. La puerta se abrió y apareció un ascensor de gran tamaño. Lo hizo todo con su energía cinética. Evalle entró en el ascensor y se dio la vuelta.

—¿Dónde vas?

—A casa.

Storm no mentía. Iba a casa para darse una ducha antes de regresar a la zona en que se había llevado a cabo el encuentro del Club de Bestias, en las montañas.

Entonces adoptaría su forma de jaguar para poder seguir el más leve rastro que quedara.

Encontraría a Imogenia y la convencería de que le contara todo lo que no había dicho sobre ese hueso.

Siete

*I*mogenia arrastraba a Bernie con su larga cadena encantada, que hacía un fuerte ruido metálico cada vez que él llegaba a su lado. Debería obligarlo a que adoptara su forma animal y la llevara a cuestas, pero él se quejaría de ello. Era un mutante patético. Ni siquiera era capaz de matar a un jaguar.

El vestido se le enganchó con las púas de un arbusto y le hicieron un agujero.

«La próxima vez que cierre un acuerdo, este no incluirá el deambular por una montaña en medio de la noche».

Cuando por fin el sol estaba a punto de salir, Imogenia encontró su camino al pie del monte Oakey, aliviada de ver que esa miserable mañana iba a terminar. ¿Cómo iba a conseguir magia Noirre con esa desgraciada bestia?

¿Por qué no había podido capturar a un mutante con un poco de nervio? A un hombre como ese jaguar que le había dado una buena patada en el culo a Bernie.

Cruzó un grupo de árboles que temblaban bajo el viento y llegó a un claro que ya había recorrido antes de la medianoche, cuando se dirigía al Club de Bestias. De repente, un sonoro cascabeleo llenó el ambiente, como si cientos de serpientes de cascabel rodearan el lugar en que se encontraba.

Bernie soltó un gemido.

Un hombre patético. Imogenia dio un tirón de la cadena.

—Cállate.

A un lado de la montaña, por entre las sombras de un grupo de árboles, apareció una mujer. Llevaba una capa con capucha, del color del mar enfurecido. A los pies, sobresalían las puntas de unas botas rojas. La mujer levantó la cabeza y la primera luz del sol reveló unas largas pestañas y unos exóticos ojos marrones.

Ese rostro tenía unos rasgos demasiado perfectos.

Imogenia no confiaba en la perfección.

—Nadina.

—Has dejado un buen rastro, ¿verdad?

—He ido en zigzag durante las últimas cuatro horas.

Imogenia no tenía ni idea de por qué eso había formado parte de la negociación. No debería haberse dejado arrastrar por su deseo de cerrar el trato, pero no era habitual tener la oportunidad de adquirir poderes de magia Noirre.

Más bien era imposible.

—Cuando te marches, regresa por el mismo trayecto que has hecho hasta que hayas dado la vuelta a este claro. Luego ve a tu coche.

—Lo haré.

Imogenia no sabía por qué debía dar ese largo rodeo, pero lo haría con tal de que la negociación progresara.

—¿Te ha ido bien en el Club de Bestias?

—Por supuesto. —Imogenia levantó la cabeza con orgullo—. Tampoco hubiera podido no verla. Toda una actitud de diva. Era la única mujer que llevaba gafas de sol de noche. Salió mejor de lo que esperaba.

—Bueno.

—Excepto por una cosa.

—¿Cuál?

Esa simple palabra no era para poner los pelos de punta, pero el tono de Nadina estaba cargado de amenaza.

—¿Sabías que Daniella es una traidora?

—Por supuesto. No pongas esa cara de decepción. Evalle necesitaba algo con qué negociar contigo.

«Será mejor para ti que nunca tenga la oportunidad de vengarme». Así que esa bruja que iba con el jaguar se llamaba Evalle.

—Bueno, pues no conseguí un mechón de su pelo porque ella tenía a Daniella para negociar.

Nadina pensó en eso un momento.

—¿Y qué hay del brazalete? ¿Ahora está en su muñeca, verdad?

—Sí —respondió Imogenia con impaciencia y pensó «Nadina debe de estar acostumbrada a negociar con estúpidos si cree que debe hacerme esas preguntas absurdas»—. Ya te he dicho que ha ido bien.

Hubiera estado bien tener toda la información antes de ir al Club de Bestias. Imogenia nunca debería haber negociado con esa bruja desconocida, pero necesitaba tener más poder. Ya hacía un tiempo que sospechaba que en su grupo de aquelarre había una traidora. Nadina tenía unos huesos volonte que Imogenia nunca habría soñado que era posible encontrar. Incluso para alguien que practicaba la magia Noirre, Nadina tenía unos contactos excepcionales. El hechizo de magia Noirre que Nadina accedió a darle a cambio de que le pusiera la pulsera a Evalle le había parecido un pequeño favor hasta que el jaguar de esa mujer estuvo a punto de matar a Bernie.

—Volvamos a Daniella.

—Deberías estar agradecida. Ahora sabes lo de Daniella. Considéralo un extra.

—¿Cómo lo averiguaste?

—Tengo mis recursos, igual que tú. Si no le hubiera hecho llegar esa información a Evalle, ella no hubiera tenido ningún motivo para ir en tu busca. ¿Comprendes?

Imogenia tenía un sentido de la supervivencia lo bastante desarrollado para saber que debía tener cuidado con una bruja negra desconocida. Pero ninguna bruja jugaba con ella y salía indemne.

—¿Quién más sabe lo de Daniella?

—Un espectro de Atlanta.

—¿Merodeadores? Son capaces de hablar con cualquiera.

Nadina puso una expresión ladina.

—No, no lo harán. Me he encargado de ello.

—¿Cómo?

—Ven conmigo, mi *langau* —dijo Nadina por toda respuesta.

Imogenia iba a preguntarle a esa bruja de qué estaba hablando cuando una figura oscura apareció en el claro. Era un ser vaporoso que inmediatamente se condensó en la forma de una persona sólida, de una atractiva mujer de veinte años con el cabello oscuro cortado a la altura de la mandíbula y unos desarmantes ojos color avellana. Llevaba un pantalón azul marino, un jersey de color malva y un pañuelo de cuello de ambos colores.

Y olía a tumba.

Nigromancia.

Era un conjuro digno de un premio, pero en cuanto a poder intimidatorio, ese espíritu no llegaba ni al cero de puntuación. Imogenia preguntó:

—¿Y crees que ella va a impedir que los merodeadores se vayan de la lengua?

Nadina parecía divertirse.

—¿No te impresiona mi langau?

Imogenia se dio cuenta de que se estaba metiendo en terreno peligroso, así que se encogió de hombros.

—Bueno, es una primera impresión.

—¿Crees que un merodeador sospecharía de esa?

«Esa» no mostró ninguna señal de estar oyendo la conversación. Su mirada tenía una expresión vacía. Debería llevar la palabra «vacía» escrita en la frente. Imogenia dijo:

—No. Creo que cualquier fantasma le estrecharía la mano. Es por eso que tengo a cinco de estas en Atlanta ahora mismo, buscando merodeadores y estrechándoles la mano, lo cual infecta al fantasma con un virus altamente contagioso. La infección pasa a través del apretón de manos a los sobrenaturales, y el virus ataca sus habilidades. Ya corre el rumor de que hay que evitar darse un apretón de manos con un merodeador.

Imogenia asintió con la cabeza, admirada.

—Es impresionante.

—¿Y ella? —Nadina señaló a su langau con un gesto de la mano—. ¿No lo es?

—Si es una portadora de virus, da miedo, pero aparte de eso, no.

Imogenia casi no había acabado de pronunciar la última palabra cuando la langau enfocó la mirada y clavó los ojos en Imogenia.

Esos ojos avellana se convirtieron en pozos de fuego.

La langau abrió la boca y mostró unos dientes afilados como agujas.

Los dedos se convirtieron en largas y curvadas garras de

afiladas uñas. El ojo izquierdo de la langau tenía un tic. Giró la cabeza y abrió la boca. Sacó una lengua bífida y soltó un siseo.

Imogenia contuvo la respiración.

Nadina rio.

—¿Olvidé mencionar que su mordedura y sus garras también son infecciosas? ¿Impresiona más ahora, sí?

Bernie empezó a jadear y a retroceder hasta que la cadena quedó tensa.

Imogenia dio un tirón, pero el sudor de sus manos hizo que la cadena le resbalase. Se apresuró a mostrar su asentimiento:

—Sí, mucho.

Nadina levantó una mano y la langau empezó a desvanecerse. Entonces le dijo a Imogenia:

—Como ves, no hay que preocuparse por si los merodeadores hablan. Además, piensas ir a casa y encargarte de Daniella, ¿sí?

—Puedes apostar que sí. —Pero Imogenia no podría encontrar a Daniella hasta al cabo de dos días, hasta el campeonato—. ¿Y mi hechizo de magia Noirre?

—¿Qué pasa con él?

—¿Sigue en pie el acuerdo?

«Puesto que cambias las reglas cada vez que te apetece».

—Sí. Recibirás el hechizo en el momento en que termine el Campeonato de Bestias Aquiles. Gracias a mí, esa noche tendrás oportunidad de conseguir dos hechizos de magia Noirre. —Dirigió la mirada hacia Bernie, que se encontraba un poco por detrás de Imogenia—. Eso en caso de que tu mutante no muera en la ronda final.

Bernie soltó un leve gemido.

Imogenia apretó la mandíbula ante el tono irónico de Nadina.

—Es posible que Bernie sea un llorón como ser humano, pero es un mutante impresionante. Por lo menos, lo era hasta que tuve que enfrentarlo con ese jaguar.

—Es mejor conocer sus habilidades ahora que mañana. Has tenido lo que querías. Yo he tenido lo que quería.

—No exactamente. No quiero que mi mutante se enfrente a ese jaguar otra vez.

Nadina levantó la cabeza hacia las ramas de los árboles, que el viento mecía ligeramente. Luego miró a Imogenia.

—Eso es fácil. Lleva tu bestia a los juegos y acepta la oferta del Medb de negociar un intercambio antes de apuntarlo a un combate. Ellos quieren tener mutantes, o no harían esa propuesta a quienes esperan perder a sus luchadores durante las primeras rondas de combate.

—No puedo hacerlo.

—¿Por qué no?

—Porque el Medb no ofrecerá magia Noirre a nadie que no sean los primeros cinco mutantes que ganen los combates finales de la élite. No me darán nada por una bestia desconocida.

—Te estás poniendo aburrida, Imogenia. No tendrías este dilema si yo no hubiera encontrado este mutante para ti. Y ahora te quejas del producto. No hay forma de complacerte. Esto es una situación en la que solo es posible ganar, ¿no?

No, no lo era, pero decirlo pondría en guardia a esa zorra de dientes afilados.

—¿Qué interés tienes en Evalle?

Nadina la sorprendió con la respuesta:

—Quiero su jaguar.

—Pues buena suerte. Dudo que ni siquiera una bruja negra pueda quitarle esa bestia —bromeó Imogenia.

Nadina esbozó media sonrisa, pero sin humor alguno. Sus ojos desprendieron un destello anaranjado. La energía de su mirada obligó a Imogenia a dar un paso hacia atrás.

¿No había demostrado ya Nadina que Imogenia no se encontraba a su altura? Sí, por mucho que a Imogenia le disgustara admitirlo. La próxima vez tendría más cuidado con sus palabras.

Nadina le advirtió:

—No soy una simple bruja negra.

—Entonces, ¿qué eres?

—Soy mucho más peligrosa—. Nadina retrocedió un poco, flotando, y se detuvo—. Pero te concederé tu deseo. Bernie no se enfrentará con el jaguar en el CBA.

En otro momento, Imogenia hubiera sentido alivio al oír algo así. Pero no ahora. Lamentó haberse puesto a sí misma en posición de tener otra deuda con esa bruja.

—¿Y por qué lo haces?

—¿Por qué debes cuestionar tu buena suerte?

—Porque nada en nuestro mundo es gratis. Primero quiero saber lo que quieres a cambio.

Nadina la miró como quien mira a una mascota en apuros.

—Todavía no lo he decidido, pero te lo haré saber en cuanto lo haya hecho.

No, no, no. Imogenia no tenía ningún deseo de estar en poder de esa bruja.

—No podrás localizarme hasta el campeonato, así que deberás decirme cómo puedo encontrarte. A no ser que tengas pensado asistir —añadió Imogenia, intentando obtener información.

Nadina no respondió, así que Imogenia insistió con precaución.

—Si no asistes, ¿cómo podrás asegurarte de que el jaguar no se enfrenta con mi mutante?

—Provengo de un antiguo linaje de brujas asháninca que posee unos poderes que solo serían fantasías para ti. Sigue mis instrucciones y todo irá bien. Cuando desee algo, te lo haré saber.

Imogenia dijo:

—Te he dicho que no estaré localizable.

—Oh, sí lo estarás —rio Nadina, inmensamente divertida.

Levantó una mano con la palma hacia arriba y susurró unas palabras que Imogenia no pudo oír. Luego movió el índice con un gesto que indicaba «ven aquí».

Imogenia sintió una punzada en el pecho, como si algo se le hubiera clavado en él. Fue un dolor profundo.

Dio un paso hacia delante, y luego otro, en dirección a Nadina.

Si se resistía a la orden, el pecho le dolía más. Caminó con paso entrecortado hasta que Nadina levantó el índice y dijo:

—Detente.

Imogenia obedeció, llena de pánico. No le había dado nada que una bruja negra pudiera utilizar contra él.

—¿Qué me has hecho?

—Te até a mí con el hueso volonte, igual que he atado a otro que también lo llevaba. ¿Por qué crees que yo lo llevé primero? —Bajó la cabeza, pensativa—. Para ser sincera, lo necesitaba para crear a mis langaus con la nigromancia, pero ahora soy capaz de localizarte a ti o a Evalle cada vez que lo desee.

Imogenia notó que el sudor le caía por las mejillas. Eso era peor que tener una traidora en el grupo de aquelarre. Imogenia podía hacer desaparecer a Daniella de forma muy dolorosa, pero no tenía ni idea de cómo romper ese vínculo con la bruja.

Los ojos de Nadina brillaban de alegría.

—Si, a partir de este momento, mencionas mi existencia o cuentas alguna cosa sobre el hueso volonte, primero te destrozaré a ti y, después, a la persona a quien se lo hayas dicho. Alimentaré contigo a tu mutante, y destinaré tu sangre a una cosa... especial.

A Imogenia se le puso la piel de gallina al pensar en que podía ser presa de sacrificio de esa bruja.

—No diré ni una palabra.

—Bueno. En cuanto a mi jaguar, no podrá pelear contra tu mutante... ni con ningún otro en los juegos.

Nadina se dio la vuelta y desapareció en la oscuridad.

Ocho

Storm se resistía al impulso de trepar a cualquier árbol para pasar la noche en su forma de jaguar. Después de pasar todo el día de batida por gran parte del monte Oakey, estaba agotado. Y había vuelto con las manos vacías.

Había rastreado con calma las señales de Imogenia, se había desplazado despacio y retrocediendo a menudo por temor a perder algún indicio debido al errático camino que ella y Bernie habían seguido para bajar de la montaña. Se había desplazado de un lugar al siguiente y, a veces, había dado la vuelta para rastrear de nuevo el mismo terreno o para comprobar algún rastro anterior.

Estaba claro que Imogenia estaba fatigada, y que su mutante arrastraba los pies casi todo el tiempo. Las huellas que dejaron no eran las de quienes se sienten cómodos en el bosque. Quizá Imogenia había tenido que emplear algo de magia para recorrer todo ese trecho.

Storm esperaba que así fuera. Y quizá también le había provocado alguna ampolla del tamaño de una pelota de golf.

El rastro de Imogenia terminaba cerca de unas huellas de neumáticos, seguramente del vehículo que había dejado aparcado. Un coche pequeño con ruedas estrechas.

¿Había cambiado tantas veces de dirección para despistar a quien pudiera intentar seguirla? ¿Habría tenido miedo de que alguien intentara robarle su mutante?

¿O quizá había otro motivo?

Pero Storm ya no era capaz de pensar. Necesitaba dormir un poco.

Había estado rastreando desde las once de la mañana.

Se frotó el rostro con una pata, bostezó y se dirigió de regreso al coche. Si volvía a casa en ese momento, quizá pudiera dormir unas cuantas horas antes de que se hiciera de noche, antes de que Evalle dejara su apartamento.

Recordó que se había sorprendido cuando llegó al lugar en que el rastro de Imogenia dibujaba una gran curva. ¿Por qué lo habría hecho, cuando lo más sencillo y directo hubiera sido atravesar el claro en línea recta?

¿Se habría perdido?

Parpadeó con fuerza para ahuyentar la somnolencia y penetró en la parte de bosque que tenía delante hasta que llegó a una zona abierta de unos doscientos metros de diámetro.

El rastro de Imogenia transcurría paralelo a la forma de ese claro.

¿La habría asustado algo?

Storm no percibía ninguna amenaza, ni la presencia de ningún animal en ese momento. Continuó adelante con intención de entrar en el claro, pero de repente notó un potente deseo de evitar esa zona.

Se detuvo y olisqueó. De allí no venía ningún olor.

Todo en el bosque desprendía olor.

Continuó hacia delante despacio, paso a paso, y cuanto más se acercaba, más en punta se le ponían los pelos del cuello. Su instinto le advertía que debía regresar, pero esa advertencia provenía de algo sobrenatural.

Continuó, decidido a encontrar la fuente.

¿Era por eso que Imogenia había evitado la zona?

De repente, se dio un golpe en el hocico con una fuerza invisible que parecía gruesa y fría.

Pensó en dar un paso atrás. Esos bosques habían estado llenos de sobrenaturales la noche anterior, y quizá todavía quedaba alguno por allí. Pero eso no parecía un escudo. Dio un bostezo y tuvo que sacudir la cabeza para mantenerse alerta.

«Vete y procura dormir un poco». Storm se dio la vuelta y no había dado más que dos pasos cuando sintió olor de regaliz.

Podría deberse al olor residual de algún incienso que alguien había quemado ahí. Pero no había ninguna señal de campamento a su alrededor.

Inspiró profundamente y volvió a oler, solamente, ese aroma. Muy sutil.

Se dio la vuelta y regresó al lugar en que había tropezado con esa fría barrera. Invocando sus poderes mágicos, introdujo una pata en el aire denso. Le costó más de lo normal. Ese campo invisible le arrastraba el pelaje a medida que se abría paso hacia el espacio abierto del otro lado.

El olor a regaliz se hizo más penetrante.

Pero no era como el olor de un caramelo de regaliz, sino como el olor ahumado que producían las malas artes. Unas malas artes mortíferas.

Tosió, y percibió el olor de algo muerto que debía de estar enterrado lejos y a mucha profundidad.

Fue en ese momento cuando se dio cuenta de que no estaba solo.

—Buenos días, Storm —oyó que le decía alguien en un susurro.

La bruja.

Storm dio una vuelta completa sobre sí mismo, buscándola. Era su voz. Y esa era la zona de su hechizo. Se había metido directo en su trampa. No era así como había pensado encontrarse con ella, exhausto y en su terreno. Pero sus enemigos nunca habían jugado limpio.

Él tampoco pensaba hacerlo.

Soltó un rugido, desafiando a la bruja a que diera la cara.

Unas alegres carcajadas sonaron a su alrededor, provocando un potente eco, como si estuviera en un cañón en lugar de en un prado de hierba rodeado de árboles.

—Todavía no, mi demonio negro. Todavía no estoy lista para arriesgarme a presentarme delante de ti. Pero será pronto, muy pronto.

¿Debía alegrarse de tener la oportunidad de estar mejor preparado físicamente para el encuentro? ¿O debía estar preocupado por el hecho de que ella pospusiera el encuentro?

—Me has costado mucho tiempo. Piensas que puedes conmigo, pero al final yo venceré. —Esas palabras pasaron de largo como balas al lado de sus oídos, y luego regresaron de nuevo—. Deseas sangre. No es así como debemos estar nosotros dos. Somos muy parecidos, tú y yo.

«Me cortaría el cuello para proteger el mundo si yo me pareciera a ti en lo más mínimo».

—Hoy no estás lista para venir de forma voluntaria.

«Aguanta la respiración y espera a que eso suceda.» ¿Debía cambiar de forma para poder hablar con ella? ¿O quizá eso era lo que ella quería? Storm era fuerte en su forma humana, pero mucho más poderoso en su forma de jaguar.

—Debo dejarte, Storm. Tengo mucho que hacer, y nos veremos en otra ocasión. Pero no puedo permitir que te entrometas con mi langau ahora que tienes el rastro. ¿Por qué haces las cosas tan difíciles?

«¿Langau?» Storm se preguntó qué debía de haber traído a ese país… o qué debía de haber creado desde que había llegado a él.

—Te dejaré vivir porque tienes mucho que hacer por mí. Haré que lamentes haber venido hasta aquí a no ser que estés dispuesto a darme tu palabra y a venir a mí por propia voluntad.

Storm gruñó, enseñando los colmillos.

—Siempre terco. Es una pena que no aceptes tu destino. Quizá una lección de humildad te muestre quién tiene mayor poder de los dos. Adiós, Storm. —Al momento, Storm vio a la bruja fuera del claro, alejándose.

Seguía siendo hermosa, y no había envejecido. En todo caso, quizá parecía más joven.

¿O se trataba del hechizo?

Si era así, ¿debía renovarlo muy a menudo? Eso era algo que debía recordar la siguiente vez que se encontrara con ella.

La bruja miró hacia atrás una vez, sonrió y continuó hasta desaparecer entre los árboles.

Storm se puso tenso al pensar si no habría lanzado un hechizo. Seguro que no podría salir de ese lugar con tanta facilidad como había hecho la bruja. Tampoco podía dar la espalda a una amenaza desconocida.

Entonces, algo apareció ante su vista.

A medida que eso cobraba forma, Storm, sin quitarle el ojo de encima, se dirigió hacia el invisible muro que rodeaba el claro. Vio que se trataba de una forma humana, de una mujer morena. Tenía un rostro aniñado, una piel de un intenso color dorado y un cabello liso y cortado justo por encima del pañuelo negro y rosa que llevaba sobre un jersey de color también rosa. Una brisa sobrenatural recorrió el claro y jugueteó con los mechones de su pelo y el pantalón negro.

Sus ojos eran de color avellana, pero en ellos no había ni un brillo de vida.

Ahora comprendía lo que había hecho la bruja. Su langau era un alma condenada. Probablemente, un alma que la bruja había robado y que había empleado para crear demonios.

Exactamente lo mismo que quería hacer con Storm, puesto que ella poseía su alma.

Eso significaba que esa langau era mortífera. Pero la bruja había dicho que se volverían a encontrar.

La mujer dio un paso hacia él.

Storm nunca había hecho daño a ninguna mujer, pero se dijo a sí mismo que no era más que una criatura creada por la bruja a partir de miembros muertos y de sangre obtenida en un sacrificio. La bruja quería castigarlo.

Quería evitar que diera caza a sus langaus. En plural.

¿Dónde los había soltado?

¿Por qué creía la bruja que él no podía matar a esa cosa? Eso significaba que debía de haberle dado a los langau un veneno que pudieran infectar de alguna forma. Un veneno procedente de Sudamérica que podía dejarlo paralizado o inválido.

Evitar a esa langau era la opción más inteligente.

La criatura se aproximaba con movimientos femeninos.

Storm gruñó, emitió un sonido profundo y gutural que la obligó a detenerse y que advertía claramente que si daba otro paso sería su fin.

Los esbeltos dedos de la mujer se estiraron y mostraron unas uñas largas y curvadas que podían causar un gran dolor. O la muerte. Su rostro perdió el encanto juvenil. La piel se secó y se agrietó, y unas pústulas de carne viva empezaron a aparecer en su rostro. Los ojos se hundieron en sus cuencas.

La boca se le hizo grande y los labios, estrechos, hasta que adoptó una forma parecida a la de la boca de una serpiente. Pero en este caso, la serpiente tenía unos buenos y afilados dientes.

Así era como inyectaba el veneno.

La mujer se lanzó contra él. Strom dio un salto hacia un lado y la esquivó, pero aterrizó contra la barrera invisible y tomó nota mental del punto exacto en que se había golpeado contra ella para cuando tuviera ocasión de escapar. Todo era posible, con esa amenaza a sus espaldas.

La langau se dio la vuelta y se abalanzó sobre él levantando las garras. Storm se movió a un lado para esquivarla otra vez, pero esta vez ella hizo lo mismo. No quedaba más alternativa que atacar, así que lo hizo con todas sus fuerzas y la tumbó en el suelo. Pero ella tuvo tiempo de clavarle las garras en el hombro. Storm le arrancó el cuello. La cabeza de la mujer rodó por el suelo y el cuerpo se estremeció con unos últimos espasmos.

Rápido y fatal, pero el hombro le quemaba como si le hubieran inyectado ácido en la herida.

Storm dio dos pasos hacia el centro del claro, se dio la vuelta y se lanzó de cabeza contra la barrera invisible. Atravesarla resultó doloroso y difícil, pero lo consiguió. Cuando aterrizó al otro lado, miró a su alrededor. Solo había árboles, arbustos y hierba.

La langau había desaparecido.

El hombro le dolía mucho, lo que lo impulsaba a moverse. Se puso en camino a paso rápido, con prisa para llegar al coche, que se encontraba a tres kilómetros de distancia. Cuando llegó, tenía la boca seca y le dolían todos los músculos del cuerpo. Como si tuviera una gripe.

Recuperar su forma humana le costó más tiempo de lo habitual y, cuando lo consiguió, jadeaba de cansancio. Se bebió una botella de agua, se puso el pantalón tejano y una camiseta. Al subir al coche vio que el reloj del salpicadero marcaba casi las tres de la tarde.

Eso significaba que tenía tiempo de llegar a casa y de sumergirse en un sueño profundo y reparador que le ayudara a expulsar el veneno o lo que fuera que la langau le había inyectado en el cuerpo. Tenía tiempo de dormir y de encontrarse con Evalle a la puesta de sol, sobre las siete y media.

Unas nubes negras se cerraron en el cielo y se oyó un fuerte trueno.

Ahora, además de luchar contra lo que le habían inyectado en el cuerpo tendría que conducir bajo la lluvia para llegar a casa. Se inclinó hacia delante para poner en marcha el motor, y el movimiento fue tan doloroso que se le escapó un gemido. Luego se recostó en el asiento, dispuesto a conducir con calma el kilómetro de autopista que le quedaba.

Pero veía doble. Achicó los ojos y se dio cuenta de que quizá no conseguiría llegar a casa. Y dormirse allí era una mala idea.

Storm empezó a cantar, invocando a su magia para que lo llenara de energía. Eso debería mantenerlo despierto el tiempo suficiente para llegar a casa, si es que se trataba solo de veneno. Iba leyendo las indicaciones de la carretera y...

Entre sus pensamientos, perdió la noción del tiempo.

Al cabo de un minuto se encontró en la autopista, en dirección a Atlanta.

Sentía un frío intenso bajo la piel caliente.

Nunca se había encontrado con un veneno como ese. Sin dejar de cantar para mantenerse despierto y más atento, consiguió aparcar justo al cabo de una hora. Nunca se había alegrado tanto de llegar a casa. La mente se le quedó en blanco, y lo siguiente que supo fue que estaba ante la puerta comprobando el escudo antes de entrar.

Al cabo de un momento se encontró tumbado en la cama, jadeando. No recordaba cómo había llegado hasta allí. ¿Por qué tenía esos espacios en blanco en la memoria?

Invocó su estado de jaguar para iniciar el proceso de sanación puesto que ya no tenía necesidad de permanecer consciente.

Pero su jaguar no hizo ningún movimiento.

¿Qué?

Storm invocó su poder de sanación de nuevo, y los músculos le temblaron por el esfuerzo. ¿Qué le sucedía a su jaguar? El veneno nunca había permanecido en su cuerpo durante tanto tiempo, ni lo había debilitado tanto.

¿Por qué no estaba la bruja por allí? Habría podido aprovecharse de su estado de debilidad.

Pero ella ya lo había intentado una vez, y no le había salido bien.

Ella le tenía miedo, y hacía bien, teniendo en cuenta que

compartían sangre. La odiaba cada vez más, siempre que recordaba que ella había engañado a su padre para que criara a un *skinwalker* a quien ella, en el futuro, pudiera convertir en un demonio.

Se le cerraban los ojos.

Lo único que quería era dormir, pero debía despertarse a tiempo. Alargó la mano hacia el despertador pero tropezó con la mesilla y tiró el reloj al suelo. No controlaba los brazos.

El veneno nunca le había dejado los miembros tan inertes.

El cuerpo empezó a temblarle con tanta fuerza que la cama se movía.

No era un veneno... era una infección.

Luchó contra el sueño que tiraba de él. Y perdió.

Nueve

«*E*sa maldita mujer deseará no haberse cruzado conmigo nunca».

Vladimir Quinn introdujo la tarjeta de seguridad del hotel en la ranura para activar el ascensor que lo llevaría al ático de su edificio, en el centro de Atlanta.

Solo, por fin.

No estaba preparado para ir a la suite que ocupaba y estar con Lanna, su prima adolescente y otro problema que debía manejar. Pronto sería de noche. Quizá, si esperaba un par de horas, ella se dormiría.

El autodesprecio era una actividad que debía hacerse en privado.

Él era un velador respetado y de alto rango, y el hecho de ofrecer información sobre los veladores a una sacerdotisa Medb, enemiga acérrima de los veladores, merecía un castigo brutal.

Especialmente por tratarse de información clasificada.

Y eso era exactamente lo que él había hecho.

El que lo hubiera hecho sin intención no importaba. Él habría debido proteger esa información. Pero ahora Kizira sabría lo que significaba traicionar a un velador tan poderoso como él.

Quinn estaba dispuesto a aceptar su merecido de parte de Macha por haberle abierto los brazos a Kizira.

Pero no se había limitado a abrirle los brazos. Había hecho el amor con esa mujer cuatro días antes, y unas cuantas horas después ella había lanzado un ataque contra la isla Treoir, poniendo la vida de su reina guerrera en peligro y amenazando el trono del poder de los veladores.

Quinn había cometido un crimen digno de un traidor.

Y todo porque había creído a Kizira cuando ella había afirmado que deseaba terminar con el conflicto que enfrentaba a los veladores y a los Medb para que ellos dos pudieran estar juntos. La había creído cuando le había dicho que le quería.

Había sido muy convincente. ¿Qué se suponía que debía de haber creído, si ella le había dado permiso para romper las barreras de su mente y obtener toda la información que quisiera sobre los planes de los Medb?

«Ella se arriesgó muchísimo al ir a ti». Eso fue lo que su corazón le había dicho cuatro días antes. Pero su corazón ya no decidiría el camino a seguir en lo tocante a Kizira.

Ella había dejado claro que al estar comprometida con la reina Medb no podría darle nada de forma voluntaria, pero le había dado permiso para que él obtuviera todo lo que pudiera por su cuenta. Diablos, prácticamente le había suplicado que lo intentara, a pesar de que no creía que Quinn pudiera atravesar sus defensas.

Y él había aprovechado la ocasión.

Cuando consiguió cruzar su escudo, descubrió que los Medb habían enviado varios troles svart, unos mercenarios mortíferos, a invadir calladamente Atlanta.

Superficialmente, parecía una situación ventajosa puesto que no podía negar que le gustaba volver a tener a Kizira entre sus brazos. Pero había sido un idiota al creer que era el único que buscaba información.

Ese era el efecto que el amor tenía en un hombre.

Convertía a un respetado guerrero en un idiota.

Ni siquiera podía atribuir su mala acción a haber pensado mal. No, su corazón lo había convencido de que Kizira le decía la verdad, y él había confiado en ese órgano traidor.

No volvería a suceder.

La información que obtuvo ese día había salvado muchas vidas humanas. Eso debía reconocerlo.

Pero ella se había marchado con un tesoro infinitamente mayor, pues había conseguido información clasificada sobre cómo localizar a Treoir. Solamente unos pocos veladores cuidadosamente elegidos sabían dónde se encontraba la isla escondida entre la niebla, en medio del Mar de Irlanda.

Ahora Kizira también lo sabía. Y era una poderosa sacerdotisa Medb.

Mientras él se preocupaba por lo que le podría pasar si los Medb sospechaban que ella había informado a los veladores de la invasión de los troles svart, Kizira había enviado otro ejército svart a matar a Brina.

El hecho de que su gente hubiera conseguido parar a los dos grupos de svarts no tenía importancia. Los veladores habían perdido en su empeño de proteger a Treoir. Y ahora los Medb conocían la ruta para teletransportarse a una isla que había estado oculta durante dos mil años.

Kizira no había dado ninguna señal desde entonces. No había intentado comunicarse telepáticamente con Quinn ni una sola vez. Y él había estado demasiado ocupado. Hasta ese momento.

Había llegado el momento de invertir los papeles y hacer que esa bruja pagara.

Cuando llegó a la suite que había alquilado para encontrarse con Kizira, deseó dar un fuerte portazo. Pero cerró la puerta en silencio. ¿Por qué debía nadie más sufrir por el hecho de que él sintiera un agujero en el lugar donde debería haber estado su corazón?

Se quitó la chaqueta de lana, empapada por la fina lluvia que había soportado durante su caminata hasta el hotel. La tiró al sofá y se dirigió al bar para servirse un trago.

Un trago fuerte. Lo que necesitaba en ese momento.

Se acomodó en el sofá y apoyó la cabeza, cerró los ojos y se preparó para contactar con Kizira. La llamó en silencio. «¿Kizira?»

No hubo respuesta. ¿Creería que podía ocultarse de él? Esa maldita conexión funcionaba en ambas direcciones.

Quinn empleó una fuerza mayor en su siguiente llamada telepática. «¡Kizira!»

Un lejano grito cruzó su mente, y sonó como el cristal roto de una voz. Y una palabra cobró forma. «Quinn.»

¿En qué andaba esa vez? ¿Creería que sería fácil engañarlo otra vez? Quinn contuvo el deseo de dar rienda suelta a su rabia y mantuvo un tono tranquilo. «No estoy de humor para juegos. Ven a verme. Tengo una cosa para ti».

Sacó una delgada trenza de cabello del bolsillo de su pantalón. No era más gruesa que una tira de chicle, y tenía el tamaño justo para dar la vuelta a la delgada muñeca de Kizira. Hacía poco que ella le había dado ese recuerdo de sus trece años para pedirle disculpas.

Lo había aceptado, pero esta vez se lo pensaría.

«¿Qué sucede, Kizira? Estoy cansado y no tengo mucho tiempo».

De repente, unos dedos con afiladas uñas se le clavaron en el cerebro, fuertes como garras, y lo sacaron de su estado de relajación. Dejó el vaso en la mesa que tenía al lado y se llevó las manos a la cabeza. «¿Qué diablos es esto?»

«¿Quiinnn?», oyó. Era un lamento que le puso los pelos de punta.

«Para», gritó mentalmente él.

Mentiras. Siempre mentiras. ¿Por qué Kizira no se teletransportaba? ¿Tenía miedo de la venganza por lo que le había hecho?

«Sé que estás obligada a hacer cosas. Ven a verme. Quizás esta sea la última vez que pueda hablar contigo».

Mejor que creyera que a él le iba a suceder algo.

«No... espera... lo intento».

Quinn sintió su miedo, notó que ella intentaba sujetarse a él. Le salió un poco de sangre de la nariz. Apretó la mandíbula y consideró por un momento la posibilidad de emplear su poder, pero debía evitar que un Medb tomara el control de su mente. Lanzó una descarga de energía a través de la conexión.

La presión se detuvo de inmediato.

¿Qué estaba pasando?

Por un brevísimo instante tuvo en consideración el miedo de ella. ¿Era verdad? ¿Qué le impedía teletransportarse hasta donde estaba él?

Nada. Solo era otro truco Medb.

Necesitaba tenerla cerca físicamente para tener alguna oportunidad de apresarla.

Esta vez, cuando la tomara entre sus brazos —y lo haría—, Quinn utilizaría la mente para impedir que huyera teletransportándose. Tragó saliva. «Creí que me querías».

La culpa le hizo un nudo en la garganta. Había sido un estúpido al tener sentimientos hacia una mujer a quien había conocido trece años antes, cuando todavía no sabía que era una Medb.

«Si no piensas en ella de ninguna otra manera, esto funcionará».

Una energía helada se arremolinó a su lado, acariciándole la piel del rostro. Quinn abrió los ojos y vio que algo intentaba cobrar forma entre él y la ventana, donde todavía reinaba la noche. Normalmente, cuando se teletransportaba, Kizira tomaba forma rápidamente pero lo que ahora se estaba formando ante sus ojos no era más que algo borroso desde el cuello hacia abajo.

Sus ojos se veían enrojecidos, y no eran brillantes como siempre. Unos ojos hermosos y tristes lo miraron, húmedos, llenos de dolor, como si ella hubiera estado llorando. Movió los labios.

Pero no emitió ningún sonido.

Kizira intentó hablar otra vez, pero su rostro adoptó una expresión de pánico y cerró los ojos con fuerza. La frente se le llenó de pequeñas venas, por el esfuerzo de concentrar toda su energía en una sola cosa.

Quinn observó esa extraña visión y preguntó: «¿Qué estás haciendo?».

Poco a poco, su cuello y sus hombros cobraron forma. Abrió los ojos y respiró un par de veces con dificultad.

«Intento… comunicarme».

«¿Por qué no te teletransportas?»

«No… puedo».

«¿Por qué?», preguntó él, desconfiado.

«Estoy encerrada… en un calabozo».

¿Era verdad o era un truco? Quinn sentía la desolación que ella emitía y dudó un momento. ¿Estaba proyectando su cuerpo desde TÅµr Medb y de verdad se encontraba en un calabozo?

«Flaevynn».

La reina Medb. ¿Pero podía creerla?

«¿Cuánto tiempo hace?»

«No… lo sé». Sus palabras le llegaban entrecortadas, y

tenía el rostro cubierto de sudor. El resto de su cuerpo todavía no había cobrado forma. «Siento lo de los troles. No... me odies».

Había una forma de saber si le estaba engañando o no. Proyectó su pensamiento hacia la mente de Kizira, pero con el control bajo para poder penetrar sin que ella se diera cuenta. Nunca hacía eso a no ser que la seguridad de otros estuviera en peligro, pero en ese momento la seguridad de todos los veladores estaba en juego.

En cuanto hubo penetrado en su mente notó unas agudas punzadas en la cabeza. Notó el escudo que le impedía teletransportarse. Ella temblaba en el interior de una fría habitación de piedra, y se quejaba de esas fuertes punzadas de dolor.

«¿Qué...?»

Quinn recuperó el control y mantuvo solo una pequeña apertura para continuar en contacto con ella. Kizira estaba encerrada en alguna parte y, por lógica, la única persona que tenía poder suficiente para aprisionar a una sacerdotisa Medb era la reina Medb.

El corazón le pesaba de preocupación. ¿Qué le estaban haciendo? ¿Quién, si no Quinn, se enfrentaría a Flaevynn para ayudar a Kizira?

¿Qué diablos estás pensando?

No podía volver a cometer el mismo error con ella, ¿no?

Era evidente, porque preguntó:

«¿Cómo te puedo ayudar?»

«Tú. No puedes».

Era muy probable que ella se encontrara en esa situación por haberle permitido tener acceso a su memoria para obtener información sobre el Medb, pero Flaevynn continuaba controlando a Kizira, y Quinn todavía necesitaba información. Tragó saliva. Tenía mala conciencia, pero se obligó a sí mismo a cumplir con su deber. Su voto a los veladores era lo primero, así que obtendría todo lo que pudiera para ellos y luego encontraría la manera de liberarla.

¿Pero respondería ella a sus preguntas?

Ella debió de percibir en su rostro el dilema que sufría.

«Pregunta. Te responderé... si puedo. Poco tiempo».

Seguramente no podría mantener la proyección fuera de su

cuerpo durante mucho tiempo. Quinn apartó su mala conciencia, pues no sería más que un obstáculo para hacer las preguntas.

«¿Cómo encontraron los troles svart el camino hasta Treoir?»

«Teletransporte».

«¿A través de quién?»

El rostro de ella se entristeció.

«De mí».

Esa verdad cayó como un témpano de agua fría entre ambos.

«Me utilizaste».

«No. Flaevynn… —A Kizira le costaba respirar—. Me obligó».

Él ya lo sabía, pero no era un alivio ante esa traición. La última vez que vio a Kizira, ella le había advertido: «No puedo prometerte que no nos encontraremos en el campo de batalla ni que no me veré obligada a hacer algo que haga que me odies, pero no quiero hacerlo, y no quiero ser tu enemiga».

¿Se suponía que debía pasar por alto la invasión de Treoir? ¿Ignorar las muertes de tantos guerreros y la amenaza sobre la raza de los veladores? Apretó el brazo del sofá con la mano, luchando por contener la frustración que lo invadía.

«¿Te obligó Flaevynn a obtener de mi mente la información sobre dónde estaba Treoir?»

«No… de forma intencionada».

Kizira se esforzaba tanto por mantener su forma que le temblaban los hombros. Quinn debía contenerse para no alargar las manos hacia ella e intentar arrancarla de lo que fuera que la mantenía prisionera. Continúa el juego.

«Quizá no me quitaste la información de forma intencionada, pero sí la utilizaste de forma intencionada».

«Sí. No había alternativa».

Siempre la misma respuesta. Quinn se puso en pie.

«¿Por qué se supone que debo creerte cuanto la respuesta de siempre es "me vi obligada"?»

A Kizira se le llenaron los ojos de lágrimas, pero ninguna se deslizó por su mejilla.

«He venido a ayudar. No puedo aguantar mucho. Pregunta. Ahora».

¿Ella quería darle información a pesar de que estaba encerrada? Si la creía, si creía que se encontraba prisionera, debía dejar pasar lo que había sucedido. Aceptar que algunas cosas estaban fuera de control.

«De acuerdo. ¿Qué puedes decirme?»

Elle respondió con una orden.

«Piensa».

Él asintió.

«Probemos con lo siguiente. Quieres detener a Flaevynn».

«Comprendes».

Quinn tardó un momento en darse cuenta de que ella no podía decir sí o no, porque eso sería acercarse demasiado a la pregunta. ¿Cómo podía averiguar lo que buscaba Flaevynn? Le preguntó:

«¿Qué sería un buen regalo para Flaevynn?»

Kizira lo miró con una clara expresión de alivio.

«Mutantes».

En plural. ¿Cuántos buscaba Flaevynn, y por qué? Mientras intentaba pensar en otra pregunta, Kizira añadió:

«Evalle».

«No podéis tenerla».

«La primera».

¿Quería decir Kizira que Evalle era la más importante para Flaevynn? ¿Por qué? Para aclararlo, preguntó:

«¿A Flaevynn le disgustaría que Evalle sufriera algún daño?»

«Quizá».

«Si Flaevynn intenta tomar a Evalle, Tzader y yo iremos a por ella».

«No. Perdéis».

¿Qué quería decir? Quinn dio unos pasos por la habitación y añadió:

«No me importa quién pierda».

«A mí, sí».

¿Cómo podían dos simples palabras penetrar en su corazón de esa forma? ¿Iba a creerse toda esa actuación? No lo sabía, pero su instinto le decía que continuara. Que volviera a hacer esas preguntas, aunque le parecieran tan estúpidas.

«¿Le gustaría a Flaevynn recibir un grupo de mutantes?»

«Mucho».

«¿Cómo se llamaría un grupo de mutantes?»

«Ejército».

«¿Qué sería capaz de conseguir un ejército de mutantes?»
Ella meneó la cabeza.

«Veladores... muertos».

Él la miró, incrédulo, y replicó:

«Flaevynn no puede matar a todos los veladores sin enfrentarse a una venganza masiva de VIPER por todo el mundo. Somos millones, y muchos trabajan entre los humanos en trabajos cotidianos. Aunque Flaevynn pudiera destruir a todos los veladores que actualmente están con VIPER, se enfrentaría a nuestro propio ejército, pues este tomaría el lugar de los que hubieran caído».

«No. Necesariamente». Kizira gimió y su imagen tembló un poco.

Quinn se acercó a ella como si pudiera hacer algo al respecto, luego apretó los puños. Kizira le soltaría una patada antes de ponerse a llorar. Quinn creía haber cerrado su corazón ante ella, pero por mucho que quisiera impedirlo, continuaba deseando protegerla. Deseaba creer que ella no era más que un peón al cual su reina movía a su antojo por el tablero de ajedrez de los Medb.

Ese era el problema que tenía el amor.

Siempre quería prevalecer sobre la lógica.

Cansado de esa batalla que no parecía acabar nunca, preguntó:

«¿Por qué debo creerte?»

«Porque...» Su forma vibró. Kizira se esforzaba por respirar. «Yo. Te. Amo. Siempre lo he hecho. Siempre lo haré».

Cuando supo que Kizira había tenido acceso a su mente, Quinn se había ofrecido a entregarse a Macha. Hacerlo habría significado su muerte, pero Tzader estaba convencido de que los veladores necesitaban la poderosa mente de Quinn para proteger a Brina y para defender Treoir. Cuando Quinn hubiera hecho todo lo posible para ayudar a Tzader a asegurar el futuro de los veladores, se marcharía. Se iría lejos, a un lugar en que él ya no fuera el punto débil, porque nunca dejaría de amar a esa mujer.

SHERRILYN KENYON - DIANNA LOVE

Pero ya había roto demasiadas promesas por un día. No rompería otra al reconocer ese amor, puesto que no había forma de que ellos dos estuvieran juntos.

«¿Qué puedo hacer por ti, Kizira?»

Ella lo miró, y el amor que sus ojos habían expresado se desvaneció.

«Nada».

Esa palabra le caló hondo. Se pasó una mano por el pelo y caminó a un lado y a otro pero sin apartarse más de dos pasos de ella. Al final, se detuvo delante de Kizira, desgarrado entre la obligación de realizar su trabajo y su deseo de cuidar de ella.

«¿Entonces qué quieres que haga?»

El rostro de Kizira adoptó una expresión de fiera determinación, pero los hombros le temblaban y empezaban a perder la forma.

«Piensa, Quinn».

De acuerdo. Había hecho una pregunta directa. ¿Cómo se suponía que debía saber qué preguntar? Le dio vueltas a la cabeza y pensó en la afirmación que había hecho Kizira de abandonar el país.

«¿A Flaevynn le gusta Norteamérica?»

«A veces».

«¿La preferiría antes que Treoir?»

Kizira arqueó las cejas en señal de que había sido una pregunta estúpida. Su forma volvió a temblar, y a Quinn se le aceleró el pulso.

Lo siguiente que ella dijo fue en un tono cansado y tenso: «Demasiado lento».

Una vez, Quinn había oído hablar de un juego que consistía en que una persona ocultaba una palabra mientras que los jugadores intentaban adivinarla a partir de dar pistas.

«Tengo una idea. Yo diré una cosa, y tú responderás con lo primero que se te pase por la cabeza. ¿De acuerdo?»

«Sí».

«Veladores».

«Enemigo».

Debía ser más preciso, o necesitaría dos días para obtener la información.

«Inmortalidad».

Ahora estaba llegando a alguna parte. Flaevynn debía de ir en busca de la inmortalidad, lo cual tendría sentido. ¿Pero qué le hacía pensar que la podría obtener si capturaba Treoir? Él creía que Kizira no podía abandonar TÅµr Medb. No conseguiría la respuesta que necesitaba de esta forma, pero Tzader debía de saberlo, así que Quinn fue más concreto. ¿Cuándo haría Flaevynn el próximo movimiento?

«Plazo».

«Tres días».

«¿Para qué?»

Ella suspiró.

«Los siento», dijo él, y se concentró de nuevo. Así que ella hablaba de…

«¿El martes?»

«Funeral».

¿Quién iba a morir? Él repitió:

«Funeral».

«Flaevynn».

¿La reina Medb iba a morir en tres días por algún motivo? Ahora todos los ataques cobraban sentido. Ella tenía un plazo para obtener la inmortalidad, y no podía permitirse perder.

¿Qué sucedería si Flaevynn perdía?

«Plazo no cumplido».

«Venganza».

¿Qué tipo de venganza podía querer esa reina loca? Quinn dijo:

«Venganza».

«Aniquilación».

«Lugar».

«Norteamérica».

¿Cómo conseguiría eso una reina muerta? Necesitaría un ejército, lo cual significaba…

«Guerreros».

«Mutantes».

Quinn pronunció la siguiente palabra antes de que la pregunta se le formara en la cabeza.

«Líder».

«Evalle».

Quinn no podía aceptar eso. ¿De verdad la reina Medb creía

que podía enviar a Evalle y a otros mutantes a destruir Norteamérica si moría? Imposible.

Kizira dijo:

«Más».

Él no podía aguantar eso mucho tiempo más.

«¿Dime cómo diablos puedo llegar hasta ti, Kizira?»

Ella se debatió un momento, como si algo la arrastrara de
vuelta.

«Debería habértelo dicho...»

Casi sin respiración, añadió:

«Salva...»

«¿A quién?»

Kizira se desvaneció. Un rastro de humo quedó flotando en
la habitación.

Quinn soltó su escudo y se proyectó, intentando llegar a la
mente de ella. Pero se encontró con un muro. ¿Había puesto
Kizira una poderosa barrera para impedir que él se acercara?
¿O alguien más había penetrado en su mente y la había encontrado hablando con él?

Le temblaban las manos. ¿Qué había querido decirle ella?

¿A quién le quería decir que debía salvar?

¿A Kizira, a Evalle... o a alguien más?

Diez

No ataques a Macha. Evalle no dejaba de repetirse eso mentalmente con la esperanza de sobrevivir a su reunión con la diosa.

Storm tenía buenos motivos para cuestionar el hecho de que fuera capaz de hacerlo.

Mientras se cepillaba el pelo, perdía la paciencia: el peine se le había enganchado en un nudo del cabello.

Dio un tirón.

El nudo no se deshizo.

Tomó nota: comprar un cepillo nuevo.

Una vez duchada y vestida, subió en ascensor desde su apartamento subterráneo hasta el piso principal justo en el instante en que la puesta de sol era oficial. Un poco de comida y el sueño habían contribuido mucho a rejuvenecerla. Incluso había tenido una hora para jugar con *Feenix*, su gárgola doméstica.

Echó un vistazo al brazalete que llevaba en la muñeca y murmuró para sí misma:

—Si intervienes mientras me reúno con Macha acabaremos los dos en el patio de los trastos.

Genial. Ahora hablaba con los objetos.

Cualquiera que la hubiera visto habría asegurado que era mentalmente inestable.

Es decir, cualquiera menos Storm. Él la hubiera comprendido. Él lo comprendía todo. Ese hombre tenía más paciencia que todos los seres humanos o seres sobrenaturales que había conocido.

La noche anterior había intentado arrancarle la ropa a Storm y tragarse su lengua, y luego lo había atacado.

Los preliminares de una mutante.

Y una humillación definitiva para ella.

Pero incluso en ese momento deseaba a Storm. Deseaba sentir los fuertes músculos de su pecho, tal como los había sentido cuando le introdujo la mano en el pantalón para cogerlo.

Sentía rubor en el rostro y, a pesar de lo vergonzoso que había sido, no pensaba en otra cosa más que en estar con él. Le dolían los pechos, echaba de menos la manera en que le había acariciado los pezones y…

¡Guau! ¿Eran esos sus pensamientos o se trataba de la influencia de esa maldita pulsera?

Jadeando, como si hubiera participado en una carrera, respiró profundamente para calmarse mientras el ascensor llegaba al piso de arriba. Luego subió por las escaleras hasta la estructura cuadrada de tres metros que sobresalía por encima del techo.

Las rachas de viento arrastraban la lluvia por encima de los tejados. Muy poca luz procedente de las calles cercanas llegaba hasta la alta pared que rodeaba la azotea, pero ni ella ni Macha necesitaban luz para ver ahí arriba.

Normalmente, Macha aparecía para ver a Evalle cuando se sentía con humor, pero le había dicho cómo llamarla en caso de que fuera necesario.

Eso significaba que no debía llamarla a no ser que se tratara del apocalipsis.

Evalle era de la opinión de que, si el Medb se hacía con el control de los mutantes y convertía a algunos de ellos en guerreros inmortales, tendrían la capacidad de provocar un acontecimiento apocalíptico.

Evalle se inclinó un poco sin perder la protección del pequeño techo y gritó:

—Solicito a Macha, diosa de los veladores, que me honre con su visita. Tu humilde sirvienta, Evalle.

Consiguió pronunciar todas esas palabras sin tener náuseas. Eso demostraba que mantenía cierto control de su lengua.

Rápidamente, a unos tres metros de donde se encontraba, se formó una esfera de brillante luz que rodaba sobre sí misma. A Evalle le recordó un helado iridiscente. De repente, el brillo desapareció y se hizo visible la forma de una mujer un poco menos alta que Evalle.

La lluvia dejó de caer encima del techo.

La última vez que Evalle había visto a Macha, la diosa llevaba el pelo suelto hasta la cintura. Hoy, unos rizos rubios enmarcaban su rosto y llevaba el resto recogido en un peinado propio de diosa.

Debía de ser agradable ser una diosa.

No debía de sufrir con los cepillos.

Por suerte, Macha generalmente ocultaba su luminosa forma a los humanos. Si alguien mirara hacia la azotea desde un edificio más alto, creería que Evalle estaba hablando sola; y lo más probable era que tampoco la vieran a ella con esa luz.

—Hola, Macha.

Los ojos verdes de Macha y su rostro de una belleza hollywoodiense adquirieron una expresión de disgusto que constituía una amenaza indudable.

—Tienes la falsa impresión de que esto es una visita social.

En otras palabras, ve al grano.

—He encontrado mutantes.

Los ojos de Macha brillaron con interés, y la expresión de disgusto desapareció por un momento.

—¿Dónde están?

—Por eso he pedido que nos encontráramos. Los Medb les han ofrecido un trato…

—¿Se atreven a preferir eso a mi oferta?

El edificio tembló como bajo la influencia de un terremoto.

—No, no es el caso —se apresuró a asegurar Evalle a esa bomba de mujer antes de que acabara con el edificio. De no ser por la seguridad que Quinn le había dado de que los cimientos de ese edificio podían aguantar cualquier cosa, se hubiera angustiado por haber dejado a *Feenix* en el sótano—. Necesito un minuto para explicártelo.

—Los segundos pasan.

A Evalle se le tensaron los músculos del pecho. No ataques a la diosa. Empezó a hablarle del Club de Bestias, y terminó con:

—Si hubiera ido a VIPER antes de encontrarme con Imogenia, no habría averiguado lo del Campeonato de Bestias

Aquiles. Está claro que los Medb están utilizando eso para reunir a muchos mutantes en un mismo lugar.

—Inteligente. Sorprendente, teniendo en cuenta la fuente de información. —Macha flotaba unos centímetros por encima de la azotea, como si temiera tocar algo mortal y no poder sacarse luego esa porquería de encima. Miró a Evalle y preguntó—: ¿Por qué no pensaste tú en eso?

Evalle apretó los dientes y contó hasta cinco, pues Macha no hubiera esperado a que llegara hasta diez.

—Para empezar, los juegos son ilegales. En segundo lugar, dudo que desees ofrecer la inmortalidad a los mutantes.

—Es una falsa oferta. Los Medb no han tenido una reina inmortal desde que mataron a Maeve. Y aunque la tuvieran, no pueden ofrecer la inmortalidad a cualquiera. No es como nombrar caballero a alguien.

Evalle dirigió la conversación hacia su objetivo: conseguir la ayuda de Macha para poder entregar el hueso volonte a VIPER sin tener que admitir cómo llegó a poseerlo.

—Supuestamente, la persona que ofrece este evento sabe como hacer correr una mentira. Se dice que el patrocinio Medb está respaldado por una deuda de sangre y que enviarán a una hembra Medb para que se someta a un test de la verdad delante de todo el mundo la noche de los juegos. Si esta representante de los Medb miente, morirá allí mismo.

Macha dio unas vueltas, flotando justo por encima de la azotea, y al final se detuvo delante de Evalle.

—¿Cuál es tu plan?

Era muy probable que la diosa tuviera un plan propio, pero los dioses y las diosas eran muy resbaladizos. ¿Por qué tomar una decisión si había alguien que podría cargar con la responsabilidad en caso de que algo saliera mal?

Pero Evalle ya había tratado con Macha varias veces y estaba preparada.

—No puedo presentarme ante los VIPER y decirles cómo conseguí este volonte sin que eso provoque un montón de problemas, como por ejemplo que me pregunten por qué debía encontrarme con Imogenia. —Insinuar que lo había hecho por Macha era mucho más seguro que decirlo explícitamente—. Pensaba que quizá tú podrías enviarme a ver a VIPER con un mensaje que diga que este brazalete es un regalo de tu parte para que VIPER lo emplee para entrar en el campeonato de bestias. Nadie preguntará cómo llegó el volonte a tu poder.

Emplea un poco de tu poder de diosa.

Puesto que Macha no decía nada, Evalle continuó:

—Todo el mundo espera que los Medb intercambien magia Noirre por los cinco mutantes finalistas. Podemos hacerlos fracasar y hacernos con la custodia de todos los mutantes. Creo que ellos vendrían con nosotros voluntariamente una vez los de Medb estén neutralizados y si se les ofrece la amnistía a cambio de que se rindan sin luchar.

Macha se acercó un dedo a la mejilla y empezó a darse unos golpecitos en ella con su larga uña dorada.

—¿El propietario de esa tierra tiene inmunidad?

—Todavía no lo sabemos, pero es posible.

—Más que posible —dijo, cortante—. Muy probable, puesto que nadie se atrevería a llevar a cabo peleas de bestias ilegales en territorio de los VIPER. Si el propietario tiene inmunidad, VIPER no puede hacer nada al respecto.

—¿Y si se comercia con magia Noirre?

—¿Tienes alguna prueba?

Evalle tuvo que contenerse para no gritarle que ya le había explicado todo eso.

—No, pero Imogenia y otras brujas…

Macha lo descartó con un gesto de sus brillantes uñas.

—No hay nada ilegal en dar la oportunidad de cerrar un acuerdo.

—Pero sabemos que las brujas negras no cierran un acuerdo por nada que no sea un hechizo negro, y los Medb organizan este evento por los mutantes. El trato parece evidente.

—VIPER no moverá un dedo por una presunción de actividad ilegal si la propiedad goza de inmunidad. Si lo hiciera, sentaría un precedente que minaría el acuerdo de la coalición contra el abuso de poder. —A Macha el pelo se le puso de punta un momento a causa de la fuerte energía de su cuerpo. Pero, al momento, los rubios mechones se le volvieron a colocar en su sitio—. Pero ahora que sabemos dónde estarán todos los mutantes, necesitas un plan para atraerlos.

¿Yo?

—Acabas de decir que VIPER no puede hacer nada.

—Es verdad, pero esto no es un asunto VIPER en realidad. Eres tú quien debe traerme mutantes dentro de dos días. Lo cual me recuerda… ¿Tristan estará ahí?

—He oído decir que sí.

—Ya he esperado mucho para los mutantes. Si el Medb quiere cinco, yo también. Tráeme a Tristan y a tres más.

¿Había prestado atención a algo de lo que Evalle había dicho?

—¿Esperas que consiga sacar cuatro alterantes, y a mí misma, de ese sitio sin que nadie se de cuenta y sin la ayuda de VIPER?

—Espero que cumplas tu parte del acuerdo. ¿Has cambiado de opinión?

—No, pero me iría bien un poco de ayuda en esto.

Macha, en un extraño intento de sonreír, hizo una mueca:

—¿Debo hacerlo yo todo?

Si mordía ese anzuelo, la rabia que ya inundaba a Evalle explotaría. La elección era simple. Abrir la boca y morir o permanecer callada.

Pero su temperamento amenazaba con hacerle perder el control. Sentía el sudor en la espalda: se estaba calentando, igual que la última vez que la pulsera la había empujado a realizar sus impulsos.

Macha no parecía darse cuenta de la lucha interna que Evalle soportaba. Preguntó:

—Tristan se teletransporta, ¿verdad?

—Sí.

Evalle contestó con los dientes apretados.

—Has afirmado constantemente que él es prisionero de los Medb, que es capaz de controlar su bestia y que tiene orígenes mutantes. Tienes el pase para participar en ese evento. Pues entra, encuéntralo y convence a Tristan de que le conviene venir contigo. Puede emplear su capacidad de teletransporte para salir de ahí. Si no sale contigo, lo declararé un criminal y haré que el Tribunal ordene a VIPER que le dé caza.

¿Cómo había pasado la situación del plan A, que consistía en librarse de la pulsera y obtener la ayuda de VIPER para rescatar a Tristan y a otros mutantes, al plan B, en el cual toda esperanza de libertad para Tristan se desvanecía si todo eso no terminaba bien?

Oh, y Evalle iba a participar en un campeonato de bestias ilegal sin que VIPER lo supiera.

Grandes dotes de negociación, Kinkaid.

Macha, con su soberbia voz de diosa, ordenó:

—Consigue esos mutantes, pero no quiero ningún velador involucrado en esto.

—¿Ninguno? Tzader debería ser informado.

—Terminantemente no. Tzader y nuestros guerreros ya tienen bastante trabajo reforzando los escudos alrededor de Treoir ahora que los Medb conocen su ubicación. No puedo permitirme que ni él ni ninguno de los demás se vean involucrados en esos combates de bestias. Si le sucediera algo a él en concreto, me sentiría muy disgustada. —Hizo una pausa y clavó su dura mirada en Evalle—. No te conviene que me disguste. No soy tan clemente como el Tribunal.

Evalle nunca emplearía la palabra clemente al lado de Tribunal, las tres entidades que llevaban a cabo la tarea de juzgar a los agentes que tenían conflictos con VIPER.

Ya había estado ahí. Ya lo había hecho. Y tenía las cicatrices.

Pero Evalle necesitaba la ayuda de Macha con VIPER.

—Si pudiera aparecer con esta pulsera como prenda, VIPER podría enviar un equipo o a dos de nosotros. Y si se llevara a cabo una negociación, yo podría pedir ayuda de otros equipos que estuvieran cerca y podría disponer de la oportunidad de traer a los mutantes.

—¿Quieres que me implique en el robo de un extraño artefacto de poderes desconocidos?

¿Por qué sonaba tan mal cuando lo decía con sus palabras?

—No es eso lo que quería decir.

—Pues eso es exactamente lo que parece. Repito, has venido con problemas y sin ningún plan. Empiezo a preguntarme qué vi en ti.

Evalle deseó sacar toda su energía cinética y darle una patada en el culo a esa engreída diosa.

Y podía hacerlo. Igual que cuando le dijo a Storm que podía darle una patada en el culo.

Sentía el brazo muy caliente, y bajó la mirada.

El hueso. Tuvo que tranquilizarse. Inspiró profundamente y dijo:

—Continúo creyendo que tendré una mejor oportunidad con la ayuda de VIPER. Si no, iré por mi cuenta.

Tenía que haber una manera de salir de ese lío. Tzader comprendería su situación, especialmente si Macha la apoyaba y…

Macha chasqueó los dedos.

—Para alguien con tu entrenamiento, esperaría que tuvieras más instinto de supervivencia y no te dedicaras a tus ensoñaciones durante una reunión conmigo. —Y sin dar tiempo a que Evalle dijera nada, le preguntó—: ¿Qué piensas explicar a VIPER si te descubren en ese evento?

Continúa preguntando como si yo tuviera un libro de planes.

—Pensaba poder decir que había ido allí por ti.

Macha se rio con cinismo.

—¿Por mí? Eres tú quien cree que los mutantes merecen ser reconocidos.

—Es verdad.

Evalle no dejaría de creer eso, costara lo que costara.

—Yo soy la única que ofrece a los mutantes la oportunidad de pertenecer al panteón. Nuestro acuerdo no involucraba a todos los veladores ni a VIPER, solo a nosotras dos. Fuiste tú quien afirmó que podía traer a Tristan, quien, supuestamente, conoce el origen de los mutantes. Todavía no lo he visto ni a él ni a ningún otro mutante, a pesar de que ya les he ofrecido la amnistía si pueden controlar su bestia y me juran lealtad.

—Lo sé, y estoy trabajando en…

—Y todavía mantengo mi parte del acuerdo y, como muestra de aprecio por lo que hiciste en la batalla con los troles en Treoir, he alargado el plazo, cosa que no volverá a suceder en este milenio. Sugiero que propongas un plan que no involucre a nadie más, y que lo hagas pronto.

Evalle había creído comprenderlo. No podía irse sin perder su libertad y la de Tristan, así como la de los demás mutantes. Pero tampoco entraría en el CBA con las manos atadas. Miró a Macha con determinación y asintió con la cabeza.

—De acuerdo. Entraré en esos juegos con una condición.

Macha la miró con desconcierto.

—¿Qué?

—Entiendo que negarás tener conocimiento de mis actos frente a VIPER o el Tribunal. Traeré a Tristan y a todos los mutantes a los que pueda convencer, pero quiero autonomía en todas mis decisiones sin la amenaza de ningún castigo.

Evalle no tenía ni idea de qué debería hacer, pero se había cansado de jugar a ese juego siguiendo solamente las reglas de Macha.

Macha tardó un poco en contestar.

—Eres libre de actuar como te parezca sin sufrir ninguna repercusión por mi parte, siempre y cuando no pongas a mi panteón en conflicto con VIPER y que antepongas el interés de los veladores por encima de todo.

Lo cual se juzgaría según la opinión subjetiva de Macha.

En otras palabras, si fallaba se enfrentaría a la ira de Macha. La posibilidad de llegar a un acuerdo mejor era nula, y cuanto más insistiera Evalle, más se arriesgaba a verse enredada por las astutas e interesadas artes de negociación de Macha.

—Comprendido.

Sorprendentemente, Macha parecía satisfecha.

—Te lo pondré fácil.

Evalle tuvo la capacidad de permanecer callada para escuchar a Macha.

—Si impides que los Medb creen un ejército de mutantes inmortales, regresas con Tristan y traes a tres más, te libraré de cualquier complicación con VIPER y decretaré que todos los mutantes sean protegidos bajo mi panteón. Hazlo y tendrás el tiempo que necesitas para determinar los orígenes.

Eso era una oferta.

—En marcha.

Macha levantó los brazos y, girando en un remolino de luz brillante, desapareció.

¡Lluvia!

Evalle corrió hasta la escalera mojada, aunque no en exceso. Bajó hasta el piso inferior mientras llamaba a Storm. Respondió su voz en el contestador, así que le dejó un mensaje pidiéndole que la llamara. Justo cuando llegaba al ascensor para ir a su apartamento, recibió un texto de grupo de parte de Tzader, lo cual era extraño, puesto que podía ponerse en contacto telepático con todos sus guerreros.

Abrió el mensaje.

«Todos los agentes veladores que reciban este mensaje deben presentarse en el cuartel general de inmediato. No empleen la telepatía en NINGUNA circunstancia mientras tanto».

¿Qué diablos sucedía?

Once

*D*e camino por TÅµr Medb, Cathbad silbaba una triste canción irlandesa más vieja que Cathbad el Druida, su tocayo. TÅµr Medb ofrecía todos los placeres que una persona pudiera desear en un reino escondido, pero después de pasar seiscientos años allí, una prisión era una prisión, por muy imponentes que fueran la arquitectura y la decoración.

En tres días sería libre de ese lugar, para siempre. Y libre de la reina Flaevynn, si las cosas salían como él quería.

Pero había llegado el momento de salvar a su hija.

Ordenó en silencio a las altas puertas, doradas y plateadas, y repletas de imágenes talladas que representaban posturas sexuales, que se abrieran. De inmediato, entró en los aposentos de Flaevynn.

En el interior, dos viriles machos que solamente llevaban unos cinturones de medallones dorados alrededor de la cintura estaban tumbados sobre las mullidas alfombras de pelo blanco que flotaban a ambos lados del trono, que tenía forma de dragón y que se curvaba alrededor de ella, protegiéndola. En la parte superior, los ojos verdes del dragón miraron con expresión amenazadora a Cathbad.

Él hizo caso omiso del trono y de los dos juguetes viriles.

Después de convivir seiscientos años con las excentricidades de Flaevynn, Cathbad no tenía energía para preocuparse por cómo se divertía su esposa. Pero ahora que quedaban pocos días para que se cumpliera la profecía, había llegado la hora de que ella se pusiera a trabajar.

—Líbrate de ellos, Flaevynn.

Ella acarició la espalda de uno de los machos con sus largas uñas y suspiró:

—Me tranquilizan. No seas tan aburrido, Cathbad.

—Tómate el tiempo que necesites. Los tres días enteros.

Con una mirada de odio, ella chasqueó los dedos y los dos hombres desaparecieron. Los largos mechones de su cabello negro se retorcían como serpientes alrededor de sus hombros. Ninguna sirena de los más profundos mares había atraído a ningún hombre con tanta fuerza como había hecho la belleza de Flaevynn con cientos de pobres idiotas.

Quizá miles, teniendo en cuenta lo a menudo que se permitía un capricho.

Y todo en el interior de esos muros.

Pero hacía mucho tiempo que Cathbad era inmune a su atracción seductora. Él era lo suficientemente atractivo para ganarse a todas las mujeres que quisiera.

—Acordamos soltar a Kizira.

—Ya hablamos de eso.

—No es momento de dejar que tu rabia te dirija, mujer.

—Ella me traicionó.

Él suspiró.

—No perderé el tiempo discutiendo. O trabajamos juntos o perdemos esta batalla.

Si conseguía quitarle el poder de TÅµr Medb, no necesitaría nunca más a esa bruja. Pero cualquier intento de arrebatárselo podía provocar una batalla mortífera en la cual era posible que ella ganara.

Después de todo, Flaevynn lo había encerrado a él en el calabozo hasta hacía muy poco tiempo.

Flaevynn hizo un mohín con los labios.

—¿Cómo puedo confiar en ella cuando intentó invadir Treoir sin que yo lo supiera?

Recordarle que Kizira también era hija de Flaevynn no sería ningún favor para Kizira.

—Ya te dije que ella guarda tus intereses en su corazón. Si tú no vives, Kizira tampoco lo hará.

A no ser que su astuta hija hubiera averiguado cómo llegar al río que transcurría por debajo del castillo de Treoir y conociera el hechizo con que podía obtener la inmortalidad de él.

Hacía tiempo que Flaevynn debía haberle transmitido ese hechizo a su hija, junto con las palabras que permitirían a Kizira subir al trono después de la muerte de Flaevynn. Pero esa zorra de reina se negaba a permitir que nadie viviera a no ser que ella también lo hiciera. No le importaba en absoluto que TÅµr Medb entero se derrumbara con su muerte.

Por suerte para el resto de los Medb, Cathbad había averiguado gran parte de la profecía, o la maldición, tal como la llamaba Flaevynn, y posiblemente había descubierto el hechizo que le permitiría vivir para siempre cuando se sumergiera en el río escondido de Treoir.

Oh, sí, lo haría. Si todo iba según lo planeado, se teletransportaría antes de que Flaevynn se diera cuenta de que estaba libre de TÅµr Medb.

Pero no le había contado nada de todo eso. Ella continuaba creyendo que ninguno de ellos podía abandonar TÅµr Medb físicamente hasta que la maldición se rompiera.

Cathbad estaba seguro de haber encontrado un resquicio, no gracias a la reina Medb original conocida como Maeve, ni al original Cathbad el Druida. Ese par habían puesto a toda la raza Medb en esta situación dos mil años antes. Todas las reinas posteriores a Maeve vivieron seiscientos sesenta y seis años. Un druida de la línea Cathbad había sido elegido cada vez como pareja para cada una de las siguientes reinas, y él era la única persona que conocía la fecha de nacimiento de su reina. Él había recibido a Flaevynn durante un sueño, en la noche de su dieciocho cumpleaños.

La idea había sido evitar que nadie pudiera variar el curso de la maldición.

Pero cada nueva reina había demostrado ser mucho más poderosa que la anterior, igual que cada nuevo Cathbad había tenido más poder que el anterior. Por desgracia, los hombres siempre serían hombres por lo que respectaba a las mujeres.

Flaevynn lo había manipulado con el fuego de la pasión y había conocido su verdadera fecha de nacimiento, que sería al cabo de tres días.

Esa sería la fecha de su muerte también, si no obtenía la inmortalidad de las aguas que corrían por debajo del castillo de Treoir, un lugar que actualmente estaba bajo el poder de los veladores.

Cathbad no sabía qué consecuencias tendría alterar la profecía, o… la maldición, pero él también tenía un interés en ello puesto que moriría poco después de Flaevynn si no conseguía hacerse inmortal antes.

Flaevynn se levantó de su trono levitando y flotó hasta una pared que tenía dos hileras de velas. Allí, descendió hasta posarse delante de su muro de las predicciones. La torre de velas rojas se encendió y, bajo su luz, la túnica de Flaevynn relució con tonos amarillos y azules pálidos. Su vestido tenía un aspecto etéreo y eléctrico al mismo tiempo.

Flaevynn habló con palabras poderosas:

—No necesitamos la ayuda de Kizira, ahora que tenemos un plan genial para capturar a los mutantes.

¿Nosotros? Era él quien había tenido la idea de realizar el Campeonato de Bestias Aquiles. Era un plan para solucionar un problema que Flaevynn había creado. Cathbad habló con voz llena de enojo.

—Si no hubieras mandado a las brujas que capturaran a los mutantes, hubiéramos podido esperar a que ellos encontraran a Evalle, y luego los hubiéramos capturado a todos al mismo tiempo. ¿No te dije que las bestias se verían atraídas por ella?

—Sí, ¿pero pensaste qué sucedería si esas bestias empezaban a aparecer en una zona protegida por VIPER? Los agentes de la coalición matarían a cualquiera que considerasen un peligro para los humanos. ¿Y entonces qué tendríamos? —Flaevynn levantó la cabeza con orgullo—. Ahora puedes darme las gracias.

No pierdas la calma. Las brujas ya habían capturado a muchos de los mutantes.

—No puedes continuar provocando problemas, Flaevynn. Si interfieres en el campeonato, te enfrentarás con Kol d'Alimonte. No es alguien a quién se pueda enojar, y es mucho peor que su hermano.

—No tengo ninguna intención de enojarlo.

—Es por eso que Kizira debe ser liberada. La necesitas para que sea tu representante en el campeonato de bestias, para que negocie con D'Alimonte y para convencer a los mutantes de que acepten nuestra oferta.

—He obtenido el control de Tristan y puedo obligarlo a actuar de nuestra parte.

—¿Confiar en alguien que no es un Medb? No. —Cathbad mantenía los brazos caídos, conteniéndose para no estrangular a esa loca—. Además, eres tú quien deberías querer que Kizira obligara a los mutantes.

—¿Por qué?

—Tienen una poderosa magia que debemos controlar, pero si hay algún problema, esa magia puede volverse en contra a través de la conexión. No podemos arriesgarnos a que te suceda nada malo.

Flaevynn se dio la vuelta y lo miró con expresión de desconfianza.

—Entonces ella sufriría el golpe.

Cathbad tuvo que responder con gran arrogancia para hacerlo creíble.

—Sí.

—¿Por qué te arriesgarías a que le sucediera eso a tu querida hija?

Flaevynn pronunció la palabra «hija» con tono de burla.

—Para empezar, creo que ambas podéis manejar esa magia.

—Y, riendo, añadió—: Pero, seamos honestos. Esto va de supervivencia. Si no cumplimos la profecía…

—La maldición —lo corrigió ella.

—Si no cumplimos la maldición, tú desaparecerás primero, Kizira morirá después y yo desapareceré un día después. Si debo elegir entre ella o tú, ¿cuál crees que será mi decisión?

Esperó a que su argumento rompiera la resistencia de Flaevynn, pero sabía que era una lógica que ella no podía rebatir. Durante los siglos pasados, él había tomado parte por ella contra Kizira más de una vez, y todo para hacer convincente esta oferta de ir juntos en esto.

Ella levantó los brazos en el aire con los ojos encendidos de fuego. Eran una clara señal de que había claudicado.

Flaevynn levantó una mano y señaló un punto que se encontraba entre los dos. Al instante, Kizira se materializó delante de ellos, de rodillas, con aspecto de haber sido arrastrada por un suelo lleno de cristales rotos. Era una chica guapa con el cabello negro azabache y unos dulces ojos verdes. Hubiera sido una reina poderosa si Flaevynn no le hubiera negado el derecho de sucesión. Llevaba el vestido roto, la piel rasgada y llena de sangre y el rostro demacrado por el sufrimiento.

Cathbad tuvo que reprimirse para no agredir a Flaevynn, pues estaba claro que le había hecho eso a Kizira para hacerle daño a él y que, ahora, la había traído en esas condiciones para ver si de verdad él sacrificaría a su hija.

Kizira levantó la cabeza, y miró a Flaevynn con expresión orgullosa y desafiante.

Ay, hija, no hagas esto más difícil. Para impedir que hablase y que sacara de quicio a Flaevynn, Cathbad preguntó a Kizira:

—¿Has aprendido la lección, hija?

Ella se giró hacia él con mirada sorprendida. Rápidamente, de sus ojos desapareció todo brillo, y Cathbad sintió profundamente su decepción.

Pero miró a Flaevynn y preguntó:

—¿Le has cortado la lengua?

—No, no lo ha hecho —respondió Kizira—. ¿Qué queréis ahora vosotros dos? —Se puso en pie, con gesto inseguro aunque orgulloso, y se dirigió a Flaevynn—: Porque no me habrías traído aquí si no quisieras algo de mí.

El rostro de Flaevynn se iluminó, una señal clara de que había tenido un pensamiento cruel.

—Cathbad afirma que eres inteligente, aunque el hecho de que te opongas a mí contradice tal afirmación.

Kizira no respondió, lo cual animó a Flaevynn a llenar el silencio.

—Hemos encontrado la manera de hacernos rápidamente con los mutantes, una forma mucho más eficiente que las ideas que tú habías tenido. Cathbad te informará de los detalles. Pero él me ha mencionado un riesgo en el cual yo no había pensado. Una bruja debe controlar las bestias de los alterantes que capturemos para poder manejarlos. Cinco de ellos serán extremadamente poderosos, tendrán un poder que podrá rivalizar con el nuestro, lo cual significa que es posible que puedan hacer volver la energía a través de la conexión.

Kizira reaccionó:

—¿Tenéis miedo de vuestros nuevos juguetes?

—El miedo no tiene nada que ver con esto —repuso Flaevynn con una amabilidad que ponía los pelos de punta—.

El tema es ganar. Tú estarás comprometida conmigo; entonces tú crearás una conexión con los mutantes y ellos lo estarán conmigo. Tal como ha señalado Cathbad, de los tres, yo soy la más valiosa, y de ti podemos prescindir.

Kizira se dio la vuelta despacio hasta mirar a Cathbad. Él esperaba ver en sus ojos una expresión de dolor y traición, pero solo percibió un odio frío que borraba toda emoción. Eso era lo mejor, por el momento. Ya se lo explicaría más tarde.

—Pero presta atención, Kizira —dijo Flaevynn, lo que atrajo la atención de los dos—. Si tengo la más mínima sospecha de que intentas engañarme de cualquier manera, morirás lenta y dolorosamente. El valor que tenías para mí ya se ha agotado. Tú eliges. O vuelves al calabozo para pasar allí el tiempo que te queda, o cumples tu deber como sacerdotisa del Medb.

—Una decisión dura. Debo llamar a un amigo.

Unas lucecitas azules y amarillas chispearon alrededor de Flaevynn.

—¿Crees que estoy bromeando?

Cathbad meneó la cabeza. Esperaba no tener que aguantar a mujeres de lengua afilada en su próxima vida.

—Basta. Las dos. Tú quieres lo mismo que nosotros, Kizira. Quedar libre de esto.

Tenía la esperanza que eso le haría recordar a su hija la última conversación que tuvieron. La actitud condescendiente de Kizira desapareció. Bajó los hombros y asintió con la cabeza.

—Tienes razón. Quiero librarme de esta torre para siempre. —Y, dirigiéndose a Flaevynn, añadió—: Para ello, estoy dispuesta a hacer cualquier cosa que desees.

—Ya lo veremos. —Flaevynn se elevó unos centímetros por encima del brillante suelo de mármol—. Esta vez, tendré más cuidado contigo.

¿En qué andaba esa bruja ahora?

Cathbad frunció el ceño pero no dijo nada. Estaba más interesado en poder estar con Kizira a solas, y la manera más rápida de conseguirlo era recordarle a Flaevynn que era la madre de la chica.

—Ahora que por fin estamos reunidos, comamos juntos

para ponernos al día. Ya hablaremos de negocios después, ¿de acuerdo?

Flaevynn lo miró con expresión de disgusto.

—Permítete tus desagradables debilidades paternales en otro momento. Si hubiera sabido quién eras la primera vez que me acosté contigo, hubiera evitado quedarme embarazada.

Y si él no hubiera lanzado un hechizo de destino sobre ella durante el apareamiento, esa bruja hubiera abortado a Kizira.

—Deberías estarme agradecida por haber asegurado que cumplirías la profecía.

—La maldición —bufó ella. El largo cabello empezó a retorcérsele alrededor del busto, señal de la impaciencia que crecía en ella—. Explícale a tu hija lo que estamos haciendo. Yo necesito terminar lo que estaba haciendo cuando me interrumpiste. No me molestéis a no ser que sea algo importante.

Y sin añadir nada más, Flaevynn hizo un ademán con la mano y desapareció.

Kizira se dirigió a Cathbad con tono de amenaza.

—Así que podéis prescindir de mí, ¿verdad?

—No alces la voz.

Cathbad dio un paso hacia ella. Kizira levantó una mano y lo señaló con un dedo.

—No hagas eso si quieres mi ayuda.

A Kizira le tembló la mano, indecisa sobre si golpearlo o no. Tenía poder, pero no tanto como él.

—Ah, hija. No puedes rivalizar conmigo.

—No empieces a comportarte como si me quisieras, ahora.

—El dedo continuaba temblándole, pero su mirada era de indecisión—. Y quizá mis poderes no igualen los tuyos, pero puedo hacer mucho daño.

Esto no iba a salir tan bien como Cathbad había esperado.

Doce

*K*izira no quería morir.

Todavía no.

Pero la frustración y la rabia le pesaban en el estómago, exigiendo una salida, y Cathbad era un blanco fácil. Un blanco que se lo merecía.

Pero no era fácil matarlo.

Su atractivo padre no había cambiado en absoluto desde que cumplió treinta y cinco años. Tenía el mismo pelo negro y ondulado, y la misma firmeza física que no llegaba al metro ochenta de estatura. La misma presencia poderosa de la cual Kizira se había beneficiado a veces. Los mismos penetrantes ojos verdes que reflejaban más conocimiento que nadie más en esa torre.

Incluida Flaevynn.

La verdad era que Kizira no podía hacerle daño a Cathbad después de todo lo que él había hecho por ella.

Aunque hubiera tenido el poder de hacerlo.

Él había sido el único que se había comportado como un progenitor, a veces, y le había concedido el deseo de disponer de un año para ella misma a los dieciocho años, antes de aceptar el papel de sacerdotisa. Un año dedicado a…

Nunca pienses en eso en este lugar.

Era patético que una sacerdotisa del Medb tuviera ese ansia por el amor de un padre, pero esa era la cruda realidad. Le temblaba todo el cuerpo, tanto a causa del tiempo pasado en el calabozo como a causa de la furia. Le dolía cada parte del cuerpo.

Cathbad le rogó:

—Baja la mano, hija, y deja que te cure.

Ella bajó la mano, sin aceptar ni rechazar la oferta. Quedarse allí quieta era todo el esfuerzo que podía hacer.

Él levantó una mano por encima de su cabeza, con los dedos abiertos, y cantó.

—Sangre de mi sangre, te paso mi fuerza para curar...

Y continuó cantando con voz tranquilizadora, una voz que borraba toda la amargura y el dolor de ella mientras le curaba las heridas.

¿Pensaba Cathbad que ella abandonaría el resentimiento por haber pasado ese tiempo en el calabozo solo porque ahora él la calmaba un momento?

No le daría las gracias.

Él mismo había puesto las cosas difíciles para Kizira.

—Que Flaevynn sufra las llamas del fuego por la manera en que trata a su propia hija —dijo él, bajando la mano.

El cuerpo de Kizira se iluminó con una salud renovada.

Él le sonrió:

—Espero que te guste la ropa.

Ella miró lo que llevaba. Él le había puesto su pantalón tejano favorito y un jersey de color azul claro. Su color favorito. Cathbad lo había elegido cuidadosamente.

Eso no significaba que confiara en él. Hacerlo sería una estupidez.

Entonces apareció una bandeja con fruta, su yogur favorito, una mesa de madera y dos cómodas sillas.

Con tantos cuidados y tanta consideración, la hacía sentir como una arpía.

Cathbad se sentó y extendió los brazos como diciendo «¿A qué esperas?».

Al ver ese gesto, Kizira sintió una culpabilidad que nadie más en ese lugar parecía sentir nunca. Musitó:

—Gracias.

—De nada. Hablemos mientras comemos.

Kizira se sentó y preguntó:

—¿Qué quiere Flaevynn que me digas?

—Los Medb financian un evento especial en el cual los mutantes lucharán.

Kizira arqueó las cejas.

—¿Y por qué lo hacemos?

Mientras se comía un plátano y se ponía un poco de muesli en el yogur, él le explicó un plan que tenía que ver con una cosa llamada Campeonato de Bestias Aquiles. Le contó el funcionamiento, y añadió que los Medb habían ofrecido una compensación a todos los mutantes que participaran en la batalla, así como a sus patrocinadores. Frotándose las manos, Cathbad llegó a la cuestión del tema.

—Pero el elemento más importante será conseguir a los cinco mutantes que ganen los combates de élite finales.

—¿Y qué hay de los que no ganen los combates finales?

Él se encogió de hombros.

—Los combates serán a muerte, a no ser que a alguien se le permita suplicar por su vida y se le conceda, lo cual significa que muchos sobrevivirán. La maldición exige a los cinco mutantes más poderosos.

—Creí que era una profecía.

Flaevynn se negaba a llamarlo de ninguna otra manera que no fuera «maldición», y esa era un motivo más para que Kizira lo llamara «profecía».

Cathbad bajó la voz:

—No es momento de contradecir a la reina.

Pero fueron sus cejas arqueadas lo que dio el tono de conspiración a esa afirmación.

Kizira asintió con la cabeza para mostrar que había comprendido que debía ir con cuidado con lo que decía en la torre, tanto si Flaevynn se encontraba presente como si no.

Cathbad continuó.

—Como te decía, también ofreceremos un trato a los patrocinadores que duden que sus bestias puedan sobrevivir. Tenemos tareas para esos mutantes menos hábiles, pero nuestro objetivo consiste en conseguir a los cinco más poderosos.

Kizira reflexionó un momento.

—Es difícil encontrar mutantes, y capturar uno nos daría una magia muy potente. ¿Por qué se arriesgaría alguien a perder a su alterante en un combate mortal?

—Porque ofrecemos una compensación a los patrocinadores de los cinco mutantes ganadores. Esperamos intercambiar magia Noirre por las bestias.

Las brujas más poderosas matarían por obtener magia

Noirre de los Medb. Kizira dejó una fresa y lo interrumpió:

—Eso haría que VIPER se nos tirara encima. Ni nuestras fuerzas podrían contener el ataque de dos panteones o más.

—Para empezar esa guerra, VIPER debería convencer a dos o más coaliciones de panteones. Sea como sea, ahora que la muerte pende sobre Flaevynn, o se hace inmortal o muere pronto. De cualquiera de las dos formas, ella tendrá la última palabra en todo esto.

Esa zorra egoísta siempre tenía la última palabra. Kizira contaba los minutos que faltaban para que muriera.

—¿Qué motivación tienen los mutantes para luchar en ese evento?

—Medb ofrece a los cinco que sobrevivan a los combates de élite la oportunidad de conquistar la muerte.

—¿Y cómo pretende Flaevynn cumplir una oferta de inmortalidad?

—No lo hemos llamado inmortalidad. —Cathbad volvió a levantar una mano—. Cuando veas lo que los mutantes puedan hacer, comprenderás esta oferta. Todavía no te puedo decir nada más.

¿De verdad él y Flaevynn creían que eso iba a funcionar?

—¿Por qué van a creer a los Medb? Es una oferta muy atrevida.

—Un representante de los Medb se someterá a una prueba de la verdad en el campeonato de bestias.

Kizira dejó en la mesa la servilleta de hilo que había aparecido con la comida y se inclinó hacia delante. Cruzó los brazos y, con seriedad, dijo:

—A ver si lo comprendo. Los Medb proponen una oferta que hará salir a la luz a los seres más poderosos que sea imposible imaginar, y todos ellos esperarán que la verdad de esa oferta sea demostrada en público. Eso significa que yo seré la enviada para someterme a esa prueba de la verdad. La única prueba que ese grupo aprobaría sería una que tenga la muerte como castigo. ¿Has dejado que Flaevynn me metiera en ese calabozo y me torturara y ahora esperas que confíe en ti en esto?

Cathbad se aproximó a ella, pero Kizira se apartó hasta que tocó el respaldo de la silla con los hombros.

—Dame la oportunidad de explicártelo, hija.

—¿Por qué?

Cathbad miró de soslayo hacia el trono de Flaevynn. Kizira siguió con los ojos la mirada de Cathbad y se dio cuenta de que el ojo del dragón los estaba observando, así que susurró:

—¿Nos vamos?

—No es necesario.

Cathbad levantó las manos y entonó tres palabras. De repente, una niebla púrpura se arremolinó a los pies de ambos y se elevó hasta rodearlos a los dos.

Kizira y Cathbad se encontraban en un capullo parecido al interior de esas nubes de algodón que ella había visto en las ferias de los mortales.

Cuando acabó de pronunciar el hechizo, Cathbad dijo:

—Eso impedirá que oiga nuestras palabras y que los dos acabemos en el calabozo.

—¿No se dará cuenta?

—El dragón nos continúa viendo, en la mesa y charlando sobre lo que debes hacer para llevar a cabo la misión de Flaevynn. Quizá sea poderosa, pero nunca ha sabido todo lo que soy capaz de hacer. —Sonrió, y Kizira volvió a recordar al hombre que la mimaba cuando era niña y Flaevynn no estaba presente—. Ahora te diré por qué debes confiar en mí. Disponemos de menos de tres días para romper la maldición, y ahora que estás libre debemos darnos prisa.

—¿Qué te hace pensar que me importa la maldición a estas alturas? —replicó Kizira, cansada de ser utilizada en un juego en el cual nunca ganaba—. Si Flaevynn tiene éxito y consigue hacerse con el control de Treoir, seguramente también encontrará la manera de que le lleven el agua hasta ella y de hacerse inmortal. En ese mismo instante me matará, y a ti también.

—Cierto, pero…

—Si no toma el castillo, Flaevynn morirá y yo también, puesto que se niega a conceder el legado de reina. En las dos situaciones yo muero. No puedo decir que sienta ningún amor.

Cathbad chasqueó la lengua.

—Si te calmas un momento y me escuchas, sabrás lo que está a punto de suceder. Debes tener más fe.

¿Hablaba en serio?

—Ahora ando un poco escasa de fe.

—Dame la oportunidad de convencerte.

Kizira pensó un momento y, al final, lo miró a los ojos.

—No la desperdicies.

—No ayudaría a Flaevynn si creyera que tú y yo no vamos a sobrevivir. Lo único que debes hacer es seguir sus instrucciones, y yo me aseguraré de no perderla de vista y de que no llegue ahí antes que yo.

—Como si yo pudiera no obedecer sus órdenes, cuando ella va a someterme. —Lo dijo en tono cortante, pero en voz baja.

—Ya has esquivado más de una vez el hechizo de Flaevynn.

Kizira tuvo que admitirlo a regañadientes.

—Sí, pero nunca he podido ignorar una orden directa.

Algunos secretos debían guardarse costara lo que costara. Kizira se negaba siquiera a pensar en lo que más quería dentro de ese lugar.

—Esas frases y tu inteligencia es lo único que necesitas para hacer lo que debes. Quizá estés enojada por el hecho de que antes no te haya defendido, pero he tardado todo este tiempo en conseguir que te soltara. No te hubiera soltado si yo no hubiera convencido a Flaevynn de que estoy más interesado que nadie en salvarle la vida.

Kizira continuaba sintiendo desconfianza, pero no podía negar que ahora estaba libre, así que no replicó.

—De acuerdo. ¿Y ahora qué?

—Para que nosotros triunfemos y Flaevynn fracase, debes hacer dos cosas.

—Te escucho.

—Debes demostrarle a Flaevynn que sigues sus órdenes con exactitud mientras captura a los mutantes, y no interferir su entrenamiento.

—¿Por qué iba yo a interferir?

—Porque los dos sabemos que proteges a alguien.

El saludable calor interno que Kizira había recuperado con la sanación de Cathbad desapareció en cuanto se dio cuenta de que él conocía un secreto que Kizira estaba dispuesta a ocultar bajo cualquier precio.

Cathbad debió de interpretar su silencio como una negativa, porque suspiró.

—Ay, hija, ya he pasado por eso. No hace falta que te recuerde que sé que tienes un punto débil por un velador en particular. Las bestias que capturemos serán obligadas a matar a todo aquel con quien se encuentren.

Su mirada expresaba algo que Kizira casi hubiera definido como arrepentimiento, pero Cathbad no era un hombre que se dejara llevar por un sentimiento como ese cuando la inmortalidad estaba en juego.

Kizira bloqueó su mente para evitar cualquier recuerdo de Quinn y de cualquier otra cosa que fuera importante para ella. Quizá ese fuera un truco para descubrir todos sus secretos. Fingiendo una calma que no sentía, preguntó:

—¿Dónde quieres ir a parar?

Cathbad sonrió con tristeza, pensativo. Suspiró y meneó ligeramente la cabeza.

—No dejaré que te engañes y creas que alguien estará a salvo en este juego. Cuando Flaevynn te esté dirigiendo, tú dirigirás a los mutantes capturados en la batalla de bestias. Mientras lo hagas, ellos deberán ejecutar tus órdenes. Ni siquiera Evalle podrá desobedecerte. Si le das a Flaevynn algún motivo de sospecha sobre tu compromiso con este plan al proteger a algún velador, todo estará perdido.

No, nunca estaría todo perdido.

Cathbad era un estúpido si creía que ella se quedaría quieta y permitiría que Flaevynn destruyera lo que ella más amaba.

Kizira llevaría a cabo las órdenes de Flaevynn por un motivo.

Para ser la primera del castillo de Treoir en nadar en ese río y obtener el poder necesario para matar a una reina Medb.

Trece

$\mathcal{A}$ las nueve en punto Evalle condujo su moto Suzuki GSX-R dorada a través de una abertura en la ladera de la montaña que albergaba el cuartel general VIPER, en el norte de Georgia. Aminoró la velocidad y aparcó cerca de Tzader Burke, que se encontraba acompañado de un grupo de agentes.

Cuando se quitó el traje de motorista, casi todos los veladores se habían dispersado, probablemente para dirigirse a la sala de reuniones.

Evalle cruzó el suelo de piedra. Los tacones de sus botas golpeaban con fuerza el suelo mientras se dirigía en línea recta hacia Tzader. De un poco más de metro ochenta de estatura y con un cuerpo musculoso de la cabeza a los pies, él era uno de sus dos mejores amigos. Todo en él emanaba fuerza, capacidad de mando y confianza en sí mismo. Una camisa azul marino, unos tejanos y una chaqueta de piel dejaban poco a la vista su bonita piel del color del café. Los marcados rasgos de su rostro conferían a su expresión un aspecto mortífero, pero no se podía decir que fuera guapo.

O quizá sí. Pero eso no sería algo que uno afirmaría dos veces.

Maestro de todos los veladores de Norteamérica, Tzader captaba la atención de todo el mundo con solo entrar en una habitación. Y era capaz de verlo todo al instante con sus penetrantes ojos de halcón.

Evalle confiaba más en ese hombre de lo que hubiera confiado en un hermano, si hubiera tenido uno.

—¿Qué sucede con la telepatía?

—Una infección. Uno de nuestros veladores ha sido traído con una severa desorientación y un comportamiento errático.

Un sanador de los veladores le echó un vistazo, pero él no pudo comunicarse, así que el sanador intentó hacerlo telepáticamente para descubrir qué estaba pasando.

—Tenía que ser grave para que el sanador hiciera eso.

Porque Sen no permitía emplear la telepatía dentro de la montaña, ni la magia más allá de lo que él protegía.

—Sí, pero así es como el sanador descubrió la infección.

Ese silencio telepático cobraba sentido.

—¿De dónde provenía?

—Antes de que el sanador perdiera la capacidad de hablar, gritó «merodeador». —Una expresión de gravedad ensombreció el rostro de Tzader—. Creemos que son los fantasmas quienes la están pasando con un apretón de manos. Esto nos deja sin nuestra mejor herramienta de información.

Evalle no pudo evitar que su primer pensamiento fuera para su merodeador favorito, Grady, un viejo y gruñón espectro a quien ella consideraba un amigo. Los merodeadores intercambiaban información por un apretón de manos con un ser poderoso, y así obtenían diez minutos de forma corpórea. La mayoría dedicaban esos diez minutos a tomar cualquier licor que encontraran.

Grady estaba en peligro. Evalle podía regresar y ver cómo andaba. Podía... basta de pánico. El hueso. Debía atar corto a ese estúpido hueso. Obligándose a hablar con calma, preguntó:

—¿Cuántos veladores se han infectado?

—Tenemos cinco aquí, y he enviado un equipo a dar caza a un par que han desaparecido y que probablemente hayan perdido la conciencia creyendo que era una gripe, o que andan por ahí expuestos a elementos peligrosos. Por eso he prohibido a todo el mundo que se comunique telepáticamente hasta que podamos tener esa infección controlada.

Trey McCree se acercó a ellos. Llevaba una camiseta gris muy apretada, una chaqueta marrón y unos pantalones tejanos que, por el aspecto gastado de las rodillas y los bolsillos, debían ser sus favoritos. Saludó a Evalle y empezó a informar a su gente. Puesto que Trey era uno de los telépatas veladores más poderosos, no podían arriesgarse a que se contagiara.

Evalle detestaba tener que poner otra carga sobre los hombros de Tzader, pero en cuanto Trey terminara, debía contarle lo que sucedía. Ya había mantenido sus actividades con Macha en secreto bastante tiempo, y Macha había dejado claro que a partir de ese momento Evalle estaba sola.

Quizá Macha fuera su diosa, pero Tzader y Quinn eran lo más parecido a una familia para Evalle. Si no conseguía salir del CBA, quería que Tzader conociera la verdad de por qué había participado. Porque Sen convencería a todo el mundo de que lo había hecho para obtener la inmortalidad.

Cuando Trey hubo finalizado de comunicar su informe y se marchó, Tzader hizo ademán de seguirlo.

—¿Tienes un minuto, Z? —preguntó Evalle.

Él se detuvo y miró por encima del hombro.

—¿Es importante? Debo enviar a esos agentes a la calle de nuevo.

¿Te lo pediría si no lo fuera? Al oír el tono seco de él, Evalle se dio cuenta de que el mal humor se le disparaba y notó que se le calentaba la piel. Apretó los dientes para no decir algo de lo que luego se pudiera arrepentir. Tzader estaba haciendo su trabajo. Evalle hizo un ademán con la mano para indicarle que continuara.

—Sí, es importante, pero puedo esperar.

Tzader asintió con la cabeza y se fue.

Evalle estiró las largas mangas de la camisa de su UB (Uniforme de Batalla) para ocultar la pulsera y siguió a Tzader.

—¿Adónde vas, Z? La sala de reuniones está en la otra dirección.

—Al anfiteatro.

—¿Cuántos agentes hay?

—Treinta y ocho. Hemos avisado a las demás divisiones electrónicamente.

¿Significaba eso que esa reunión no era solo para hablar de la infección? Llegaron al cavernoso anfiteatro iluminado por antorchas y Tzader bajó los escalones que conducían al escenario de dos en dos.

¿A qué venía esa decoración medieval, cuando Sen podía hacer cualquier cosa con solo chasquear los dedos?

Evalle observó a la gente y finalmente localizó a Trey y a unos cuantos más con quienes había formado equipo en otras ocasiones. La sala era ovalada, y los asientos se organizaban en gradas que descendían hasta un escenario iluminado en los extremos. Evalle se abrió camino entre el público y se sentó al lado de Trey, en la fila de delante de Lucien, Casper y Adrianna.

Evalle saludó con un gesto de cabeza a Reece «Casper» Jordan, que era un auténtico vaquero de Texas. Lo apodaban Casper porque compartía el cuerpo con un fantasma del siglo trece. De vez en cuando, el fantasma aparecía para participar en alguna batalla.

Al verla, su rostro arrugado y tosco se iluminó.

—Desde luego, las cosas se han calmado desde que superaste el S.P.S.

Evalle no pensaba morder el anzuelo. Otro agente también la había acusado de sufrir S.P.S (síndrome por la pérdida de Storm) cuando Storm estuvo desaparecido durante tres semanas. Durante los días más difíciles, Evalle mandó a un par de matones al hospital. Se lo merecían por haber violado y matado a una joven.

—Qué sorpresa encontrarte aquí, Casper.

—¿Por qué?

—Tantas ovejas, tan poco tiempo.

Él sonrió con mayor énfasis.

—Pero yo siempre tengo tiempo para una oveja negra de la tribu de los veladores.

El agujero ya es bastante profundo. Deja de cavar.

Evalle lo ignoró y se dirigió a Lucien Solis, quien la saludó bajando la cabeza con su habitual actitud misteriosa. Ese castellano moreno emanaba sexo por todos los poros de la piel, pero ninguna de las mujeres que Evalle conocía había intentado nada con él. Aunque corrían rumores sobre Lucien y la cuñada de Trey, una bruja.

Pero no una bruja oscura como la que se sentaba al lado de Lucien.

Adrianna LaFontaine. Para no mostrarse desagradable, Evalle saludó a Adrianna en un murmullo. Esa mujer era la personificación de lo que Evalle llamaba una «gatita sexual», con ese pelo largo que le caía más abajo de los hombros, esos labios llenos y rojos, esa piel perfecta y esos ojos azules que lo miraban todo con una fría reserva. Era agradable verla con un jersey de color canela y un pantalón gris, en lugar de con su vestimenta habitual: cualquier cosa que mostrara sus piernas.

Adrianna, la bruja de la familia superior, levantó una ceja por toda respuesta.

Suficiente para Evalle.

Todavía no había superado el hecho de que Adrianna hubiera sido la que había cuidado a Storm durante las tres semanas que estuvo desaparecido, después de que Sen hubiera aplastado su cuerpo de jaguar.

Por supuesto, se sentía agradecida de que Adrianna hubiera escondido el maltrecho cuerpo de Storm mientras Evalle estaba en la prisión de VIPER, pero cada vez que se encontraba con ella no podía evitar sentir ganas de quitarle esa expresión de engreimiento de una patada en la cara. Como en ese momento.

No. Ahora no. Aquí no.

Evalle cruzó los brazos con los puños cerrados y se giró en dirección al escenario para procurar pensar en algo que la tranquilizara. Storm le había asegurado que no había pasado nada entre él y la bruja, y si eso fuera mentira, Evalle sentiría un gran dolor.

Lo nuevo era que, a pesar de ello, creía a Storm.

Él se había ganado su confianza.

Sen llamó al orden y Evalle se sentó con la espalda recta. Tzader se encontraba de pie a poca distancia de Sen. La sala había sido diseñada de tal forma que no hacían falta los micrófonos.

Sen era más alto que Tzader, pero Evalle lo había visto más alto todavía, y más ancho. Su cuerpo cambiaba con tanta facilidad como la longitud de su cabello caoba. En ese momento lo llevaba corto. Era raro verlo vestido de otra forma que no fuera con unos tejanos negros y una camiseta negra. Hoy llevaba la de manga larga. Muchos habían especulado sobre sus poderes semejantes a los de un dios, pero ningún dios se vería obligado a actuar de vínculo entre los agentes VIPER y el Tribunal.

Sus orígenes eran desconocidos.

Sucedía como con los orígenes desconocidos de los mutantes, pero estaba claro que muchos encontraban en Sen un pedigrí valioso, mientras que ella era considerada un chucho.

Sen habló, y su voz recorrió los asientos de piedra.

—Ahora ya sabéis todos que tenemos un contagio infeccioso que se transmite a través de los merodeadores. Debemos averiguar el origen de esta infección, y creemos que alguien la está transmitiendo a través del apretón de manos con los merodeadores. Los sanadores están trabajando con nuestros agentes para ralentizar el proceso infeccioso pero, sin información, el diagnóstico es desalentador porque los fantasmas contagiados se deterioran hasta que su espíritu queda atrapado en un cuerpo medio invisible.

Evalle debía asegurarse de que Grady no se acercara a nadie. A Grady no le gustaría renunciar a sus diez minutos de forma humana a causa de un apretón de manos con un ser poderoso, pero tampoco le gustaría acabar con su espíritu atrapado en una cáscara medio muerta.

VIPER ordenaría la destrucción de esos cuerpos pero ¿qué significaría eso para sus espíritus?

Sen continuó hablando:

—Tenemos casos en que la infección se ha contagiado a través de telepatía. —Los asistenteso irrumpieron en murmullos que no callaron hasta que las antorchas se encendieron con mayor fuerza: Sen estaba indicando que se callaran. Cuando consiguió que se calmaran, continuó—: Los agentes contagiados se encuentran en coma, y la situación no parece prometedora. Necesitamos averiguar de dónde proviene esto, y si se trata de un acto intencionado. En estos momentos, creemos que alguien está intentando acabar con nuestra red de inteligencia.

Un agente que se encontraba cerca de Sen, se puso en pie.

—¿Hay algún sospechoso?

—No. —Sen recorrió con la mirada al público—. A no ser que alguno de vosotros esté a cargo de un caso que yo os haya asignado con preferencia, todos debéis volcaros en este problema hasta que me entreguéis a la persona o al grupo de personas responsables del contagio. Tzader os dará las órdenes oportunas en cuanto termine la reunión.

Otro agente se puso en pie y preguntó qué se debía hacer en caso de encontrarse con un agente contagiado.

—Tenemos una línea abierta las veinticuatro horas del día. No toquéis nada ni a nadie que os parezca sospechoso.

Puesto que nadie hizo más preguntas, Sen miró a Tzader y se alejó.

Tzader se dirigió al centro del escenario.

—Hoy tenemos otro tema importante. Debemos asegurarnos de que todo el mundo tenga claras las leyes VIPER. Uno de nuestros veladores se ha enterado de que mañana se va a llevar a cabo un Campeonato de Bestias Aquiles en el extremo sureste de Georgia.

Evalle se alarmó y agarró con fuerza el borde del asiento.

Debería haber hablado con Tzader antes.

Sintió que el brazo se le ponía muy caliente.

Catorce

—*No* es un asunto para VIPER, siempre y cuando no se infrinjan nuestras leyes —añadió Sen desde un lateral del escenario dirigiéndose a los agentes que llenaban el anfiteatro.

Evalle continuaba agarrando con fuerza el borde de su asiento de piedra. Hacerlo le aliviaba el estrés. El corazón le latía a toda velocidad. ¿Dónde estaba Storm, ahora que necesitaba un hechizo para tranquilizarse?

Trey la miró:

—¿Algún problema?

«¡Sí, quiero decirle a gritos a Tzader que debemos hablar ahora!» Pero susurró con voz ahogada:

—Indigestión.

Él asintió con la cabeza y volvió a dirigir la atención al escenario.

Evalle debía pensar cómo convertir ese evento BCA en un asunto para VIPER.

Casper se puso de pie a sus espaldas.

—Vaya. Cuando yo estaba en la división de Texas, los Clubs de Bestias eran ilegales. ¿Qué ha cambiado?

Gracias, Casper.

—Nada. —Tzader barrió al público con la mirada—. Los Clubs de Bestias continúan siendo ilegales en la jurisdicción VIPER, y merecen una sanción si los combates se llevan a cabo en cualquier tierra que no se encuentre bajo protección diplomática. De hecho, uno de los nuestros vio un Club de Bestias en la zona del monte Oakey ayer por la noche. Cuando los agentes llegaron allí, no quedaba nada más que las antorchas que dibujaban el círculo.

Tzader continuó informando del suceso, información que Evalle ya sabía de primera mano.

Evalle sintió un escalofrío al darse cuenta de lo cerca que habían estado, ella y Storm, de ser capturados. Pero no lo habían sido. Se esforzó por mantener la calma. *No reacciones aquí.* Se dirigió a Trey con la esperanza de que él supiera algo más.

—Vaya, eso fue un buen hallazgo. ¿Quién dio la alerta del Club de Bestias?

—Horace Keefer —dijo Trey en voz baja—. Oyó hablar de eso a un merodeador, pero eso debió de haber sido antes de que apareciera el contagio. Ese tío aparece con información sorprendente, a veces.

—En serio. Ese tío necesita tener una afición.

—Creo que trabajar para VIPER es lo único que lo mantiene vivo, después de que perdiera a su mujer y a su hijo hace unos cuantos años.

Evalle asintió con la cabeza y continuó escuchando a Tzader, que hablaba de la respuesta de VIPER ante ese hecho.

—Hemos enviado a unos cuantos rastreadores, pero todavía no tenemos pistas. Esos clubes de bestias ilegales han aparecido de noche, especialmente aquí, en la región sureste, pero no esperamos que continúen después de que el Campeonato de Bestias Aquiles finalice.

Evalle tomó nota mental de que debía decirle a Storm que Horace había informado a VIPER del Club de Bestias, pero no podría llamarlo por teléfono hasta que saliera de esa montaña. Si Horace hubiera visto a Storm o a Evalle, habría informado a Tzader. Quizá se estaba preocupando sin motivo.

Desde abajo, delante de todo, Horace giró la cabeza, miró hacia el público y detuvo sus ojos en Evalle. Le dirigió una sonrisa cariñosa y Evalle le devolvió otra igualmente cálida.

Trey se puso en pie.

—¿Qué hay de ese campeonato de bestias? ¿Qué lo hace legal?

«¿Qué tal si te sientas y cierras la mald...?»

Evalle inspiró y retuvo el aire, asustada ante su salida. Trey no hacía más que preguntar lo que ella misma hubiera preguntado en cualquier otro momento en que no tuviera que hablar con Tzader sobre el BCA. Tenía las emociones muy alteradas, y la tomaba con cualquiera sin ninguna razón. «Por favor, quiero salir de aquí cuanto antes».

Tzader miró a Sen, quien dio un paso hacia delante para responder.

—Yo informé al Tribunal, que me informó de que conocían el evento y de quién era el anfitrión. Según ellos, el anfitrión celebra los juegos en sus tierras, y goza de inmunidad diplomática siempre y cuando no se lleve a cabo ninguna actividad ilegal.

¿Y si dice quién es el anfitrión? Evalle no podía hacer la pregunta, porque no debía mostrar ningún interés en el campeonato delante de Sen. Dirigirse a él directamente mientras llevaba la pulsera volonte sería meterse en problemas, pero hubiera sido de esperar que alguna otra persona quisiera saberlo.

Una agente que se encontraba en el otro extremo también se puso en pie.

—¿Como, por ejemplo, intercambiar polvo de hada?

—Exacto.

Evalle necesitó contenerse para no ponerse en pie de un salto y preguntar si Horace había descubierto que para entrar se debían ofrecer huesos volonte, o si el Medb ofrecía la inmortalidad a los mutantes. Se aferró al asiento de piedra con mayor fuerza, tanta que parte del asiento se rompió.

Decir una palabra sobre el CBA en ese momento hubiera propiciado un montón de preguntas que la habrían desbordado en cuanto intentara explicarse.

Trey se sentó, pero miró a Evalle y se fijó en que tenía los dedos clavados en el asiento. Se inclinó hacia ella y dijo:

—Si necesitas marcharte, yo se lo explicaré a Tzader.

Evalle relajó los dedos y negó con la cabeza.

—No, estoy bien.

Sen continuó hablando con su potente voz, captando la atención de todos.

—Si se realiza algo ilegal durante el evento, no lo sabremos hasta después de que haya sucedido. Y entonces, el evento ya habrá terminado.

Una agente insistió:

—¿No estaría de más mandar un par de agentes para que supervisen el evento?

¡Sí! Gracias, seas quien seas.

—No. El Tribunal ha indicado que la entrada es demasiado alta para enviar a un equipo encubierto.

La necesidad de decirle a Tzader que ella tenía la entrada le provocó un repentino dolor de cabeza.

Tzader preguntó a Sen:

—¿Cuál es la entrada para esos juegos?

—Un hueso de volonte.

—Creí que habían sido robados.

Evalle deseó felicitar a Tzader, animarle a que continuara.

Sen meneó la cabeza y dijo:

—Se dice que los huesos fueron robados después del descubrimiento arqueológico, pero los humanos no han informado de ningún robo, así que no podemos inculpar a nadie.

Eso eran buenas y malas noticias para Evalle, pero no podía celebrarlo hasta que se sacara la pulsera. Hasta ese momento entraría en contacto mental con la tranquilizadora voz de Storm para mantener el control.

—Y —continuó Sen— esos huesos son tan raros que el anfitrión del evento tendrá suerte si ve solo dos o tres. —Hizo una pausa y cuando continuó, lo hizo con tono de advertencia—. Hay otra manera de que alguien entre en los juegos sin entrada. Un mutante podría entrar gratis.

Los ojos de Tzader se posaron sobre Evalle no más de un segundo, pero en ese instante se dio cuenta de que él conocía el tema del que ella le había querido hablar.

Evalle mantuvo la compostura, como si no se diera cuenta de que los ojos de todos se habían clavado en ella. Mantén la calma. No sonrías. No frunzas el ceño.

No pasó mucho tiempo hasta que alguien preguntó:

—¿Por qué entran gratis?

Sen respondió.

—Ellos son la mayor atracción de los juegos. Los combates se llevarán a cabo entre un no mutante y un mutante. Los últimos cinco enfrentamientos de élites serán luchas de bestia contra bestia, y los ganadores obtendrán la inmortalidad de los Medb.

La sala se sumió en el silencio.

Evalle sentía tantas emociones en su interior que apretó los dientes y se aferró al asiento. Bloqueó su sensibilidad empática, pero no llegó a tiempo de impedir que la conmoción, el miedo y la rabia que había a su alrededor la inundaran.

No necesitaba leer sus pensamientos para saber que muchos de ellos pensaban que Evalle quería entrar en los juegos para obtener la inmortalidad. Sen debía de estar disfrutando.

«Te detesto, miserable pedazo de...». Evalle levantó el brazo con intención de lanzarle un golpe cinético, pero su mirada se topó con los duros ojos de Trey. Se obligó a sonreírle, esperando no parecer una perra rabiosa.

—Un calambre en la mano.

Trey asintió con la cabeza y volvió a dirigir la atención al escenario.

Si eso no terminaba pronto, Evalle perdería el control.

Sen había callado un momento, y todo el mundo esperaba con tensión a que continuara. Pronto, su voz resonó en la sala.

—No os equivoquéis con esta gente. Ningún miembro de VIPER tiene permitida la entrada como luchador ni como observador. Las leyes de la coalición son claras respecto a que ningún agente debe luchar para obtener una ganancia personal. El que lo haga, hará recaer sobre su cabeza todo el peso de nuestra ley. La última vez que atrapamos a un agente VIPER en un Club de Bestias, este fue cesado y su supervisor directo fue enviado fuera de este país.

Cesado, es decir, destruido.

A Evalle, el corazón le golpeaba con fuerza el interior del pecho; cada latido le parecía un toque de difuntos. Cruzó los brazos otra vez para disimular la rabia que la invadía. Sen esperaba que ella perdiera el control.

Alguien que se encontraba cerca de la primera fila preguntó:

—¿Y qué hay de los mutantes? Ellos no tienen panteón. ¿Cuál es su estatus?

Evalle volvió a ser el blanco de las miradas, pero ella mantuvo los ojos fijos en el escenario.

Sen respondió:

—Cualquier mutante fuera de control que se encuentre

después de este evento será considerado un peligro y una amenaza debido a la posibilidad de que se haya convertido en inmortal. —El público soltó un murmullo de incredulidad—. De todas maneras —continuó Sen, haciéndolos callar—, cuando el BCA termine, esas bestias deben ser capturadas o liquidadas. Los agentes tendrán autonomía para llevarlo a cabo.

Bastardo. No había pensado ni un momento en intentar rescatar a los mutantes que serían obligados a luchar contra su voluntad, como el pobre Bernie.

Sen era de la opinión de que un mutante solo era bueno si estaba muerto.

Los rumores llenaron la estancia, y Tzader dio un paso hacia delante en el escenario. Todos los veladores de la sala dirigieron su atención hacia él, y eso hizo que los demás se callaran.

—Nuestra prioridad consiste en averiguar quién es el responsable del contagio de esa infección. Contactaré con vosotros vía texto en cuanto se produzca algún cambio significativo de la situación. Hasta entonces, la comunicación telepática puede provocar una pandemia. Os podéis marchar.

Evalle se puso en pie. Le temblaban las piernas. Bajó las gradas a contracorriente de la multitud de agentes que las subían para dirigirse a la salida. Consiguió no reaccionar ante las miradas suspicaces y los murmullos que a su paso suscitaba. Al final, llegó hasta donde se encontraba Sen.

Sin más preámbulo, él le ordenó:

—Dile a Storm que o bien regresa para ayudar o será declarado persona non grata en VIPER.

¿Creía Sen que podía cargarla a ella con eso, como si controlara lo que Storm hacía o dejaba de hacer? Evalle replicó:

—¿Por qué crees que lo voy a ver?

Sen le dirigió una mirada fría como el acero, pero no contestó mal. Eso la preocupó más que si hubiera perdido los estribos.

—Haz lo que quieras, díselo o no se lo digas. Sea como sea, tiene de plazo hasta el lunes para venir y declarar cuál es su estatus con VIPER. Su permiso ha terminado.

De todas las personas a quienes Evalle temía atacar sin poder controlarse, Sen era el primero de la lista. ¿Por qué, de repente, él le hablaba sin su habitual tono agresivo? Debería alegrarse de ello, pero lo único que sentía era desconfianza.

Evalle miró a Tzader, que se encontraba hablando con Horace. Tzader dirigió la mirada hacia Evalle. Al ver que estaba con Sen, Tzader dio por finalizada la conversación con Horace. Se acercó a Evalle y a Sen y preguntó:

—¿Qué sucede?

—Lo mejor para todos sería poner a la mutante bajo custodia.

«¿Qué?»

—No soy una amenaza.

Tzader intervino, contundente:

—No. Y sabes cuál es su nombre. Utilízalo.

Como siempre, Sen hizo caso omiso de la necesidad de mostrar algún respeto por Evalle. En lugar de eso, intentó ponerle el yugo en el cuello:

—Deberías hacer lo correcto y ofrecerte a quedarte aquí. Si te capturan y te obligan a luchar en el CBA, o bien te matarán o acabarás siendo perseguida, si el Medb te lleva a su aquelarre. Y en cuanto lo hagas, no podrás regresar con los veladores sin ponerlos en un conflicto con VIPER.

Evalle debía reconocer que cuando Sen acorralaba a su presa, se aseguraba de que la única salida del agua caliente que le dejaba era el fuego. Pero no pensaba defenderse.

Tzader levantó una mano.

—Evalle no luchará en el campeonato de bestias, así que este es un tema irrelevante. Tampoco estará bajo custodia protectora. Los veladores pueden proteger a los suyos.

Sen se encogió de hombros, como si no le importara en absoluto.

—No digas que no lo ofrecí.

Y se marchó.

Había renunciado demasiado pronto. Evalle tenía la desagradable sensación de que había puesto la trampa en otro lugar. ¿O es que hoy estaba paranoica?

Después de esa conversación, no le podía decir nada a Tzader sobre el CBA.

Cuando todo el mundo hubo abandonado la sala, Tzader le habló con amabilidad.

—Antes de que digas nada, debes saber que estoy obligado a informar al Tribunal sobre cualquier mutante que se acerque al campeonato de bestias. Aunque Macha esté llevando algún plan para capturar mutantes.

La última chispa de esperanza de Evalle se apagó al oír esas palabras.

Se quedó mirándolo. Se le había caído el alma a los pies.

Tzader soltó una maldición y se giró, tapándose los ojos con una mano.

—Ella no puede hacer esto.

—No lo hace.

Él bajó la mano y se giró hacia Evalle.

—Tú tampoco puedes.

—Te he oído.

—Evalle.

Ella levantó una mano para hacerlo callar. Tzader iba a cruzar la línea y ponerse en riesgo por ella o por Quinn, pero no pensaba permitírselo.

—Cuanto menos digamos, mejor.

—Sé que tú no vas a luchar en el CBA, pero será mejor que ella deje de hacerte lo que sea que te esté haciendo.

No, Macha no la respaldaba, pero decírselo a Tzader no haría más que aumentar el sentimiento de preocupación que ya delataban sus ojos. Él había sido la única esperanza de Evalle para sacarse el volante. El precio emocional que había pagado por llevar puesto ese artefacto durante la reunión la había dejado agotada. Pero de momento no le quedaba más remedio que llevarlo.

Todas sus opciones se habían evaporado. En lugar de admitir que estaba sola, Evalle cambió de tema.

—Sí necesito una cosa.

—¿Qué?

—Un todoterreno protegido del sol para que no deba perder horas de luz diurna. Necesitas que todo el mundo esté buscando quién ha provocado el contagio.

Evalle detestaba fingir que ese era el motivo por el que necesitaba el vehículo, cuando en realidad lo necesitaba para transportar varios mutantes si conseguía sacar a algunos del BCA.

—Haré que Sen envíe una expedición. ¿Dónde está Storm?

Evalle no esperaba que Tzader le hiciera esa pregunta.

—En su casa.

—Nos iría bien.

—Se lo diré, pero no lo animaré a entrar en VIPER otra vez. —Evalle miró a su alrededor para asegurarse de que continuaban estando solos—. Aunque los demás no lo crean, yo estoy segura de que Sen intentó matar a Storm hace un mes.

—No puedes decir eso por aquí si no tienes pruebas.

—No lo hago. Te lo digo a ti porque es posible que Storm venga para ayudarte a ti o a otros agentes. Si lo hace, no le quites el ojo de encima, ¿de acuerdo?

Tzader tardó un poco en responder. Sus oscuros ojos marrones expresaban una concentración quizá un tanto excesiva en lo que Evalle acababa de decir.

—Yo creía que serías tú quien no le quitaría el ojo de encima.

Mierda. Evalle se metió las manos en los bolsillos traseros del pantalón para controlar los nervios. Debería estar ayudando a Tzader. Debería estar vigilando a Storm. Debería ser capaz de cuidar mejor a las personas a quienes quería.

—No lo haré, pero seguramente no estaremos juntos todo el tiempo debido a que yo puedo pasar muy poco rato expuesta a la luz solar.

En especial, cuando se dirigiera al CBA sin él.

Tzader soltó un suspiro largo.

—Llévatelo contigo a donde sea que vayas.

Imposible.

—Si lo necesito, lo haré, pero ahora mismo él será una ayuda mayor como rastreador.

—De acuerdo. Necesito que hagas una cosa por mí.

—Dilo.

Ser capaz de hacer cualquier cosa por Tzader le dio a Evalle un momento de felicidad, algo que necesitaba después de tantas horas de estrés.

Tzader introdujo la mano en el bolsillo interior de la chaqueta y sacó un grueso sobre.

—Llévale esto a Quinn esta noche. He recibido un mensaje en que se me comunica que él recibió la advertencia del contagio y que ha regresado a la ciudad. Decía que él estaría en su hotel durante toda la noche. Dile que me llame cuando haya recibido esto. Necesito que lo envíes de vuelta a Treoir para que supervise la seguridad allí hasta que resolvamos el tema de este contagio.

Evalle cogió el sobre y siguió a Tzader por las escaleras que subían hasta el vestíbulo para ir a buscar su moto. Pero a cada paso, la culpa que sentía por dejar a Tzader y a Quinn solos con la investigación del contagio se hacía menos soportable. Ella debería estar ayudándolos.

Pero no tenía mucho tiempo para ir a ver a Quinn, comprobar cómo estaba Grady y hablar con Storm antes de salir en dirección a la isla Cumberland.

Cuando llegaron hasta la moto, Evalle cogió lo que necesitaba mientras Tzader pidió el gran coche negro del Servicio Secreto.

Antes de que Evalle pasara una pierna por encima de la imponente moto negra, Tzader le puso una mano en el hombro.

—Nunca he sabido que Macha haya enviado de forma intencionada a alguien a enfrentarse a un peligro, pero tengo un mal presentimiento sobre lo que vas a hacer, sea lo que sea.

Evalle tuvo que esforzarse para esbozar una sonrisa creíble.

—Nada peor que la mierda habitual.

—Llámame si me necesitas. Aunque no puedas utilizar un teléfono.

—Lo haré.

Evalle subió a la moto y encendió el faro, cuya luz atravesó la negrura que rodeaba la montaña. Mientras se alejaba, la entrada de la pared de roca se cerró quedando completamente oculta a la vista.

No podía contárselo a Tzader. Y aunque ella necesitara que sus amigos lo supieran, no estaba segura de decírselo a Quinn. Cada vez que pensaba en él sentía una punzada de culpa, pero por mucho que no quisiera aceptarlo, su confianza en él se había resquebrajado seriamente.

Antes de que Tristan fuera capturado, Kizira aseguró que Quinn le había dicho dónde encontrar a Evalle. Eso había estado a punto de provocar la muerte de Evalle, de Tristan y de sus amigos en un laberinto subterráneo. Cuando Evalle le preguntó a Quinn, él le mintió, diciéndole que había ayudado a la sacerdotisa Medb a encontrar a Evalle. Y Evalle lo sabía solo porque Storm había oído por casualidad su conversación con Quinn.

Y aunque pudiera contárselo a Tzader, ese no era un buen momento para dispersar su atención puesto que la responsabilidad primordial de Tzader se debía a la tribu de los veladores. También a Evalle, pero ella, ahora, servía a Macha, y Macha estaba por encima de la cadena trófica de los veladores.

Eso significaba que Evalle debía introducirse sola en el CBA, sin ayuda de ningún tipo, puesto que no tenía intención de hacer que Storm se enfrentara de nuevo a un mutante.

Y él no podía entrar allí sin ella.

Evalle no se había quitado la pulsera, pero tampoco había intentado matar a Sen. Eso ya era algo.

Sen se había mostrado demasiado complaciente con ese vehículo, y además se había retirado demasiado deprisa cuando Tzader rechazó ponerla bajo custodia.

Sí, definitivamente, demasiado fácil.

Sen no había pedido nada a cambio del todoterreno protegido.

En lo más profundo, Evalle tenía la desagradable sospecha de que Sen sabía alguna cosa. ¿Quizá supiera que Storm y ella habían estado en el Club de Bestias? Pero, en ese caso, Horace se lo hubiera dicho a Tzader, y este se lo hubiera contado a Evalle.

¿O quizá Sen creía que ella iría a por la inmortalidad que ofrecían los Medb y pensaba capturarla allí? Si la capturaba allí, no la entregaría al Tribunal para que la juzgaran.

Esta vez no. Sería él quien impartiría justicia.

Quince

*E*l primo Quinn debería de haber vuelto ya. Estaba cerca. Lanna lo sabía porque tenía su arrugada camisa entre las manos y frotaba despacio su suave tejido. Estaba segura de que ella lo había dejado justo antes del anochecer, pero de eso hacía ya tres horas.

Las mujeres Brasko nacían con el don de la premonición, pero pocas tenían el poder que tenía Lanna. Por supuesto, su don no había sido entrenado y, a los dieciocho años, las hormonas le causaban tantos problemas como la falta de entrenamiento formal. A pesar de todo, había tenido la seguridad de que el primo Quinn entraría por la puerta de su suite de ese imponente hotel mucho antes.

Se dirigió hacia la gigantesca ventana, cuyo cristal azotaba la lluvia y que ofrecía una imagen borrosa de las luces del centro de Atlanta por la noche. Su primo tenía mucho dinero, y le gustaba estar en lo más alto de Peachtree Street. En la calle había tantos paraguas abiertos que no podía ver quién había. El cielo era oscuro y sombrío. Igual que su estado de ánimo.

¿Dónde estaba su primo?

De repente, la cabeza le dolió. Soltó la camisa de Quinn y se sujetó la cabeza con ambas manos. Pero no había forma de parar ese dolor intermitente.

Eso significaba que Grendal, el mago, se encontraba aquí, en este país. No cerca, pero tampoco lejos. No podía permitir que la volviera a capturar. La última vez había sido su prisionera en Transilvania, y la había obligado a beber una poción que no había sido buena para sus poderes. Había conseguido escapar, pero Grendal la había encontrado otra vez. Lo notaba.

Ella tenía la culpa de que la hubiera encontrado, pero no había habido otra alternativa. Unos no humanos inocentes habrían muerto si ella no hubiera convocado a los elementos para salvarlos.

Grendal estaba en Atlanta.

¿Y si había encontrado al primo Quinn y le había hecho algún daño?

Se frotó la cabeza, dolorida. No era lógico. Si el mago supiera que ella se escondía en el hotel de su primo, ya estaría allí.

De repente, oyó el sonido de la llave al otro lado de la puerta y su primo entró.

Lanna soltó un suspiro de tensión aliviada.

El primo Quinn entró en la suite con la chaqueta de lana en la mano. Llevaba puesta la misma camisa azul claro que le había visto lucir la noche anterior. Su ropa se veía desaliñada. Quinn tenía los ojos cansados. También había sufrido.

Quizá Lanna tuviera una imaginación paranoide, pero tenía buenos motivos para ello. Su primo era un poderoso velador de quien se esperaba que se enfrentara a peligrosos seres sobrenaturales.

—Hola, Lanna.

Se movía despacio. No solo de cansancio, sino de tristeza.

¿Qué causaba esa expresión de dolor en sus ojos? Se lo veía demasiado agotado para ser un hombre en la treintena.

—Estás agotado, primo.

—Todos lo están. Otro largo día en Treoir. —Quinn echó un vistazo general a la habitación, donde varias revistas se amontonaban encima del sofá y el mando reposaba cerca de la pierna de Lanna—. Te has quedado aquí.

—Sí.

—¿Todo el día?

—Tengo dieciocho años. Somos perezosos, a esta edad. Nos gustan las películas y los chicos.

Lanna deseaba parecer una adolescente despreocupada, aunque nunca se había podido permitir el lujo de serlo.

Quinn se dejó caer en el sofá y apartó sus cosas a un lado.

Necesitaba un poco de diversión en la vida. ¿Qué podía hacer ella al respecto? Preguntó:

—¿Quieres beber algo?

—Todavía no. —Señaló una silla que había delante de él y añadió—: Siéntate. Tenemos que hablar.

Lanna se sentó. Ahora tocaba el tercer discurso titulado «Lanna debe regresar a casa». Necesitaba pensar en otra manera de aplazarlo, pero era difícil en esos momentos, con la cabeza a punto de explotarle. Regresar a Transilvania no era posible. Grendal tendría a alguien allí, esperando su regreso.

Su primo se frotó el rostro con una mano, se recostó en el sofá y abrió los brazos por encima del respaldo. Empezó a golpear suavemente el cojín con un dedo.

—Intenté conseguir que tu visita durara un tiempo, pero no he recibido respuesta y entiendo que eso significa que el tiempo que VIPER te permite estar en este país termina al amanecer.

—Comprendo.

—No te enojes, Lanna. VIPER valora tu ayuda con los troles svart, pero debe seguir un protocolo respecto a los visitantes con poderes. Si permitieran que te quedaras sin pasar por el canal habitual, alguien podría esgrimir este hecho como precedente en el futuro. Me alegra verte, pero ha llegado la hora de que vuelvas a casa.

Lanna se marcharía pronto y buscaría otro lugar para esconderse en ese país.

—Lanna.

—Sí.

—Sé que estás pensando en eso, pero no te quedarás en Norteamérica. Debo ofrecer pruebas de que te has ido, lo cual significa que otro agente VIPER deberá estar conmigo cuando te marches, para confirmar que has sido transportada. No pienses en escaparte antes de mañana, porque no te pienso dejar sola hasta que esto esté resuelto.

Debería haberse ido ese mismo día. Ahora estaba atrapada. Grendal la capturaría de nuevo. Grendal…

Sintió unos fuertes pinchazos en la cabeza, y se llevó ambas manos a las sienes. Le temblaba todo el cuerpo.

—¡Lanna, para! Estás haciendo que tiemble el edificio.

Ella levantó los ojos y miró la habitación. Las cortinas se mecían. Los platos entrechocaban dentro del armario. Los muebles vibraban.

Quinn se puso en pie y se inclinó hacia delante con las manos hacia ella, pero las retiró. Posiblemente porque recordó la última vez que la tocó. Con un tono que expresaba una gran preocupación, dijo:

—Cálmate. Respira y relájate.

—Sí. Lo siento —farfulló Lanna, apoyando los codos sobre las piernas y recostando la cabeza en las manos.

Quinn continuó hablando con voz amable y cálida.

—Es hora de que me cuentes la verdad.

—¿Acerca de qué?

—De lo que sea que te está llenando de miedo.

Lanna levantó la cabeza y lo miró. Quinn volvió a sentarse y puso los codos sobre las rodillas para apoyar la barbilla sobre los dedos entrecruzados.

—Te ayudaré. Ya lo sabes, pero debes decirme qué está pasando.

—Yo...

—Basta de mentiras. Somos familia. No permitiré que nada ni nadie te haga daño.

La sinceridad del tono de su voz hizo que flaqueara su voluntad de manejarse con Grendal por su cuenta. O fue eso o fue que no era capaz de pensar a causa del dolor en la cabeza. Deseaba contárselo a alguien, necesitaba saber que no era necesario que se enfrentara sola a Grendal, pero no podía permitir que ese mago le hiciera algún daño al primo Quinn.

Él esperaba, paciente.

Por fin, Lanna se rindió.

—Tengo problemas en casa. —Lo miró de soslayo, pero él no expresó ninguna emoción—. Por eso vine aquí. Mamá dijo que tú me ayudarías, pero...

—¿Pero qué? ¿Es que no he ayudado cada vez que nuestra familia me ha necesitado?

—No, y ese es el problema.

—No comprendo.

—Si te cuento lo que sucedió, irás a Transilvania.

Quinn se irguió y puso las manos sobre las rodillas con los dedos tensos.

—¿Alguien te ha hecho daño, Lanna?

—Sí, pero no como te imaginas. —Lanna inspiró profundamente—. No me ha hecho daño ningún chico. Fui capturada por un mago que quiere usar mis poderes.

Quinn se puso en pie de un salto y se pasó las manos por el pelo.

—Mataré a ese bastardo.

—¿Ves? Ese es el problema.

Quinn clavó su fiera mirada de guerrero en ella, la misma mirada que había hecho temblar a tantos hombres poderosos, pero su primo no la asustaba.

—¿De quién se trata, Lanna?

—Te diré su nombre si te tranquilizas.

—Me dirás su nombre. Punto. Y dónde lo puedo encontrar.

—Por eso no te lo había contado. Ese mago es peligroso. Tiene a muchos en su castillo. No puedes enfrentarte a él sin un ejército de guerreros como tú.

—Puedo reunir un ejército de veladores.

—Ahora no, con la amenaza sobre Treoir y tu reina guerrera.

Quinn caminó hasta la zona de comedor. Se detuvo al lado del extremo más alejado de la mesa y se dio la vuelta con los brazos cruzados y una mirada imperativa.

—Cuéntamelo todo.

Había llegado el momento de la verdad.

—Su nombre es Grendal.

—Háblame de él. ¿Quién es? ¿Qué ha hecho?

—Grendal se pavonea como un pavo real. Tiene una nariz ganchuda de buitre. —Lanna soltó un bufido de burla—. Como un pájaro, nació con una fea piel amarilla. Un pelo amarillo y brillante, corto. Y unos ojos vacíos que amenazan con la muerte a cualquiera que se oponga a él. Es una persona terrible, primo. Me hizo tomar una poción para obligarme a hacer lo que decía, pero a mi magia no le gustó. Yo… hice estallar uno de los extremos del castillo. Así fue como escapé. Además, es por eso que mi magia tiene problemas. A veces actúa como yo quiero, pero otras veces no. Mi poder aumenta y disminuye.

Quinn permanecía quieto como una estatua, pensando.

—¿Sabe él que estás aquí?

—Lo sabe.

—¿Y eso qué significa?

Ella tuvo que admitirlo.

—He tenido cuidado de emplear la magia muy poco, de tal manera que Grendal no lo notara, pero la semana pasada, al llamar a los elementos para impedir que los troles svart mataran a toda esa gente del almacén, le mostré a Grendal donde me encontraba. Él estaba esperando que yo cometiera algún error.

—Dios Santo —murmuró Quinn, comprendiendo la gravedad del asunto—. Por eso te escondiste y te aferraste a Evalle cuando nuestro grupo fue teletransportado desde el almacén.

—Sí. Tenía miedo.

Quinn la miraba con unos ojos cálidos que expresaban admiración.

—Tenías miedo y a pesar de ello salvaste a esos cautivos, sabiendo que el mago te localizaría.

Ella se encogió de hombros.

—No tenía alternativa. Habrían muerto si no lo hubiera hecho.

Sus nuevos amigos, los gemelos Kardos y Kellman, habrían muerto.

Alguien llamó a la puerta dos veces con los nudillos y Lanna dio un respingo. Inmediatamente, volvió a llamar dos veces, como si se tratara de un código secreto.

Quinn levantó una mano indicándole que esperara y luego se dirigió a la puerta.

—Recibí un mensaje mientras estaba de camino hacia aquí, así que sé quién es.

Quinn miró por la mirilla y abrió la puerta mientras Evalle se dirigía hacia la sala.

Lanna quería ser Evalle en su siguiente vida, con esas piernas largas para resultar matadora con unos tejanos y unas botas negras que ocultaban unas cuchillas. Le gustaba la camiseta *vintage* de Evalle.

Era difícil resultar matadora siendo bajita. Lanna suspiró, resignada a una vida de sexy hembra Brasko.

Al verla, Evalle sonrió.

—Hey, Lanna Banana. Me gusta ese jersey rojo y esos tejanos negros. ¿Piensas salir a disfrutar de la noche de Atlanta?

—No. Soy una prisionera.

Lanna miró a su primo con expresión desafiante. El primo Quinn alzó los ojos al cielo, risueño. Evalle fingió no darse cuenta de ello.

—¿Cómo estás, Lanna?

—Bien. Me alegro de verte.

—Lo mismo digo. —Evalle se llevó una mano al bolsillo trasero del pantalón y sacó un grueso sobre blanco que entregó a Quinn—. Tzader me dijo que te diera esto y que lo llamaras en cuanto te lo hubiera entregado. Probablemente se trata de Treoir. Mencionó que se te necesitaba allí para supervisar la seguridad mientras él venía aquí a ocuparse del contagio.

—¿Qué contagio? —preguntó Lanna.

Quinn le dijo a Evalle en un murmullo:

—Cuéntaselo mientras leo esto.

Evalle le explicó lo de la extraña infección que se contagiaba a través del apretón de manos de los merodeadores. Hasta que pudieran impedir que continuara contagiándose, no podían emplear la telepatía entre veladores ni agentes.

Eran malas noticias. Otra razón para que su primo la mandara a casa.

Quinn dobló los papeles y miró a Lanna.

—Puedes quedarte un tiempo.

Lanna sintió que el corazón le daba un vuelco de alegría.

—¿De verdad, primo?

—Sí.

—¿Cómo es posible, si me dijiste que ellos no me dejarían?

Evalle miraba a uno y a otro.

—Sí, ¿cómo lo harás? Me alegro por Lanna, pero me asombra que VIPER se muestre permisivo.

Quinn levantó los papeles en el aire y explicó:

—Esta es la concesión de custodia de Lanna que le pedí a Sen que me enviara, pero si él…

—No tienes ni idea de si se la ha cargado —terminó Evalle.

—Precisamente. —Quinn miró a Lanna y añadió—: Dije a VIPER que tenías diecisiete años, no dieciocho. No te olvides, si te lo preguntan.

Lanna no podía creerse que su primo hubiera conseguido un margen de tiempo para ella. Se lo agradeció de corazón:

—Gracias, primo.

—Es lo máximo que puedo hacer por ahora, pero debo irme otra vez, esta noche, a Treoir.

Lanna sintió un enorme alivio que le borró el dolor de cabeza.

—No te preocupes. No saldré.

Evalle dijo:

—Haz provisión de películas. Es posible que Quinn esté fuera días o semanas.

—No hay problema.

Quinn intervino:

—Sí, lo hay. No puedes quedarte aquí sola.

—¿Y ahora qué?

—Me he portado bien. No me he ido por ahí.

—Es cierto —admitió Quinn—. Pero ahora que sé que un peligroso mago te persigue...

—Un momento —interrumpió Evalle—. ¿Un mago la persigue?

—Sí. —Quinn se lo explicó a Evalle y luego, dirigiéndose a Lanna, añadió con tono inflexible—. Tal como decía, no te dejaré aquí ahora que ese loco está en esta zona.

Evalle dirigió a Lanna una mirada comprensiva.

—Tiene razón. Es demasiado peligroso que estés sin protección. Aunque pudieras llamar a Quinn, lo cual no podrás hacer mientras esté en Treoir, él no podría contactar telepáticamente con ningún velador para que viniera rápidamente hasta aquí.

Vivir en ese país era muy difícil. Lanna esperó a que su primo acabara con el poco buen humor que le quedaba. No tuvo que esperar mucho.

—El lugar más seguro es el cuartel general VIPER.

Evalle reprimió una exclamación de disgusto.

—Ese lugar es asqueroso, Quinn. No conoce a ninguno de los agentes que entran y salen de ahí.

—Pero la montaña es más segura que una cámara acorazada.

Lanna estaría atrapada en el interior de una montaña. ¿Y si el mago tenía espías allí?

Quinn le pidió a Lanna que hiciera la maleta. Ella asintió

con la cabeza y se dirigió con paso cansado a su habitación, luchando contra el pánico que la embargaba. A pesar del alivio que suponía haberle contado a su primo lo de Grendal, ahora estaba aterrorizada ante la perspectiva de estar en un lugar del que no podría huir si lo necesitaba.

Al llegar a la puerta miró hacia atrás, para ver dónde estaban Quinn y Evalle. Se encontraban al otro extremo de la sala, y mantenían una tensa conversación en voz baja.

Lanna entró en su habitación, se detuvo un instante y se concentró para emplear muy poca magia. Eso sería más fácil si se sintiera mejor. Susurró las palabras de un hechizo y observó sus manos durante unos segundos hasta que se hicieron traslúcidas. Su cuerpo desapareció al cabo de medio minuto.

La práctica de una habilidad nueva tenía sus recompensas.

Ahora podía hacerse invisible por completo. ¿Pero por cuánto tiempo?

Se puso al descubierto otra vez, recogió su ropa y la metió con desgana en la gastada maleta que tan inapropiada parecía en ese hotel.

Quinn apareció en la puerta de la habitación.

—¿Has terminado?

—Sí.

Debía encontrar la manera de escapar de su primo antes de que llegaran a la montaña, puesto que allí no tendría forma de encontrar un transporte de regreso. Había probado el teletransporte dos veces, pero no se había podido desplazar más de tres metros. Y después se había sentido mareada.

Evalle también apareció en la habitación.

—Vas a venir conmigo.

La alegría debió de ser evidente en el rostro de Lanna, porque Evalle añadió:

—Que quede claro. Yo estaré fuera muchas veces, y a *Feenix* le gustará la compañía, pero su vocabulario no tiene más de veinte palabras, diez de las cuales son números. ¿Seguro que no preferirías ir al cuartel general VIPER?

Decididamente, allí no.

—Seguro. Gracias.

Quinn se ofreció a llevarlas.

—Haré que traigan el coche.

—No lo necesito —le dijo Evalle—. No he venido en moto. Tengo un vehículo del cuartel general protegido contra cualquiera que intente forzarlo o conducirlo.

—¿Por que lo llevas?

Evalle no estaba segura de si debía responder, y procuró no mirar a Quinn. Se encogió de hombros.

—Pensé que podría, por lo menos, dar una vuelta por la ciudad a plena luz del día para vigilar si había algo sospechoso. Quizá no sirva de ayuda a Tzader con este contagio, pero nunca se sabe.

Quinn dio una última orden a Lanna.

—No emplees tu habilidad para hacerte invisible y escaparte de Evalle, o seré yo quien te lleve al cuartel general VIPER. —Se inclinó hacia delante y añadió—: Quiero que me des tu palabra.

A Lanna se le cayó el alma a los pies. No podía darle su palabra y luego romper la promesa. Asintió con la cabeza.

—Te doy mi palabra.

Evalle chasqueó los dedos y, en un tono más animado del usual, dijo:

—Vámonos, y no me eches la culpa si te aburres.

—Estaré bien.

Lanna no pensaba estar con Evalle el tiempo suficiente para aburrirse.

Ahora que Grendal estaba en la ciudad, no podía permitirse que la encerraran en ningún lugar, ni siquiera con Evalle. Pero puesto que había dado su palabra de que no se haría invisible para escapar de Evalle, Lanna emplearía el teletransporte... con la esperanza de que todo fuera bien.

Y no acabar en el interior de un sólido muro de cemento.

Dieciséis

¿*Q*ué clase de idiota se ofrecía para hacer de niñera a una adolescente que tenía el poder de invocar una tormenta?

Dentro de un edificio.

Yo, por supuesto.

Evalle atravesó el lujoso vestíbulo del hotel de cinco estrellas de Quinn con Lanna pisándole los talones. Por lo menos, eso esperaba.

Giró la cabeza un momento para comprobarlo, y pudo confirmar que Lanna la seguía arrastrando su destrozada maleta. Avanzaba con la cabeza baja, y los rizos rubios de puntas negras caían sobre su espalda con tanta desgana como sus hombros.

Ahora Evalle se sentía mal por haberse molestado al verse obligada a estar con Lanna. No era porque esa chica no le gustara. Le caía bien, pero ese era el peor momento, con el Campeonato de Bestias Aquiles que se celebraba al cabo de veinticuatro horas.

Y eso si convencía a Storm para que ayudara a Tzader a averiguar el origen del contagio, para que Evalle pudiera salir de Atlanta sin que nadie se diera cuenta.

—¿Cómo estaba Storm? —preguntó Lanna.

¿Estaba? Evalle se detuvo un momento para esperarla.

—Está bien. Creo que se ha curado por completo.

—Esa no es la pregunta. ¿Cómo fue la cita con Storm?

Oh. Lanna había ayudado a Evalle a vestirse para el encuentro con Storm, después de que regresaran de la batalla en que Storm había visto a Evalle en toda su magnífica bestialidad. No había sido uno de sus momentos más femeninos. Eso había sucedido porque Evalle había obtenido permiso para mutar a su bestia y proteger, así, a Brina y el castillo de Treoir frente a los troles svart.

Lanna había ido a casa con ella y la había animado a ir a ver a Storm a pesar de que ella estaba convencida de que él estaría disgustado al haberla visto en su horrible forma de bestia. Evalle se había presentado a la puerta de la casa de Storm maquillada y con un suéter brillante por primera vez en su vida: todo ello obra de Lanna. Y él la había recibido con los brazos abiertos.

Y se había burlado de ella por haber dudado de él.

Luego la besó y...

—¿Evalle?

—¿Qué?

Lanna caminaba con paso más rápido para mantenerse al ritmo de Evalle.

—Te he preguntado cómo fue la cita.

No vayas tan deprisa y deja de estar tan irritada. Lanna no era más que una niña. Evalle respiró profundamente y procuró encontrar en su interior la tranquilidad que tanto se le escapaba esa tarde.

—La cita no fue exactamente una cita, pero estuvo bien.

—¿Eso es todo?

—Fue agradable.

Esa noche con Storm había sido como salir de su vida y entrar en la vida de cualquier mujer normal.

Él la había hecho sentir viva. Querida. Especial.

—«Bien» y «agradable», no es bueno. —Lanna la miró con el ceño fruncido—: Aburrido. ¿Qué salió mal?

Estar con Storm era cualquier cosa menos aburrido. Evalle clavó los ojos en esa adolescente metomentodo.

—Nada salió mal. Disfrutamos de la velada. Eso es todo lo que necesitas saber.

—Ah. ¿Pasaste la noche con Storm? —A Lanna le brillaban los ojos con expresión curiosa.

Evalle había pensado que el peculiar acento de Lanna era encantador hasta que esa mocosa había decidido meterse en su vida amorosa desde el primer día. Ahora esa terrorífica adolescente estaba echando sal en la herida que Evalle tenía en el ego, recordándole que había sido una cobarde por haberse negado a tener intimidad con Storm.

No necesitaba que se lo recordaran, maldición.

Estaba preparada para estar con él. En cualquier momento que él lo deseara.

¡Ahora!

¿Y quién era Lanna para cuestionar lo que ella hacía?

Antes de que llegaran a la altura del portero, que mantenía la puerta abierta y las esperaba, Evalle bajó el tono de voz para terminar con la conversación.

—Lo que Storm y yo hiciéramos esa noche no es asunto tuyo. ¿Lo pillas?

Lanna levantó la cabeza y la miró boquiabierta.

Evalle sintió una punzada de culpa. ¿Por qué? Esa adolescente debía aprender cuándo callar y cuándo hablar.

Fuera, la llovizna había dado paso a una densa lluvia. Pero Evalle sudaba. Sentía un calor tremendo. ¿Cómo era posible que Lanna llevara puesto un suéter como ese?

Lanna arrastraba su maleta y apresuraba el paso para ir al ritmo de Evalle. Llevaba la espalda encorvada en una típica actitud de adolescente decepcionada.

Evalle bajó el ritmo otra vez y, señalando el aparcamiento, dijo:

—Vamos allí.

Gran error. Lanna lo interpretó como una señal de que podían hablar otra vez y empezó a insistir, ajena al hecho de que estaba pinchando a una bestia.

—No comprendo por qué no te quedaste. ¿Cómo es posible que no quieras a un hombre como Storm? Si Adrianna hubiera tenido a Storm…

—No…

La furia inundó a Evalle con tal fuerza que no fue capaz de añadir otra palabra. El cuerpo le ardía por la necesidad de soltar un golpe. El mero hecho de oír el nombre de Storm y de Adrianna en la misma frase le hacía salirse de sus casillas. La maravillosa Adrianna nunca rechazaría lo que Storm le ofreciera.

Los músculos de los brazos y de las piernas cobraron vida. Evalle se estremeció y aminoró el paso. Se apretó una mano contra la otra. Imogenia dijo que la persona que llevara puesto el hueso no podía mutar. ¿Habría querido decir que no era posible físicamente, o que era mejor no intentarlo? Evalle había dado por sentado que Imogenia decía que su cuerpo no cambiaría por su cuenta, pero eso era con lo que se enfrentaba en ese momento.

Lanna había continuado caminando unos pasos más y entró en el aparcamiento. Se detuvo, se dio la vuelta despacio y miró a Evalle.

Algo vio en ella que le hizo mudar el color del rostro.

La gente se apresuraba entrando y saliendo del aparcamiento, ignorando a Lanna, que se había quedado inmóvil y blanca como la muerte.

Evalle se debatía entre dejarse llevar por la rabia y decirle a la chica que sentía haber herido sus sentimientos.

Cuando llegó a su lado, Lanna dijo en voz baja:

—Tu cara cambia. ¿Tienes problemas con la otra parte?

Se refería a la bestia de Evalle.

A Evalle se le habían hinchado los músculos a causa del cambio inminente. La pulsera le apretaba la muñeca y le cortaba la circulación. Tenía la piel ardiendo.

El volonte.

Evalle tragó saliva para no soltar un gruñido, respiró profundamente dos veces y dijo.

—No. Digas. Nada. Más.

Lanna asintió en silencio y la miró con expresión herida, como si Evalle acabara de aplastar un gatito.

Eso es lo único que necesito. Evalle respiró profundamente otra vez y se acercó a Lanna.

—No puedo… explicar ahora, pero no soy yo. Lo siento. No quiero gritarte. No es culpa tuya. Tengo… problemas. El coche está en el cuarto piso. Un Expedition grande y negro. Necesito… paz y silencio. ¿De acuerdo? Por favor.

Lanna asintió con la cabeza de nuevo, se dio la vuelta y empezó a caminar, esta vez sin la expresión de tristeza que tenía en el rostro segundos antes.

Una joven lista.

Evalle se apretó la frente y se esforzó por calmarse y hacer que le bajara la temperatura de la piel.

Pensar en Storm parecía provocar que tuviera las emociones a flor de piel. Debía pensar en qué decirle sobre sus planes para las siguientes veinticuatro horas sin llamar la atención de su detector de mentiras. Detestaba mentir, especialmente a él.

Pero haría lo que hiciera falta para mantenerlo a salvo.

El ascensor se detuvo con una fuerte sacudida, y Lanna salió primero. Miró a su alrededor un instante y se dirigió hacia el único Expedition negro que había aparcado allí.

Evalle sacó el mando y apretó el botón para abrir la puerta trasera, que se abrió en el momento en que llegaban al vehículo.

—Perdona otra vez por lo de antes, Lanna.

—No hay problema.

—Sí, hay un problema, pero no puedo explicarlo ahora, y también hay un problema porque está mal ser desagradable contigo.

Lanna le sonrió y Evalle se sintió perdonada. La chica le había dado tiempo para que se calmara y se recompusiera. Merecía un premio. Evalle dijo:

—¿Qué tal si vamos a cenar?

Lanna tiró la maleta en el maletero y lo cerró, mirándola con una gran sonrisa.

—Me parece fantástico.

—Sé de un lugar genial...

Pero Evalle se quedó sin palabras al ver que Storm aparecía desde el otro lado del todoterreno. Llevaba los brazos cruzados, su mirada era plomiza y la boca tenía un gesto rígido.

Evalle relajó los dedos, decidida a mantener la calma. De otra manera, no podría manejarlo.

—¡Storm! —exclamó Lanna, llena de felicidad otra vez.

—Hola, Lanna. ¿Vais a alguna parte?

Dirigió una de sus devastadoras sonrisas a la chica y Lanna suspiró con tanta fuerza que Evalle temió que se desmayara a causa del exceso de hormonas.

Lanna se rehízo de la emoción y anunció:

—Me voy a quedar en casa de Evalle.

—¿Oh? —Storm miró a Evalle.

Evalle intervino antes de que Lanna pudiera decir nada más. Le dio las llaves y dijo:

—Necesito un par de minutos, ¿de acuerdo?

Lanna dirigió una rápida mirada a Evalle y a Storm, se dirigió al lado del copiloto, subió al coche y cerró la puerta.

Evalle se alejó unos pasos, y se detuvo en un lugar que quedaba en sombra y que le daba cierta intimidad sin perder de vista el todoterreno.

Storm la siguió.

—¿Dónde está tu moto?

Ese era un punto difícil.

Con un bufido de burla, Evalle preguntó:

—¿Crees que Quinn me permitiría llevar a Lanna en un cohete? Por lo menos, esta vez no tenemos que ir por ahí con una limusina.

Esperaba que Storm se tragara que Quinn era el responsable de que ella fuera en el todoterreno. Storm sabía que su apartamento subterráneo se encontraba a diez minutos a pie desde el hotel.

Storm admitió:

—No. No creo que Quinn permitiera a Lanna subir en la moto, pero a ella seguramente le encantaría. ¿Por qué está contigo?

Aliviada, Evalle le contó lo de Grendal.

Storm desplazó la mirada hasta el brazo de Evalle.

—¿Te has deshecho de la pulsera?

—No, y no he podido contarle a Tzader lo del CBA todavía. Están pasando muchas cosas en VIPER y debo contártelas.

Evalle calló un momento, pero Storm no se apresuró a llenar el silencio.

Le había contado la verdad, aunque de forma sesgada. No había podido contárselo a Tzader a causa de la advertencia que él había hecho antes de que Evalle se fuera del cuartel general, pero el silencio de Storm empezaba a inquietarla.

—¿Qué?

—Todavía tienes el volonte, y ahora debes vigilar que no aparezca un mago loco.

—Lanna cree que está en la ciudad, pero Grendal todavía no la ha localizado. Mi apartamento es subterráneo, y está protegido. No la encontrará allí.

Momentáneamente apaciguado, Storm preguntó.

—¿Por qué no pasaste por mi casa?

En ese momento, lo mejor era decir la verdad.

—Tenía miedo.

Storm bufó con incredulidad.

—Un momento. —Evalle levantó una mano para intentar suavizar la tensión que crecía entre los dos—. Ya sabes que no tengo miedo de ti. Pero ahora mismo no tengo control sobre mi bestia y yo… no quiero humillarme otra vez. —Si él podía cambiar de tema, ella también—. ¿Dónde estabas cuando te llamé?

—Regresé al lugar del Club de Bestias esta tarde para buscar el rastro de Imogenia.

—¿Por qué?

Storm se rascó la nuca.

—Algo no estaba bien en Imogenia. Cuanto más lo pensaba, más me preocupaba el hecho de que te hubiera puesto la pulsera en la muñeca, si ella sabía lo que el hueso te haría.

—Pero eso significaría que ella sabía quién era yo y que esperaba encontrarme en el Club de Bestias —señaló Evalle, dándose cuenta de que el cuerpo se le había enfriado al cambiar de tema—. Era yo quien iba a buscarla a ella.

—Lo sé. —Storm desvió la mirada hacia la oscuridad que rodeaba el aparcamiento—. Pero… No sé, algo no encaja en todo esto.

—¿Has averiguado algo más?

—Quizá. —La miró otra vez—. ¿Recuerdas ese olor a regaliz que se notaba alrededor del Club de Bestias ayer por la noche?

—¿Te refieres al incienso del vendedor?

—Sí. Seguí el rastro de Imogenia y de su mutante hasta el lugar en que ella subió a un coche para marcharse. El rastro rodeaba un claro del bosque. Fui a comprobarlo y volví a notar ese olor.

Evalle comprendió lo que quería decir con eso.

—Ese olor significa algo para ti. ¿Qué?

Storm apretó los dientes mientras elegía las palabras.

—¿Recuerdas la bruja de la que te hablé?

Ella alzó los ojos al cielo y, en tono inculpatorio, preguntó:

—¿Te refieres a la que tú venías a buscar aquí y que yo te

prometí ayudarte a encontrar cuando regresáramos de Suramérica, cosa que todavía no he hecho?

Evalle meneó la cabeza con gesto de disgusto. Era horrible no haberlo ayudado.

—No necesito que la busques ahora mismo.

Por supuesto que no, porque Storm siempre daba preferencia a las necesidades de Evalle. Si regresaba viva del CBA, eso iba a cambiar.

—Nos pondremos a ello en cuanto tengamos un momento, ¿de acuerdo?

Él levantó una mano.

—No la he mencionado por eso. Su magia produce ese olor a regaliz.

Evalle reflexionó un momento.

—¿Así que crees que ella se encontraba en el Club de Bestias?

—No. Quizá. —Storm apartó la mirada un momento—. No estoy seguro. Debería haber notado si se acercaba, o en otro momento podía hacerlo. Pero ese olor me preocupa.

—¿No hubiera dado la cara en algún momento? ¿Como cuando estábamos solos caminando por el bosque?

—No lo sé. —Storm suspiró y se pasó la mano por el pelo, apartando los oscuros mechones de su rostro solo un momento—. Si vuelves a notar ese olor, quiero que me lo digas, estés dónde estés.

—Lo haré. —¿Por qué tenía la sensación de que Storm le ocultaba algo?—. ¿Qué más ha pasado hoy en el bosque?

Él la observó un momento antes de responder.

—Me encontré con la bruja.

Evalle se preocupó un instante, hasta que se dio cuenta de que tenía a Storm delante de ella, vivo y a salvo.

—¿Sigue viva?

—Muy viva, por desgracia. Desapareció antes de que pudiera ponerle las manos encima. Por eso quiero que estés en guardia por si notas ese olor. Y ahora dime por qué no has hablado con Tzader.

Evalle asintió con la cabeza. Continuaba pensando que había algo más, pero lo dejó pasar.

—Sen y Tzader han convocado una gran reunión en VIPER

para hablar de un par de cosas. Se prohíbe a todo el mundo el uso de la telepatía, y eso incluye a todos los veladores, porque hay una infección que se contagia a través del contacto y de la telepatía. Creen que hay algún ser poderoso por la ciudad que lo contagia a los merodeadores estrechando la mano para que estos lo contagien a su vez. Pero nadie sabe quién o qué es.

Storm apretó los dientes, rabioso.

—Son langaus.

—¿En plural?

—Sí, pero no sé cuántos.

—Pero sí sabes algo sobre este contagio. ¿Cómo lo has sabido?

Storm dudó un momento, pero le costaría mucho evitar responder una pregunta tan directa.

—Me encontré con uno en el monte Oakey, cuando me encontré con la bruja. Ella ha creado a los langaus.

Evalle observó sus ojos y su rostro, inquieta.

—¿Te has contagiado?

—Sí.

—Debes ir a los sanadores.

—Estoy bien. Ahora.

—¿Cómo?

—Por eso no respondí a tu llamada. Puedo recurrir a mi habilidad de sanación de mi jaguar, pero para sacar una infección o un veneno de mi cuerpo debo sumirme por completo en un sueño profundo. Mi espíritu guardián me despertó cuando empecé a tener fiebre, o todavía estaría durmiendo.

Evalle notó que se le empezaba a calentar la piel, y tuvo que reprimir el deseo de hacer trizas a esa bruja. Ese no era el momento, pero pronto lo sería.

—¿Por qué ha hecho esto?

—No lo sé.

—¿Hay alguna cosa que puedas contar a los sanadores y que pueda ayudar a los veladores o a otros agentes?

Storm asintió con la cabeza.

—Deben tratarlo como si fuera un veneno y no una infección, por la manera en que fue creado. Hablaré con Tzader y con los sanadores, pero necesitan un langau vivo para hacer el antídoto.

Evalle alargó la mano para comprobar la temperatura de su frente.

—Por lo menos, ahora no estás caliente.

—Ahí no. —Storm hizo una mueca.

Ahora era ella quien estaba caliente, y dudó que la culpa fuera solo del volonte.

—Creí que no ibas a animarme —le dijo, con una sonrisa triste.

Él la miró con una intensidad fulminadora.

—Lo hago lo mejor que puedo, teniendo en cuenta la situación, pero es un esfuerzo.

Evalle intuía que, si bajaba la vista, vería hasta qué punto se esforzaba. Deja de pensar en tocarlo.

¿Pero cómo se suponía que podía hacerlo?

Hablando de alguna cosa que no le hiciera desear introducir las manos bajo su camiseta y acariciarle todo el cuerpo.

No se le ocurría nada.

Si lo tocaba, su cuerpo se incendiaría.

Los ojos de Storm adquirieron una expresión oscura, pero agitó la cabeza como respondiendo a algún pensamiento y eso la ayudó a cambiar de tema.

—¿Cuántos agentes VIPER se han contagiado?

El contagio. Eso le servía.

—No lo sé. Cuando me fui del cuartel general había unos cuantos casos, pero algunos agentes han desaparecido y es posible que estén infectados y que no puedan llamar pidiendo ayuda. Hablando de ayuda, te necesitan para rastrear.

—De acuerdo.

—Fantástico, pero tengo un mensaje para ti de parte de Sen.

—¿Ah?

Un montón de desprecio en una única palabra. Evalle se lo comunicó:

—Ha dicho que tienes hasta el lunes para regresar a VIPER, o te declarará enemigo de la coalición. Yo no quiero que regreses, pero tampoco quiero que la coalición se vuelva en tu contra.

Porque si eso sucedía, se esperaría de ella que diera caza a Storm y lo entregara.

Y no lo haría.

Ahora que lo pensaba, quizá esa era la razón por la que Sen se había mostrado tan contento. Había encontrado una manera de obligarla a ponerse en conflicto con los veladores y VIPER.

Ya anotaría eso en su libreta de preocupaciones más tarde.

Y, hablando de preocupaciones, todavía tenía que instalar a Lanna, comprobar cómo estaba Grady —que, esperaba, no se hubiera contagiado— y preguntarle si tenía alguna información sobre el campeonato de bestias.

Al conocer el ultimátum de Sen, Storm se encogió de hombros.

—Ya me ocuparé de Sen el lunes.

Evalle no quería marcharse, pero debía convencer a Storm de que todo iba bien y continuar con su trabajo.

—Gracias por ayudarlos a rastrear a esos langaus, especialmente ahora que tengo las manos ocupadas con Lanna.

Él miró hacia el coche y, luego, miró a Evalle con expresión de desafío.

—¿Hay algo que no me estés diciendo?

¿Qué pregunta era esa?

Pues una pregunta que ella no podía responder con sinceridad sin arruinar su plan. Cuando todo falla, finge.

Evalle puso una cara de «no me jodas» y replicó:

—¿Qué quieres decir con que si hay algo que no te estoy diciendo?

Por favor, que se lo trague.

Storm dio un paso hacia atrás y levantó ambas manos en una señal de rendición.

—Tranquila. Lo he dicho mal.

Había colado. Evalle mantuvo la mandíbula apretada para evitar sonreír y asintió con la cabeza.

—¿No estarás intentando irte de la ciudad sin mí, verdad?

Ella no pensaba entrar en el campeonato de bestias con él, ¿Pero qué podía decir para que no la pillara con una mentira?

—¿Quieres saber la verdad, Storm? No quiero que tú vayas.

Cuando vio la cara de sorpresa de él ante ese claro reconocimiento de la situación, Evalle continuó con la esperanza de colarle su explicación.

—Quizá Bernie fuera un pusilánime de mutante, pero otros no lo serán. Sé que eres capaz de matar a cualquier cosa con la que te enfrentes. El problema es que los mutantes son una entidad desconocida. Tenemos una combinación de trucos y de poderes.

—Yo también tengo mis poderes.

Qué hombre tan testarudo. Evalle quería meterle un poco de sentido común en la cabeza.

—Lo sé. Vi cómo le arrancabas la cabeza a un trol demoníaco, pero tú sabías a lo que te enfrentabas. En el Campeonato de Bestias Aquiles, te enfrentarías a mutantes sin tener ningún tipo de información que te pudiera ayudar, porque dudo qué ninguno de ellos sea igual a los otros. Si sufrieras una herida fea, estarías a merced del siguiente mutante. Los mutantes tienen una tremenda habilidad de recuperación cuando se encuentran en su estado de bestia. —Evalle se llevó ambas manos al rostro—. Por favor, no me obligues a presenciar cómo te llenan de sangre.

Storm sintió que nacía un gruñido en lo más profundo de su estómago. Tensó los hombros a causa de la frustración contenida.

—No seré el único en llenarse de sangre. —Soltó un bufido tan fuerte que le hizo volar algunos finos cabellos de los mechones que le caían alrededor de la cara—. Deja de pensar que voy a morir.

—¿Así que ahora eres inmortal?

¿Qué les pasaba a los hombres, especialmente a los machos alfa, que se creían indestructibles?

—Por supuesto que no, pero sabes que soy la mejor elección, y sobreviviré.

Esas palabras calaron en Evalle y le provocaron una encendida necesidad de decir la última palabra. Cruzó los brazos y quizá lo hubiera dejado correr, pero cuanto más insistía él, más decidida estaba ella a ganar.

—Si no eres inmortal, no puedes afirmar que no morirás. Si lo hicieras, estarías mintiendo. ¿Cierto?

Él también cruzó los brazos y se inclinó hacia delante un poco, clavando su oscura mirada en los ojos de Evalle.

—No tienes un buen argumento. ¿Conclusión? No vas a entrar en ese lugar sin mí.

—¿Desde cuándo se te ha metido en la cabeza que tú tomas las decisiones?

—Desde que has llegado con ese maldito hueso en la muñeca y sin respaldo de VIPER.

—Eso es problema mío, no tuyo —gritó Evalle, levantando la mandíbula con orgullo. Necesitaba ese estúpido hueso para entrar en los combates de bestias como observadora y sin revelar su condición de mutante. ¿De verdad creía Storm que ella desistiría?—. ¿Conclusión? No me lo pienso sacar.

—Y una mierda, no lo vas a hacer —espetó él sin contemplaciones. Levantó una mano con gesto de frustración y farfulló—. Me estás volviendo loco.

Evalle abrió la boca para continuar volcando su rabia en él, pero Storm la sujetó por los hombros y apretó sus labios contra los de ella. Un beso exigente, nada propio de Storm. Un beso lleno de deseo y de amor. Al cabo de un momento, le sujetó el rostro suavemente con una mano y dulcificó el beso hasta el punto que le hizo tocar el cielo con las manos.

Poco a poco, la rabia de Evalle se calmó. Sus músculos se relajaron, tomados por la vida que estaban cobrando sus sentidos. Storm le acarició el rostro y los brazos, y ella apoyó la frente en su hombro, feliz de poder, simplemente, ser feliz por un momento.

Evalle soltó un profundo suspiro.

Él emitió un suave gruñido junto a su oído y volvió a sujetarla por los hombros. Evalle se separó un poco de él y dijo en voz baja:

—No podemos… hacer esto.

—¿Por qué? —Storm parpadeó, procurando enfocar la vista—. Estás borrosa. —Inspiró un par de veces con dificultad y añadió—. Es la influencia de ese maldito hueso. No quiero aumentar el hechizo que tejí a tu alrededor, así que procura apaciguar tus pensamientos.

Evalle lo hizo, y cuando su respiración se calmó fue capaz

de ver a Storm con claridad y de percibir la expresión de enfado en su rostro.

—Siento haberte gritado.

—No, esta vez ha sido culpa mía tanto como del hueso.

Evalle arqueó las cejas, sorprendida, y preguntó:

—¿El volonte te afecta también a ti?

Storm soltó una carcajada.

—No, cariño. Tú eres quien me afecta.

—Si no quieres que te arranquen la cabeza, no te acerques a mí.

—Eso no va a suceder. —Alargó la mano y le rozó la barbilla con los dedos. La miraba con una cálida expresión de cariño—. Nadie tiene tanta capacidad como tú de sacarme de quicio...

—Cuidado o me vas a alterar otra vez.

—... pero no es eso lo que tiene a mi animal a punto de salir de mi cuerpo cada vez que estoy contigo. —Su rostro mostró una expresión de insaciable deseo. Se acercó un poco más a ella—. Pierdo la cabeza, y te deseo tanto que me duele. Mi jaguar quiere salir de la jaula y soltar lo que está reteniendo.

—Oh.

¿Qué podía Evalle responder a eso?

Él suspiró e inhaló con fuerza.

—No voy a tocarte hasta que esa pulsera haya desaparecido, pero eso no me impide desear sentir tu piel en las manos y meterme tan dentro de ti que seamos uno. Quiero saborear cada centímetro de ti.

Evalle sintió que se le endurecían los pezones, en completo acuerdo con lo que Storm decía.

Le cogió una mano, se la llevó a los labios y le besó la palma. Al mirarlo a los ojos vio que eran puro fuego. Susurró:

—Te lo dije, en cuanto este hueso desaparezca, adelante.

Él le dio un beso en la frente.

—Bien.

Evalle sonrió y dio un paso hacia atrás.

—Tzader necesita ayuda ahora con ese contagio, y tengo en cuenta lo que me has dicho sobre el campeonato de bestias. Pero dame un poco de tiempo para pensar en qué necesito, ¿de acuerdo?

—Tendré mi todoterreno protegido contra el sol. Mañana deberás irte antes de las cuatro para llegar a la isla Cumberland a tiempo de registrarme en los combates. Hasta entonces, me pondré en contacto con Tzader y lo ayudaré a encontrar tantos langaus como sea posible antes de que nos vayamos.

Para no entrar otra vez en esa conversación, Evalle desvió un poco la cuestión.

—Todavía debo averiguar como ir desde St. Mary a la isla Cumberland.

—Como dijo Imogenia, embarcación privada. El anfitrión pondrá a disposición de los locales un embarcadero para amarrar las embarcaciones que puedan transportar a los nuestros. Los capitanes sabrán dónde se encuentra el lugar donde deberán dejar a los anfitriones y a los luchadores. También nos darán las instrucciones necesarias para llegar al lugar del campeonato. Eso evitará que aparezcan invitados no deseados, como VIPER.

—¿Cómo has averiguado todo esto?

Storm se limitó a sonreír.

—Este no es mi primer rodeo de bestias.

—No vas a decirme dónde encontrar el embarcadero, ¿verdad?

—Todavía no lo sé, pero en el peor de los casos podré encontrarlo rastreando a los demás. Solo recuerda que me necesitas en esto desde el principio. —Y preguntó—: ¿Dónde estarás hasta que pase a buscarte?

Otra pregunta que podía ponerle los nervios de punta.

Evalle hizo un gesto de cabeza señalando el todoterreno y respondió, esperando que él no insistiera más:

—Viviendo mi vida de niñera. Las cosas que hago por los amigos. Debo ir con ella y ver cómo está *Feenix*.

—¿Qué vas a hacer con ella mañana?

—Voy a ocuparme de eso. Gracias por ayudar a Tzader.

—De nada. —Storm la atrajo hacia sí y la besó de tal forma que Evalle deseó arrancarse el brazo para librarse de la pulsera. Luego él se separó un poco y la penetró con su oscura mirada—. Nos vemos a las cuatro. Estate. Ahí.

—Me gustabas más cuando no eras tan arrogante y exigente.

Storm esbozó una humorística sonrisa torcida.

—No es verdad.

La volvió a besar y se alejó hasta desaparecer por las escaleras.

Evalle estaría a medio camino de St. Marys cuando el reloj marcara las cuatro del día siguiente, y ya habría entrado en el Campeonato de Bestias Aquiles antes de que Storm pudiera alcanzarla en la isla Cumberland.

¿Había sido ese su último beso?

Diecisiete

¿*D*ónde estaba Grady? Evalle dio otra vuelta alrededor del hospital Grady, en el centro de Atlanta, mirando en todas direcciones en busca del viejo espectro que, habitualmente, se encontraba allí a medianoche. Se negaba a creer que se hubiera dado un apretón de manos con un langau.

Tampoco era que él fuera a morirse. Ya estaba muerto. Pero Evalle no quería que se viera atrapado en algún tortuoso estado intermedio. Aminoró el paso mientras recorría la tranquila calle trasera que separaba el hospital del ligero tráfico de la carretera.

—¿Cuándo empezaste a jugar a agentes secretos y a conducir un enorme todoterreno negro?

La profunda voz sonó tan cerca a sus espaldas que Evalle dio un respingo y se dio la vuelta de inmediato. La temperatura del aire pareció bajar súbitamente diez grados cuando se encontró ante su merodeador preferido.

La semitransparente forma de Grady parecía querer cobrar forma y desaparecer y volver a cobrar la forma de un hombre mayor con una piel del color del café. Llevaba una barba de unos cuantos días que enfatizaba su habitual expresión de terquedad. Vestía su habitual camisa de cuadros rojos y negros y de manga corta —fuera cual fuera la estación del año—, y un pantalón ancho que, en su momento, debía de haber sido el pantalón de los domingos.

Los espectros no tenían problemas con su armario ropero.

Al verlo, Evalle ladeó la cabeza.

—¿Dónde te escondías, viejo chivo?

—¿Dónde está mi bolsa? —preguntó él, alzando las pobladas cejas y mirándola con expresión divertida.

Habitualmente, ella le llevaba una bolsa de McHappy con una hamburguesa, patatas fritas y agua, pero Grady podía ser un negociante duro cuando se trataba de intercambiar información. Su idea de una bolsa decente incluía una Old Forester.

—Te he traído tu favorita.

Al oírla, él clavó la mirada en la bolsa que Evalle llevaba en la mano mientras se acariciaba los labios. La miraba con sed de alcohólico.

—¿Qué quieres?

En cualquier otro momento ella habría accedido a negociar, pero no podía estrecharle la mano aunque este jurara no haber tocado a ningún langau. Ya había infringido las reglas por ese viejo espectro una vez y le había estrechado la mano durante más rato del permitido para que él pudiera ver que su nieta se casaba. Eso había tenido como consecuencia que él fuera capaz de cobrar forma corpórea algunas veces y por largos periodos.

Al verlo semitransparente, se sintió preocupada.

—¿Puedes cobrar forma sólida?

—No. Ayer lo hice demasiadas veces y desde entonces no he podido hacerlo. Estoy desconcentrado.

Quizá eso significara que no se había contagiado.

—¿Así que no le has estrechado la mano a nadie?

—No, señora. Estoy lo que se dice colocado. Te ofrezco un trato. —Alargó la mano—. Estréchamela y podrás hacerme tres preguntas. Como si fuera un genio de la lámpara, pero tú tienes la botella. —Sonrió por su propio chiste.

—No puedo, Grady.

Él puso cara de decepcionado.

—¿Por qué no?

—Hay una infección por ahí. Los merodeadores se han contagiado y van expandiendo la infección. VIPER ha ordenado que no tengamos contacto con los merodeadores hasta que consigan controlarla.

—¿Me tomas el pelo? —preguntó, frunciendo el ceño y dando unas vueltas a paso vivo. Pero sin hacer ruido.

—Lo siento. Te dejaré la botella escondida, pero necesito información.

—No. Ni una palabra sin un apretón de manos.

Ese espectro podía ser más malhumorado que un perro en un vertedero.

—Es importante, Grady.

—También lo es que consiga un apretón de manos. Eso es lo único importante en mi mundo. ¿Por qué hueles a podrido?

—Si me insultas no conseguirás la botella —repuso Evalle levantando la bolsa en el aire.

Él la miró con malignidad.

—¿Quieres volverme loco?

—No. Intento conseguir ayuda.

—¿Y cómo es que llevas ese olor a muerte encima?

Ahora lo comprendía. Evalle se levantó la manga.

—Seguramente es este hueso.

Grady se apartó y la miró como si le acabara de lanzar a un demonio de dos cabezas.

—¿Llevas un volonte pegado al cuerpo? ¿Estás loca? ¿Líbrate de esa cosa horrible?

—Eso quisiera, pero no me lo puedo quitar. Por eso necesito tu ayuda.

Él soltó un gruñido y se alejó un poco flotando en el aire.

—Vuelve aquí y deja de flotar.

—No me grites —replicó él, pero se acercó a Evalle.

Ella se llevó las manos a las sienes.

—Lo siento. No lo puedo evitar. Este estúpido hueso me amplifica cualquier sentimiento, emoción o deseo que tenga.

—Pues será mejor que no te acerques a ese indio. Me he dado cuenta de cómo lo mira.

Evalle apretó los dientes para no repetirle a Grady que no llamara «indio» a Storm y para no recordarle que la relación que tuvieran no era cosa suya. Cuando sintió que estaba preparada para hablar sin gritar, preguntó:

—¿Sabes alguna cosa del Campeonato de Bestias Aquiles?

Él bajó la mirada hasta la pulsera volonte.

—No.

Era un pérdida de tiempo.

—Supongo que tampoco puedes ayudarme con la infección.

—Con eso sí puedo ayudar.

—¿De verdad? ¿Cómo?

El viejo chivo se limitó a mirarla en silencio. Evalle levantó la botella delante de él. Él frunció el ceño.

—Vi a un merodeador que aparecía y desaparecía. Se movía hacia delante y hacia atrás.

Un espectro enfermo.

—¿Dónde está? ¿Viste alguna otra cosa sospechosa? Storm dice que el que propaga la infección es una cosa que se llama langau.

—Si un langau es un demonio que vive en un cuerpo muerto, entonces sé dónde está.

A Tzader le encantaría eso. Le había enviado un mensaje diciéndole que Storm se había puesto en contacto con él y que había asignado unos veladores para que le ayudaran. Toda la información debía ser trasladada a Storm.

—A unas dos manzanas por ahí. —Grady señaló con el pulgar a sus espaldas, dirección sur—. Una morena que camina por ahí con aire sexy, con un vestido rojo y con tacones. Imposible no verla. Está paseando y llamando a los merodeadores.

Eso estaba cerca. ¿En cuánto tiempo podía Tzader enviar a alguien ahí?

Grady no había terminado.

—He visto a otro dando vueltas por la zona.

—¿A quién?

—Al colega de tu Rambo.

Isak Nyght. Evalle e Isak tenían una relación extraña. Después de que ella no se presentara a varias citas con Isak, su equipo de operaciones especiales la había secuestrado y la había llevado a una cena íntima con su jefe. Él la había besado un par de veces, además. Una, en presencia de Storm.

Eso no había sido nada bueno.

Isak era un extraño humano que sabía que los no humanos existían, y construía armas que mataban a los no humanos. Él podría destrozar a esa langau con su dinamitero, y VIPER necesitaba ese antídoto.

Evalle se dirigió al muro que recorría la parte derecha de la carretera y metió la botella en un agujero mientras le decía a Grady:

—Aquí estará a resguardo hasta que la puedas coger.

Él gruñó, claramente decepcionado, pero la miró con los ojos llenos de preocupación.

—No sé qué es ese Campeonato de Bestias Aquiles. ¿Te llevas a ese indio contigo?

No, pero Grady no era un detector de mentiras.

—Ese es el plan.

—Bien. No es gran cosa, pero es mejor que nada, supongo.

Ella sonrió.

—Gracias por la información. Si no puedo venir a verte, le pediré a Tzader que te mande recado tan pronto como la amenaza de contagio haya pasado. —Si no podía ir a ver a Grady sería porque estaría muerta... o en la prisión de VIPER. Cualquiera de ellas era una buena posibilidad, dada la situación en que se encontraba—. Mientras, no le estreches la mano a nadie, ¿entendido?

—Tendré cuidado.

Mientras iba en busca de la misteriosa mujer de rojo, Evalle sacó el teléfono pero dudó.

¿Enviarle un mensaje a Tzader o no? La última vez que había visto a Isak, él la había ayudado cuando VIPER tuvo que enfrentarse a los troles svart, pero Isak continuaba dando caza a los no humanos, y no había forma de que distinguiera entre un agente VIPER y un no humano peligroso.

Isak no comprendería que VIPER quisiera salvar a un langau. Pero eso no sería un problema para Evalle.

Primero lo comprobaría, y luego ya se pondría en contacto con Tzader. Caminó las dos manzanas a paso rápido. Recorrió los callejones con agilidad, con los sentidos alerta por si detectaba cualquier cosa no humana. Al final, al fondo de un estrecho callejón, vio a un merodeador que aparecía y desaparecía, y se dio cuenta de que era el que Grady le había dicho. Partes de un espectro hembra —un hombro, una pierna y la mitad de la cabeza— aparecían y desaparecían. Tenía el pelo rizado y marrón, y pecas.

El espectro gemía una y otra vez.

Pobrecito.

De repente, se oyó un ruido en la entrada del callejón que hizo poner a Evalle en estado de defensa. Se dio la vuelta y retrocedió hasta el muro de ladrillos. Rezó para que, fuera lo que fuera lo que había pisado, se le despegara de las suelas porque, si no, el hedor que desprendía la obligaría a quemarlas.

—¿Hacemos un trato, merodeador? —dijo una mujer en tono suave mientras entraba en el callejón.

Evalle dio un paso hacia delante para mirar. Se trataba de una mujer joven, una morena que llevaba un vestido rojo. ¿Era la langau que Grady había visto? Probablemente sí. El merodeador contagiado empezó a gemir más y más fuerte, y a acercarse a la langau, lo cual significaba que el espectro estaba cada vez más cerca de Evalle. ¿Era posible que el espectro la contagiara?

A la mierda. Había llegado el momento de enviarle un mensaje a Tzader y pedir refuerzos, porque Isak no...

¡Buum!

Una explosión luminosa rodeó a la langau y esta salió disparada hacia un lado. Los ojos se le hundieron en la cabeza, y de sus dedos se extendieron unas uñas de tres centímetros que se curvaron. Su cuerpo se consumió y, finalmente, se desvaneció.

La mujer merodeadora se alejó flotando y desapareció por una ventana rota.

Evalle se apoyó contra el muro, abrumada por una rabia que el hueso hacía más intensa. Tenía que haber sido Isak. Deseaba arrancarle la cabeza. Agarrar ese cráneo gordo y usarlo de pelota.

«Los verdaderos amigos son difíciles de encontrar, y deben ser apreciados», oyó Evalle que le decía la voz de una mujer mentalmente. No era telepatía. Esa voz había estado apareciendo a todas horas, día y noche, y en los momentos más inconvenientes. A Evalle le hubiera gustado saber a quién pertenecía y por qué le ofrecía pequeños consejos sabios que nadie le había pedido.

«Construye una valla alrededor de mí y llámala reserva de vida sobrenatural». Evalle oyó los dos últimos pasos de Isak antes de ver su arma.

—Soy yo. Evalle.

Isak se acercó a ella y bajó el dinamitero, dejándolo colgado de un hilo de nylon que le colgaba del chaleco. Llevaba un pantalón negro y una camisa negra de manga larga debajo de un chaleco de combate completamente cargado.

—Hola, linda. ¿Por qué te escondes aquí? Hubieras podido recibir el impacto de alguno de los miembros de ese demonio.

Sus ojos azules chispeaban de alegría. Era un hombre grande. Le hacía pensar en un camión Mack disfrazado de hombre sexy.

Evalle se apartó del muro. Abrió y cerró los dedos de las manos, esforzándose por mantener el control.

—No me escondo. ¿Era necesario que hicieras eso? Necesito esos miembros de demonio.

—¿Por qué? Vi que esa cosa le estrechaba la mano a un espectro, y el espectro perdía el control.

—Esa cosa vestida de rojo era una langau. No sabemos cuántos hay en la ciudad, pero están contagiando una infección.

—Entonces deberías darme las gracias en lugar de quejarte.

—Lo haría, pero VIPER necesitaba a esa. Tenemos unos agentes enfermos y necesitamos capturar por lo menos a uno para que los sanadores puedan elaborar un antídoto.

—Huy. Me equivoqué.

Pero no parecía arrepentido en lo más mínimo, porque hacía muy poco tiempo que había decidido permitir vivir a algunos no humanos. Tiempo atrás, Isak no sabía que VIPER existía, y creía que todos los no humanos eran una amenaza para los humanos.

Isak la había apuntado una vez con intención de disparar, pero eso ya estaba superado. A pesar de ello, Evalle no estaba segura de cuál era su relación ahora, a causa del beso que le había dado.

Lo cual le recordaba...

—Quería devolverte tu dinamitero.

—No hay prisa. —Calló un momento y sonrió—. Tráemelo cuando vengas a cenar.

Isak se acercó a Evalle y le acarició la mejilla con los nudillos de una mano. Llevaba una colonia de madera de sándalo que combinaba bien con su olor natural de macho, especialmente cuando había entrado en calor. Evalle notó una ola de calor en las mejillas que le bajó por el cuello y le recorrió el cuerpo. La energía entre ambos vibraba, a pesar de que él era completamente humano.

Completamente varonil. Pero no era Storm, que se pondría en modo macho alfa si viera hasta qué punto Isak se había acercado a Evalle. De hecho, Storm había accedido a no hacer daño a Isak mientras este mantuviera las manos lejos de ella, cosa que no estaba haciendo en ese momento.

Evalle abrió la boca para decirle que parara, pero Isak le puso un dedo sobre los labios impidiéndole hablar. Evalle, la reina de la evitación. No sabía bien qué decir, pero no podía dejar que él creyera que llegarían a algo a pesar de esa extraña química que había entre ellos.

Él se inclinó para besarla.

Evalle dio un salto hacia atrás y chocó contra el muro.

Isak apoyó las manos en su arma con gesto desenfadado.

—¿Quieres decirme alguna cosa?

Sí, pero no te va a gustar.

—Tengo una relación... con una persona.

Isak no dijo nada de momento.

—¿Qué clase de relación?

Evalle vivía en permanente alerta en esos momentos, esperando encontrarse a Storm en su dormitorio. Demasiada información.

—Íntima.

—¿Qué hay de nuestra cena?

Ella le había prometido a la madre de él una cena, que se había convertido en una cita con Isak cuando este la ayudó a luchar contra los troles svart sin matar a ninguno de sus amigos no humanos. Además, Evalle estaba en deuda con la madre de Isak, Kit, por haberse quedado con Kardos y Kellman después de que los salvaran de los svart. Kit se había ofrecido a cuidarlos hasta que Evalle pudiera ir a recogerlos, para que los gemelos no tuvieran que quedarse en la calle.

La deuda de Evalle no hacía más que crecer.

—Vendré a cenar, pero necesito un poco de tiempo. Estoy... ocupada.

Isak la escuchaba en silencio.

—Mira, Isak, aprecio mucho todo lo que tú y Kit habéis hecho para ayudar con el arma y los chicos. De verdad, pero no sería honesta contigo si te besara ahora mismo. —Él asintió con la cabeza y Evalle sintió alivio—. Si encuentras otro langau, ¿llamarás, por favor, a Tzader?

Isak asintió de nuevo. Eso estaba saliendo mejor de lo que Evalle habría creído unos momentos antes.

Pero entonces Isak se acercó a ella y lo que le susurró al oído le hizo subir la presión sanguínea:

—No tengo miedo de la competición. Nos veremos para cenar, y estaré cerca mientras tanto.

Y se alejó por el callejón con paso tranquilo.

Evalle debía informar a Storm de ese incidente.

Dieciocho

—*T*e obligo a…

A Kizira se le retorció el estómago esperando las siguientes palabras de Flaevynn. ¿Por qué se demoraba? Dilo ya. Así Kizira podría empezar a trabajar para evadirse del hechizo. Cathbad había tenido razón en una cosa.

Kizira no podía proteger a nadie mientras estuviera metida en un calabozo, pero era un idiota si creía que pondría su vida en peligro por él o por Flaevynn. Si Kizira dirigía a los mutantes, entonces ella sería la primera en llegar al río de la inmortalidad que fluía por debajo de Treoir.

Sentada en el trono, la reina Flaevynn se daba golpecitos en la mejilla con una larga uña pintada de negro y encastada con diamantes. Sus ojos maquillados expresaban un humor risueño. Gruesos mechones de cabello negro se retorcían y se enroscaban lentamente alrededor de su cuello y de los hombros, que llevaba al descubierto, y caían sobre la vaporosa seda del vestido cuyo color recordaba a Kizira el vino de borgoña.

Conociendo a Flaevynn, seguro que ese vestido se había confeccionado a partir de un raro diseño antiguo.

—Arrodíllate —ordenó Flaevynn, y Kizira se arrodilló sin darse cuenta.

Pero lo hizo con tanta fuerza que se le rompieron los huesos, provocándole una fortísima punzada de dolor en las piernas. Kizira apretó los dientes con fuerza, negándose a hacer ni una mueca a pesar del agudo dolor. Su cuerpo empezó a sanar la herida. No tan deprisa como lo haría Cathbad, pero no tardaría mucho.

Flaevynn se rio.

Me alegra servirte de diversión. Kizira mantenía la vista fija hacia delante; hacía años que había aprendido que cuanto menos dijera, antes la soltaría.

Kizira se dio cuenta de que quizá había hablado con demasiado atrevimiento, pero debía tener cuidado en la manera de manejar la situación.

—Sí. Me gusta el mundo de los mortales, pero no puedo pasar mucho tiempo ahí mientras tú y Cathbad estáis aquí retenidos. Si vosotros conseguís la libertad, yo conseguiré la mía.

—Ya lo veremos. —Flaevynn señaló a Kizira con una de sus largas uñas negras y murmuró unas palabras en voz tan baja que no se oyó nada. Luego, en tono más alto, continuó—: Kizira, sacerdotisa Medb de mi sangre, te obligo a hacer lo que yo te ordene durante los próximos tres días. Si en algún momento no repites mis órdenes a los mutantes de la manera exacta en que yo te las diga, deberás cobrarte la vida de la persona que más ames.

Kizira se quedó boquiabierta. Si corría algún riesgo al intentar evadir el hechizo, sería un riesgo mortal.

Finalmente, Flaevynn la había sorprendido con una agudeza inesperada.

Sonriendo de satisfacción, Flaevynn dijo:

—Ahora no necesito preocuparme de que hagas algo a mis espaldas.

El dolor en las piernas se había reducido considerablemente. Kizira se obligó a recuperar una expresión de indiferencia. ¿Cómo podría eludir las órdenes de Flaevynn ahora?

—Debería darte la frase hechizada que te permitiría vivir y convertirte en la próxima reina —pensó Flaevynn en voz alta.

El pulso de Kizira se aceleró. Si Flaevynn le ofrecía esas palabras, Kizira sobreviviría a Flaevynn y a Cathbad. Nunca más podría abandonar TÅμr Medb, pero podría…

Flaevynn terminó su pensamiento diciendo:

—Entonces sabrías lo que significa estar atrapada en este reino durante cientos de años, dependiendo de quienes son inferiores a ti. Pero ni siquiera saber que tú sufrirías como yo lo he hecho es suficiente para permitir que otra reina sobreviva si yo no lo hago.

Por supuesto que no.

Flaevynn volvió a señalar a Kizira con la uña y empezó a recitar el siguiente hechizo. Una energía de color púrpura se arremolinó alrededor de Kizira.

—Kizira, sacerdotisa Medb de mi sangre, te obligo a asistir al Campeonato de Bestias Aquiles, en el mundo de los mortales, durante la noche llena de hoy. Me traerás a todos los mutantes que se ofrezcan a los Medb antes de los combates, o a los que se ganen por acuerdo una vez hayan ganado los combates de élite finales.

Esa orden no daba mucho espacio de maniobra.

Kizira dijo:

—Lo haré.

Flaevynn continuó:

—Cuando regreses del campeonato de bestias, te vincularás mentalmente con todos los mutantes para que solo tú ejerzas control sobre ellos, incluido Tristan y cualquier otro que se encuentre en mi posesión… incluso cuando se transformen.

—¿Cuando se transformen? ¿Qué quieres decir?

—Cathbad no te lo ha contado.

—No.

El rostro de Flaevynn expresó una felicidad auténtica mientras susurraba a Kizira:

—No estaba segura de que pudieran obligarlo, no en este momento de su vida, pero ahora sabemos cuál de los dos es más poderoso.

Y, volviendo a dirigir la atención hacia el hechizo, Flaevynn movió el dedo en círculos. Una energía púrpura y oscura sofocó a Kizira hasta tal punto que debía esforzarse por respirar. Continúa, zorra.

—Te asegurarás de que los mutantes cumplan cada una de tus órdenes, igual que tú cumplirás las mías, Kizira. Estarás ligada a mi vida durante los próximos tres días, y morirás de inmediato si yo muero. Pero yo no estaré ligada a ti en caso de que mueras. Cuando regreses del combate de bestias con los mutantes, te encargarás de su transformación y los obligarás a ejecutar mis órdenes. Si alguno de ellos no hace lo que yo diga, tú pagarás el precio.

¿Y Cathbad cree que puedo eludir este hechizo?

Kizira permanecía inmóvil, suplicando en silencio que todo

eso terminara. Sus rodillas casi se habían curado y ahora podía tenerse en pie sin gritar.

—En cuanto los mutantes invadan Treoir y maten a Brina, tú me traerás agua del río que fluye por debajo de Treoir sin tocarla ni beberla. Cuando yo haya conseguido la inmortalidad, enviaré mi ejército de mutantes al mundo de los mortales con todo mi aquelarre de brujas Medb y hechiceros. Macha ya no dispondrá de sus poderosos guerreros veladores cuando tenga Treoir bajo mi control, porque los veladores que sobrevivan responderán ante mí.

A Kizira la sangre se le heló en las venas.

¿Habían, ella y Cathbad, subestimado a Flaevynn? Pero a la reina le pasaba una cosa por alto.

—Macha no se quedará de brazos cruzados mientras Treoir es atacada.

—¿Crees que la subestimo? Piénsalo mejor. Hace tiempo que estoy preparada para enfrentarme a ella.

¿Qué podía tener Flaevynn en mente para impedir que Macha interviniera? ¿O estaba tan loca que creía que ganaría a cualquier precio?

Kizira tenía el desagradable presentimiento de que Flaevynn escondía un as bajo la manga, y que ni siquiera Cathbad se había dado cuenta de ello.

Diecinueve

*E*valle aparcó en el piso subterráneo del edificio de Nicole, en Avondale Estates, en el extremo este de Atlanta. Nicole había sido su única amiga desde que Evalle llegó a Atlanta. Confiaba en Nicole tanto como confiaba en Tzader y Quinn.

Y en Storm.

Lanna salió del coche. Durante la cena y el rato que estuvieron en su apartamento, se había mostrado muy animada y había jugado con *Feenix* durante horas. Pero ahora ya no estaba tan animada ni habladora.

Tampoco miraba a Evalle.

Evalle abrió la puerta trasera con su fuerza cinética y *Feenix* salió de un salto y voló hasta el suelo. En ese momento, Evalle vio que una pareja se dirigía al ascensor y, en tono tranquilo, le dijo a *Feenix*:

—Nada de volar hasta que entremos, ¿de acuerdo?

Feenix soltó un suspiro y la miró con esos grandes ojos de color naranja.

—Lo *ziento*.

Ella sonrió.

—No pasa nada.

Esa sonrisa que descubría dos colmillos le enternecía el corazón. Amaba a su dulce gárgola. Medía sesenta centímetros de altura, y llevaba puesta su camiseta favorita. Por suerte, en esos momentos la gente o bien dormía o ya habían salido a realizar sus actividades matutinas, así que había poco tráfico en el aparcamiento privado del edificio de Nicole.

Lanna sacó su maleta del maletero del todoterreno, y Evalle cogió su bolso de mano repleto de tuercas y tornillos. Luego cogió la mano de *Feenix* y le dio un suave apretón.

—No te olvides de hacerte el robot si alguien te ve.

—Lo sé.

Feenix se mostró exasperado ante la advertencia, pero la verdad era que tenía tendencia a olvidar ciertas cosas.

Evalle miró un momento a Lanna y sintió un nuevo aguijonazo de culpa.

—Nicole te va a encantar, y no serán más de dos días, como mucho.

Lanna le sonrió con desgana.

—Comprendo.

No, no comprendía, pero Evalle no podía decirle a nadie lo que iba a hacer al partir. Nadie de VIPER podía saberlo, y Lanna hablaba demasiado; además, debía perder ese hábito de meter las narices donde no debía.

Esta vez era mejor mantenerla fuera del asunto.

—Vamos. —*Feenix* tiró de la mano de Evalle y luego sonrió a Lanna—. Te gustará Nicole.

Nadie podía resistirse a *Feenix*, ni siquiera Lanna, que finalmente se rindió y le sonrió:

—Seguro que sí.

Evalle consiguió meterlos a los dos en el ascensor y subirlos hasta el piso de Nicole sin ningún incidente.

A veces, el mundo giraba a su favor.

Nicole abrió la puerta y se desplazó hacia atrás en la silla de ruedas para permitirles entrar. Tenía unos exóticos ojos marrones, una nariz fina, unas mejillas esbeltas y una suave piel color café. Su belleza podía eclipsar la de muchas modelos, y no había nada de vanidad en ella. Llevaba el cabello recogido, aunque normalmente lo llevaba suelto y cayéndole a la altura de los hombros.

Evalle le presentó a Lanna y esta dio un paso a un lado con timidez en un gesto poco frecuente en ella. Lanna iba a matar a Evalle de culpa.

Nicole le ofreció la mano y Lanna se la estrechó.

—Me alegro de conocerte. Me apetece mucho tener un poco de compañía. Mi compañero está fuera de la ciudad esta semana.

—Gracias por la invitación. —Lanna le dirigió una educada sonrisa, le soltó la mano y se apartó un poco.

Evalle se sentía agradecida por el hecho de que Red, el compañero de Nicole, fuera un ingeniero de transportes que viajaba a menudo y por que, en ese momento, no estuviera presente. Red no se alegraría de que Evalle hubiera traído a su gárgola y a Lanna para que se quedaran con Nicole, a pesar de que Nicole era una bruja poderosa.

Feenix se removía, pasando el peso de su cuerpo de un pie a otro. Nicole le abrió los brazos:

—Ven aquí, dulzura.

Feenix hizo batir sus alas de murciélago y soltó unos alegres gorgoritos mientras saltaba a su regazo. Ella lo abrazó y le acarició la piel verdosa.

—Creo que has crecido un centímetro.

Feenix miró a Evalle, asombrado.

—¿Qué *ez* un *centímeto*?

Evalle se lo enseño marcando la distancia entre su pulgar y su índice.

—Mucho.

Nicole le acarició la cabeza entre los pequeños cuernos.

—Si vas a jugar un rato para que yo pueda hablar con Evalle, luego miraremos la televisión.

Feenix aplaudió de alegría, y batió las alas para alejarse volando de su regazo.

—¡Nathcar! ¡Nathcar! ¡Danica!

—Seguro que esta noche encontraremos alguna carrera de automóviles. —Nicole se dirigió a Lanna y dijo—: Tengo un par de juguetes que él podrá perseguir volando cuando les haya hecho el hechizo necesario. ¿Me los puedes traer? Están en ese armario de la pared.

Lanna sacó una pieza de plástico con forma de espiral que le cabía en la palma de la mano. Pero fue ella quien susurró algo al juguete, y este cobró vida: salió por los aires girando y cambiando de colores.

Feenix salió disparado en persecución del juguete mientras Lanna hacía volar tres más.

Nicole asintió con la cabeza, admirada.

—Bien hecho. Gracias.

Lanna se dio la vuelta y dijo:

—Mira esto. —Y desapareció.

Nicole miró a Evalle con expresión preocupada, y esta hizo un gesto con la mano para quitarle importancia.

—No te preocupes. Me explicó que está aprendiendo a hacerse invisible.

Cuando Lanna volvió a aparecer a la vista de todos, Nicole le preguntó:

—¿Cuánto tiempo puedes permanecer invisible?

—Veinte, quizá treinta minutos—. Lanna se frotó la frente—. A veces duele. O me canso.

Nicole señaló hacia el otro extremo de la habitación y dijo:

—Ve e instálate en la habitación de invitados. Túmbate un poco, si quieres.

—Gracias. —Lanna miró un momento a Evalle—. No te sientas mal por esto. Yo te comprendo, y algún día te pediré que me comprendas tú a mí.

—Es justo. —Evalle pensó en darle un abrazo, pero nunca había sido de muchos abrazos—. Si no me pongo en contacto contigo dentro de unos días, Quinn lo hará; y, si no, tanto tú como Nicole tenéis el número de Tzader para llamarlo.

En cuanto Lanna hubo entrado en la habitación de invitados, Evalle se sentó en un extremo del sofá, que tenía un espacio abierto para que Nicole pudiera poner su silla de ruedas. Allí, Evalle siempre se sentía como en casa y nunca sabía si eso era debido a los acogedores colores otoñales de la sala o a algún hechizo de Nicole para imbuir el espacio de tranquilidad.

—Lanna es poderosa —dijo Nicole—. Más que una bruja.

—Es la prima de Quinn, y él no sabe qué es ella. Dice que ella tampoco lo sabe. Es una historia larga pero, en resumen, su madre desapareció durante un mes hace diecinueve años por motivos que no conozco y volvió a aparecer sin tener ni idea de dónde había estado ni de cómo se había quedado embarazada.

—No pasa nada, pero me preocupa que pueda atravesar las protecciones que he erigido en el apartamento.

Evalle negó con la cabeza.

—No lo creo. Nunca se ha entrenado con nadie. Ya me he acostumbrado a sus desapariciones en el apartamento, y en el coche. Creo que disfruta teniendo ese control. Gracias por lo que estás haciendo.

—Me alegra poder ayudar, ¿pero cuál es el motivo?

Sin levantar la voz, Evalle dijo:

—Quinn me pidió que me quedara con Lanna mientras él iba a ayudar a los veladores con un problema que tienen. Un mago persigue a Lanna, pero yo he conducido por ahí un buen rato con ella y con *Feenix* para ver si alguien nos podía estar siguiendo. Tengo un todoterreno protegido de la luz del sol y de que nadie pueda entrar en él sin autorización, pero si Lanna empieza a tener fuertes dolores de cabeza, llama a Tzader o a uno de estos números y haz que la lleven al cuartel general.

Evalle le dio un trozo de papel y añadió:

—Nunca traería el peligro a la puerta de tu casa.

—Ya lo sé.

—Pero no le abras la puerta a nadie si no lo conoces personalmente, ni a nadie, aparte de Tzader o Quinn, que te diga que ha venido a verme a mí o a Lanna. —Evalle se inclinó hacia delante y puso las manos sobre el mullido brazo del sofá—. Si no he vuelto dentro de dos días, por favor, llama a Tzader y dile que tienes a Lanna. No quiero que la tengas más tiempo, pase lo que pase.

Nicole alargó un brazo y le puso la mano en la frente.

—Tu aura dorada está oscura. ¿Qué está pasando? —Antes de que Evalle pudiera responder, Nicole le levantó el brazo y le subió la manga, dejando al descubierto la pulsera—. ¿Qué es eso?

—Eso es un volonte, y parte del problema. —Evalle hizo un rápido resumen de lo que había sucedido desde que fue al Club de Bestias la otra noche—. Por eso necesito tu ayuda. Debo irme pronto para llegar a St. Marys esta noche, antes de que lo haga Storm. Son seis hora y media hasta allí. Si me voy a mediodía, llegaré justo antes del anochecer y podré vigilar todos los embarcaderos para averiguar desde cuál llevarán a los luchadores hasta la isla Cumberland. —Eso le daría una ventaja de cuatro horas sobre Storm.

Nicole le preguntó:

—¿Es por eso que necesitas la poción?

—Sí. La tienes, ¿verdad?

Nicole la soltó y se recostó en la silla. La miró con expresión de preocupación.

—Pero necesitas a Storm en ese evento.

—No, no lo necesito. La verdad es que puedo entrar gratis como mutante.

—Pero entonces deberás luchar.

Evalle señaló la pulsera.

—Espero poder hacer un trato con esto para que me dejen solo ver los combates si mantengo en secreto mi condición de mutante. Cuando haya conseguido entrar, encontraré la manera de hallar a Tristan y convencerlo de que se tome la poción. No es un gran plan, pero creo que funcionará.

Nicole le dio a Evalle una frasco de plata tan pequeño que le cabía dentro del puño. En uno de los costados tenía un sol y un pájaro grabados.

—Gracias, Nicole.

Nicole cerró los ojos y se recostó. Pronunció unas palabras en silencio moviendo los labios imperceptiblemente. En otras ocasiones Evalle había visto a Nicole usar su capacidad de premonición, y esperó a que su amiga le dijera lo que veía. Finalmente, Nicole abrió los ojos.

—No consigo ver qué sucede en el interior del evento, pero percibo que no puedes entrar ahí sola.

Evalle se puso en pie.

—Gracias por el aviso, pero no puedo decírselo a VIPER, y no pienso poner en riesgo la vida de Storm.

—Deberías hablarlo con él.

—No hay nada que hablar con él, por lo que a mí respecta. Se ha vuelto tan sobreprotector como Tzader y Quinn, o peor.

Nicole sonrió con expresión comprensiva.

—¿Así están las cosas entre vosotros dos?

—Sí y no. —Evalle cruzó los brazos para contener los nervios—. Él ha tenido tanta paciencia conmigo que seguramente he perdido la oportunidad que tenía con él, por decirlo de alguna manera.

Porque no conseguiría regresar viva.

—¿Le hablaste… de tu pasado?

Evalle nunca le había contado a nadie lo de aquella noche, ni a Nicole, ni a Tzader ni a Quinn, pero intentar ocultar una cosa como aquella a Nicole era inútil.

—No, pero es empático, así que, al igual que tú, sabe que estoy jodida en lo que a relaciones personales se refiere.

—Yo no he pasado mucho rato con Storm, pero la vez que estuve cerca de él noté el corazón de un hombre bueno.

Evalle negó con la cabeza y se tragó el remordimiento.

—Lo más triste es que estoy dispuesta a intentar algo más con él, pero quizá no tenga oportunidad. Si no consigo regresar, espero que él venga a buscarte y averigüe dónde estoy. Si lo hace, no le digas dónde estoy. No se lo digas a nadie.

—No puedes hacer esto sola, Evalle.

—Debo hacerlo.

Se presionó los ojos con los dedos, esforzándose por mantener el control. Evalle debía evitar que sus emociones se escaparan a su control. Estaba impaciente por pasar ese hueso a alguien durante los combates de bestias.

Pero en ese momento, el dolor que le producía haberle mentido a Storm, aunque fuera por omisión, y la posibilidad de no volver a verlo nunca más le destrozaban el corazón.

Bajó la mano, inspiró con fuerza y dijo:

—Si viene pasado mañana buscándome, por favor, dale este mensaje. Dile que él ha sido el único, el único al que he querido, y que siento haber perdido mi oportunidad con él. Pero que no debe ir en mi busca.

Nicole se cubrió los labios con los dedos de una mano, como si le acabaran de pedir que escribiera una elegía para Evalle.

Evalle no tenía por costumbre entrar en contacto con los demás, pero Storm la había influido demasiado. No podía no darle un abrazo de agradecimiento a Nicole. Fue un abrazo breve, pero cuando se separaron Evalle se alegró de haber tenido ese contacto con ella. Nicole se había convertido en algo más que una amiga durante el tiempo que se habían conocido. Era como una hermana. O lo que Evalle imaginaba que podía ser una hermana.

—Por favor, regresa —dijo Nicole, como si pronunciara un hechizo de deseo.

—Haré todo lo que pueda.

Evalle se dirigió hacia el vestíbulo y levantó del suelo el bolso de mano lleno de tuercas. Nicole lo cogió.

—¿Vas a despedirte de *Feenix*?

Con un nudo en la garganta, Evalle repuso:

—No. Ya le he dicho que se quedaría aquí esta noche. Si hablo con él ahora, se dará cuenta de que pasa algo. Quiero que esté feliz el mayor tiempo posible. Siento cargarte con esto, pero si no regreso...

—Siempre cuidaré a *Feenix* —se apresuró a decir Nicole; y, en un tono de voz más bajo, añadió—: Pero debes llevarte a Storm a los juegos. Yo... yo debo decirte lo que he visto.

Sin cerrar la puerta, Evalle volvió al lado de la silla de ruedas de su amiga y se inclinó hacia delante.

—¿Qué?

—Si no llevas a Storm contigo, no saldrás viva de esos juegos de bestias.

Evalle le dio un apretón en la mano y salió del apartamento cerrando la puerta a sus espaldas con cuidado. No necesitaba las capacidades de Nicole para saber que iba a morir. Lo había sentido en el corazón durante todo el día.

Veinte

*A*lguien la estaba siguiendo. Evalle había sentido esa presencia durante todo el camino hasta esa somnolienta ciudad del sureste de Georgia.

Desde la postura en cuclillas en que se encontraba, se incorporó un poco para realizar un lento reconocimiento visual de los oscuros bosques que tenía detrás y que la ocultaban a ella y al todoterreno. Hacía una hora que se había puesto el sol, y nada se movía en esa negrura vacía. Respirar el aire salado resultaba vigorizante después de las seis horas de conducción.

Evalle regresó a la posición que había tomado noventa minutos antes, al llegar a St. Marys, detrás de un pino desde donde podía observar uno de los muelles. Eran las ocho y todavía no había localizado el muelle. Y esa sensación de que había alguien muy cerca, alguien que la estaba siguiendo, le ponía los nervios de punta.

No era posible que Storm hubiera llegado. No tan pronto. ¿O sí?

No. Si así fuera, hubiera aparecido ante ella aunque solo fuera para hacerle saber hasta qué punto estaba enojado. Evalle le había estado enviando mensajes durante toda la tarde, fingiendo estar en Atlanta cuando ya se encontraba conduciendo en dirección sureste. Él había contestado, y en su último mensaje le decía que había encontrado los langaus en Atlanta, y que el equipo de Tzader había conseguido capturar uno. Los sanadores ya estaban utilizándolo para crear el antídoto.

Y le había enviado ese mensaje cuando se encontraba de camino hacia su apartamento, donde habían quedado en encontrarse. En Atlanta, donde se suponía que ella se encontraba. La llamada para decirle que ella no se encontraba allí había ido peor de lo que esperaba, lo cual era decir mucho.

Evalle ya había visto a Storm enojado con anterioridad, pero su furia llegó a niveles máximos cuando se enteró de que ella le llevaba cuatro horas de ventaja. Evalle creía que ni siquiera la había oído cuando le había dicho «Lo siento», justo antes de que rompiera el teléfono para evitar que alguien le pudiera seguir el rastro electrónico.

Storm nunca la perdonaría, pero estaría vivo.

Corría una suave brisa nocturna. Por favor, que sea este el embarcadero. Evalle debía subir a una de las embarcaciones privadas que transportarían a los no humanos hasta la isla Cumberland.

Los otros embarcaderos estaban demasiado a la vista para embarcar bestias, y aunque ella podía hacerse pasar por una visitante humana, no se fiaba de que Sen no tuviera a alguien vigilando por si ella subía a un ferri público.

Un lujoso autobús se detuvo en la zona de aparcamiento que quedaba entre la zona donde se encontraba Evalle y el agua. De él bajaron dos individuos. Estaban demasiado lejos para verlos bien, pero uno caminaba como si llevara argollas en los tobillos. Los dos se dirigieron hacia el embarcadero, pero sin salir de la zona de sombra.

El embarcadero apenas era visible, pues solo lo iluminaban unas sencillas farolas. El individuo que llevaba las argollas se colocó un momento bajo la luz y Evalle vio que tenía una larga cola que arrastraba por el suelo.

Evalle contuvo un suspiro.

Ese tenía que ser el muelle.

Unos faros iluminaron el aparcamiento. Un BMW 650i blanco descapotable entró en él, y una antigua camioneta Dodge plateada aparcó a cierta distancia del primero.

Una mujer con el cabello largo y blanco y una brillante máscara dorada salió del coche deportivo.

Imogenia había llegado. Llevaba una cadena en la mano, y con ella arrastraba a su mutante, Bernie, como a un hijo no deseado. Esta vez no llevaba la cabeza cubierta.

Las puertas de la camioneta se abrieron y se cerraron. Una de las personas que salió de ella debía de medir unos dos metros diez, parecía un varón y llevaba un brillante collar de color rojo.

Si ese gigante era un mutante, ¿cuán grande sería cuando mutara?

Imogenia llamó a un tipo que debía de ser el patrocinador del gigante.

—¿Mutante?

—Sí.

Bernie gimió, y Evalle sintió un retortijón en el estómago.

—¿Dónde está la embarcación? —preguntó Imogenia a nadie en concreto.

Antes de que alguien le contestara, un trol emergió del agua y subió por la rampa de embarcar. Media unos tres metros de alto, tenía los cuernos y la cabeza empapados, y el pelaje cubierto de fango.

Nadie pronunció palabra. El trol se colocó al lado de una de las farolas y levantó una garra. Hizo un gesto entre el haz de luz y el agua, dos veces. Luego se detuvo y lo repitió dos veces más.

Entonces una lancha motora de nueve metros de eslora salió de la oscuridad en que estaba sumida el agua más allá de la rampa. Se detuvo el tiempo imprescindible para embarcar a los recién llegados y se marchó rápidamente, desapareciendo en la noche.

Evalle debía subir a la próxima lancha, pero cuando iba a dar un paso en dirección al aparcamiento, oyó a sus espaldas el chasquido de una ramita al romperse. Evalle se giró rápidamente al tiempo que sacaba la daga de la bota, lista para el ataque.

Nada.

—¿A qué estás esperando? —dijo Evalle en voz alta, desafiante—. No tendrás una oportunidad mejor para atacarme.

Nada. Ni un movimiento, ni un sonido. Solo la sensación de que estaba en lo cierto. No tenía tiempo para esos jueguecitos.

La isla debía de estar a una media hora de distancia, pero Evalle no tenía ni idea de lo que tardaría en encontrar el lugar donde se celebraba el campeonato de bestias cuando bajara de la embarcación.

Y esa sensación de ser observada no la abandonaba.

¿Podría tratarse solamente de alguna criatura curiosa? ¿Pero de qué tipo?

Saliendo del escondite, Evalle dijo:

—No te haré daño si no me das motivo para ello.

Justo cuando empezaba a girarse, su mirada se tropezó con el todoterreno, que tenía el maletero abierto. ¿Es que no lo había cerrado?

Dio un suave golpe cinético y lo cerró. Luego cerró el coche con el mando y se dio la vuelta.

Se dirigió hacia el embarcadero. Cuando se encontraba a medio camino, oyó el zumbido de las aspas de un helicóptero. Se acercaba muy deprisa.

Seguramente, los ricos patrocinadores debían viajar a la isla en el transporte adecuado.

El helicóptero aterrizó, levantando mucho aire a su alrededor. Un hombre saltó al suelo y se dirigió hacia Evalle con paso decidido y ágil.

Evalle se quedó boquiabierta.

—¿Cómo has…?

Pero al ver la furia de Storm no pudo terminar. Él se acercaba con la cabeza agachada, como un toro embravecido.

Las cosas pintaban feas. Evalle levantó la daga, apuntándolo.

—Ya puedes regresar por donde has venido…

Storm se detuvo a medio metro de distancia. Respiraba con agitación, y Evalle sabía que no era de cansancio.

—¿De verdad pensabas que te permitiría ir ahí sola?

—¿Permitirme? No eres tú quien decide.

—Si quieres hacer esto, yo lucharé. No tú.. Además, me necesitas para entrar.

Evalle señaló su brazo y replicó:

—No te necesito. Puedo entrar con la pulsera y sin luchar.

—O eso esperaba.

—No te das cuenta de cómo funcionan estos combates, y en especial este, ya que es de mutantes. Lo sabrías si no me hubieras mentido y si me hubieras esperado para venir juntos.

Evalle sintió una punzada de culpa al oír la palabra «mentido», pero no lo mostró.

—Ya intenté hacerte comprender que no te quiero aquí.

—¿Y eso significa que está bien venir aquí sola sabiendo que yo no me quedaría sin hacer nada?

Evalle apartó la mirada hacia el helicóptero, cuyas aspas todavía giraban despacio en el aire.

—Siento lo que hayas tenido que hacer para llegar aquí, ya sé que estás enojado...

—¿Enojado? ¿Crees que ese es el tema?

Storm se acercó tanto a ella que Evalle tuvo que apartar la daga para no clavársela. La abrazó y la besó con tanta rapidez que ella no tuvo tiempo ni de respirar. No fue un beso dulce, sino un beso que le comunicaba una emoción turbulenta. Deseo. Ansia.

Pero, por encima de todo, Evalle percibió la necesidad de Storm. Ninguna otra emoción le hubiera podido llegar tan rápidamente. Ella lo necesitaba, pero no para que peleara. *Temblaba por el esfuerzo de contener la influencia del hueso. Se había mantenido tranquilo durante todo el viaje hasta llegar aquí. Solo debo aguantar un poco más.*

Con su fuerza cinética, Evalle enfundó la daga en la bota y le rodeó el cuello con los brazos. Le encantaba besar a ese hombre. Lo había echado de menos cada minuto del día que habían pasado separados. Pero esta vez no permitiría que el volonte le manejara las emociones.

Quería que Storm supiera que era ella quien lo besaba.

Él la sujetó con fuerza por la cintura, estrechándola contra sí, durante el largo rato que pasó hasta que la energía que los recorría se calmara. Finalmente, se apartó un momento y murmuró:

—No estaba enojado. Alquilé un helicóptero porque estaba aterrorizado de que entraras en el CBA antes de que te encontrara.

¿Había hecho eso durante esas pocas horas? ¿Quién era ese hombre que podía conseguir un helicóptero con solo chasquear los dedos?

Pero eso no la hacía cambiar de opinión.

—No pienso llevarte como luchador.

Storm le cogió el rostro suavemente con las dos manos. Le dio un suave beso en los labios y dijo:

—Las cosas son de la siguiente manera. Si entras como mutante con un patrocinador, debes luchar. Pero si entras como mutante sin patrocinador, igualmente debes luchar. La única manera de que entres sin decir que eres una mutante —y tener que mutar a tu forma de bestia— es siendo mi patrocinadora.

Eso no iba a suceder.

—¿Y si quiero emplear el volonte para entrar solo para mirar?

—Eso solamente se permite cuando se tiene invitación, y estas se venden rápidamente.

Pero eso no significaba que las invitaciones se hubieran agotado, o que el anfitrión no estuviera dispuesto a negociarlo por un volonte, especialmente tratándose del hueso de un dedo.

—Tú puedes ser mi patrocinador.

—No. Aunque yo consintiera en serlo, lo cual es imposible, debería estar dispuesto a llegar a un acuerdo con el Medb en caso de que tú sobrevivieras a los tres enfrentamientos. ¿Crees que voy a hacer eso? Y sí entras tú sola y peleas, entonces serás tú quien deba llegar a un acuerdo con el Medb.

—Puedo negarme a aceptar su oferta. —Storm iba a decir algo, pero ella lo cortó—: ¿Es que no puedo rechazar su oferta?

Storm farfulló algo que, a juzgar por lo mal que sonaba, debía de ser una maldición.

—Sí. Puedes hacerlo. Pero no vas a luchar.

—Entonces entraré de otra forma.

—No existe ninguna otra forma. Y sabes que yo estaría sufriendo un terrible dolor ahora si no te estuviera diciendo la verdad. Será mejor que nos pongamos en marcha, porque no pienso irme de aquí sin ti.

Se estaba quedando sin tiempo.

—Quizá podría.

Storm le puso un dedo sobre los labios.

—Ya está. Cuando subamos esa rampa, seremos patrocinador y luchador. Representar nuestros respectivos papeles significará mucho más en el Campeonato de Bestias Aquiles que en el Club de Bestias. Este lugar tiene inmunidad, y su anfitrión es poderoso. Si cualquiera de los dos hace un movimiento en falso y levanta las sospechas del anfitrión, nadie encontrará nunca nuestros cuerpos.

¿Cómo podía Evalle aceptar eso si no podía evitar a Storm?

Storm la atrajo hacia sí y susurró.

—No puedes llamar a Tzader ni a Quinn. Y no querrás dejar a Tristan y a todos esos mutantes en manos del Medb. ¿Sabes cuál es el principal motivo por el que hago esto? No puedes presentarte delante de Macha con las manos vacías. Esta es la única manera. Confía en mi. Soy capaz de manejarme en esos combates.

Evalle tenía una desagradable sensación en la garganta, como si se hubiera tragado un puño. Le dolía inspirar el aire necesario para hablar. No pensaba perderle. Tomó la decisión de hacer la única cosa que le quedaba por hacer y engañarlo otra vez.

Tenía un plan, pero este requería seguirle la corriente a Storm, como si estuviera de acuerdo con él, hasta que llegara el momento.

—Detesto hacerlo.

El rostro de Storm se relajó y se iluminó con expresión de triunfo.

—Bienvenida a mi mundo.

Evalle debía seguir su plan.

—De acuerdo. Un trol…

—… llama a la lancha. He tenido un equipo rastreando todos los embarcaderos mientras yo llegaba.

Storm la había encontrado en la jungla de Suramérica, en un lugar donde nadie más pudo encontrarla, y había conseguido hacerlo en un tiempo récord y en avión privado. Y ahora se había presentado allí en un helicóptero. Evalle no sabía tanto de él como creía saber, pero sí sabía qué era importante.

Podía confiar en Storm con todo su ser.

Pero, a partir de esa noche, seguramente él no confiaría en ella nunca más.

Storm se apartó de ella y le dijo.

—Primero, debo darte algo.

Mientras se acercaban al helicóptero, Storm le hizo una seña al piloto, quien detuvo el motor. Cuando llegaron al aparato, las hélices ya casi no se movían. Storm alargó el brazo al interior de la cabina y sacó una chaqueta cubierta de diminutos prismas de cristal que reflejaban toda la luz de alrededor.

Le ofreció la chaqueta a Evalle.

—Ponte esto y suéltate el cabello.

—¿Por qué?

—Esto es totalmente diferente a unos juegos de bestias. Representar un papel aquí requiere mucho más aplomo y maneras.

Entonces fue cuando Evalle se dio cuenta de que él llevaba unos elegantes tejanos negros y unas botas de piel de serpiente con punta metálica. Los ojos del jaguar de su cinturón mostraban unas piedras amarillas, como los diamantes que él había utilizado para entrar en el Club de Bestias.

Provocador. Sexy. Suyo.

Resignada a permitir que él fuera el experto en el tema, se puso la chaqueta, que le caía a la perfección. Se quitó la goma con que se había sujetado el pelo y se inclinó hacia delante para agitar un poco el cabello, que enseguida le cayó sobre los hombros.

—¿Qué tal?

—Estás más que buena.

Solo Storm podía hacerla reír en un momento como ese.

Él volvió a meter el brazo en el interior del helicóptero y sacó una caja cuadrada forrada de terciopelo, grande como sus dos manos juntas.

—Sujeta esto.

Sin levantar la voz, Evalle dijo:

—Si soy la patrocinadora, ¿no soy yo quien debería dar las órdenes?

Storm esbozó una mueca con los labios.

—Solo soy eficiente. Se acerca la hora. —De la caja, sacó una esmeralda grande como su pulgar, tallada con la forma de media pera—. Quédate quieta.

Ella lo miró achicando los ojos, y Storm añadió:

—Por favor.

Le puso la piedra sobre el pecho, en el lugar en que caería en caso de que la llevara colgada de una cadena. Entonces, sujetándola ahí, Storm empezó a cantar suavemente en un idioma que podía ser navajo, asháninca o cualquier otro.

Evalle notaba que la piedra irradiaba calor, pero no era una sensación desagradable.

—¿Me has pegado eso?

—No. Se sujeta gracias a la magia.

—Es bonita, pero no voy vestida para llevar joyas —farfulló para sí misma mientras Storm se daba la vuelta y le decía al piloto que ya lo llamaría en caso de que volviera a necesitarlo. Storm la alejó del helicóptero antes de que las aspas volvieran a ponerse a girar. Mientras se dirigían hacia la rampa, el ruido que dejaban a sus espaldas impedía que nadie que no fuera ella lo oyese.

—Esa piedra te une a mi magia, para que yo pueda encontrarte rápidamente en caso de que nos separemos.

Evalle intentó quitarse la piedra del pecho.

—¿Me has pegado un artefacto para seguirme?

Storm soltó un suspiro de exasperación.

—Es más que un artefacto para seguirte, y no está pegado. Te lo podré quitar cuando todo esto haya pasado, pero no confío en los Medb.

—¿Ni en mí? —Evalle se detuvo y lo obligó a mirarla a la cara—. ¿Es por eso que me lo has puesto?

La irritación se hizo evidente en el rostro de él.

—Confío en que harás lo que sea para salvar a todos excepto a ti misma. Cuando se trata de tu cuello, lo ofreces, sean cuantos sean los filos que lo estén amenazando. —Le pasó una mano por el pelo y acarició un mechón entre el pulgar y el índice—. Alguien debe vigilarte.

Esas palabras le llegaron a lo más profundo del corazón. Evalle se estaba jugando el cuello esta vez, y quería qué él saliera de esta con el suyo intacto también.

—Quiero que me prometas que, cuando estemos dentro, no discutirás conmigo ni me llevarás la contraria sea lo que sea que yo deba hacer para llegar hasta Tristan y los demás mutantes.

—Soy tu luchador, y puedes hacer conmigo lo que desees.

No, no lo eres.

—No quiero ser la propietaria de nadie. —En ese momento se dio cuenta de que el trol se había puesto ante la luz otra vez, así que se apresuró a terminar. Quería asegurarse de que Storm no se haría matar cuando se diera cuenta de que no iba a entrar en los combates—. Lo que quiero decir es que debes prometerme que no atacarás a nadie aunque actúe de forma agresiva conmigo. Ese sitio estará lleno de testosterona. Soy capaz de manejarlo, así que deja que me enfrente yo a mis conflictos.

Storm le dirigió una mirada penetrante y negó con la cabeza. Pero antes de que ella dijera nada, él afirmó:

—No intervendré a no ser que crea que estás en peligro mortal. Es lo máximo que puedo hacer.

A Evalle no le quedaba más remedio que aceptar.

Y Storm añadió:

—Tú tampoco puedes interferir. Nadie puede emplear la magia, ni la energía cinética ni ningún otro medio para ayudar a un luchador.

Eso no era un problema, puesto que él no estaría en ninguno de los combates.

Pero Evalle continuó hablando para conseguir más información.

—¿Qué sucede si alguien ayuda a un luchador?

—El luchador es llevado ante el anfitrión, quien puede llegar a un acuerdo con el Medb, y el patrocinador es expulsado, como mínimo.

En otras palabras, al patrocinador le podría pasar algo mucho peor.

Storm puso una mano en la espalda de Evalle.

—Vamos a por ello.

Cuando llegaron a la rampa, Storm le dio al trol una moneda de oro tan vieja que estaba manchada.

El trol sonrió y se acercó a la farola para hacer una señal con la mano a la lancha.

Evalle respiraba por la boca: pensó que se alegraba de que los troles de Atlanta no olieran a pescado podrido.

Storm le preguntó al trol:

—¿Este es el único punto de recogida?

—No. Está noche hay dos más.

Esta vez, la lancha que fue a buscarlos era una Sea Ray.

Storm sujetó a Evalle del brazo mientras ella subía a bordo. Evalle soportó en silencio que la trataran como una muñequita delicada.

Storm también saltó a bordo, y justo al aterrizar, giró la cabeza de repente en dirección al embarcadero, donde se encontraba el trol.

—¿Qué sucede? —preguntó Evalle en voz baja para no llamar la atención.

—Me pareció oler a alguien más.

—A mí también me lo pareció antes, justo antes de que tú llegaras. Noté un fuerte olor a miedo, así que no creo que sea un peligro. Puede ser alguien de aquí, algún curioso.

—Quizá. No huelo nada.

Le puso la mano en la parte inferior de la espalda y la acompañó hasta el banco que se encontraba en la parte posterior de la lancha. Luego le gritó al capitán que ya estaban preparados.

Evalle deseó que así fuera. Ahora ya no había marcha atrás.

Veintiuno

La lancha los dejó en la isla Cumberland. Storm mantenía los cinco sentidos alerta mientras conducía a Evalle por el sinuoso camino que atravesaba un bosque de pinos, palmeras y robles. No quería que ella estuviera allí, ni siquiera como patrocinadora.

Evalle le preguntó:

—¿Sabes algo acerca de esta lista?

—Algo. —Storm había conseguido información suficiente de una fuente local, y había alquilado una barca privada para que los sacara de la isla en caso de que tuvieran que salir huyendo—. Esa enorme casa delante de la cual nos ha dejado la lancha es Plum Orchard, construida por la familia Carnegie justo antes de 1900. Eran unos magnates del acero.

Oyeron el relincho de un caballo no muy lejos. Evalle dijo:

—Caballos salvajes, cerdos, ciervos, armadillos... es un jodido reino salvaje, esto.

Storm rio. Evalle era una chica de ciudad.

Un día se la llevó de acampada y le enseñó que era posible pasarlo bien en el bosque. Pero ese día había pasado ya.

—No debemos preocuparnos por los animales salvajes. Tienen el sentido común necesario para no acercarse a los sobrenaturales.

Según las indicaciones que les había dado el capitán de la lancha, debían de estar ya muy cerca del CBA.

Storm quiso saber qué podía esperar de Evalle, una vez dentro.

—¿Cómo piensas llegar hasta Tristan?

—Si él es el representante del Medb, tal como asegura Imogenia, supongo que será fácil localizarlo. Cuando lo haya hecho, encontraré la manera de acercarme para hablar, y si él accede a marcharse, Nicole me dio una poción que lo hará invisible durante una hora. Llevo suficiente para, por lo menos, cinco o seis mutantes.

Entonces, Tristan la atraparía de alguna manera.

—¿Y si él no se marcha contigo?

Evalle caminaba en silencio, pensativa.

—Solo puedo salvar a quien esté dispuesto a salvarse a sí mismo. Si no puedo convencerlo de que él, su hermana y los otros mutantes que se encuentran con él estarán mejor con Macha, entonces deberé aceptar que él es el enemigo.

Storm le apretó la mano.

—Bien. Llega un momento en que una persona debe ser responsable de sí misma.

—Pero deberé convencerme de que él se ha incorporado al Medb.

La lealtad era uno de los rasgos que hacían que Evalle fuera quien era, pero Storm tenía miedo de que, un día, esa misma lealtad le causara la muerte en manos de alguien que no podía apreciar ese sacrificio.

Evalle levantó una rama que les cerraba el paso y se agachó para pasar por debajo.

—Dijiste que el patrocinador es poderoso. ¿Has averiguado quién es?

—Sí. Un centauro llamado D'Alimonte.

—¿Deek?

—No. Kol D'Alimonte. ¿Quién es Deek?

—Un centauro que es el propietario del club nocturno The Iron Casket, en Atlanta.

—Entonces, quizá sea un hermano.

—Si se parece a Deek, es muy viejo y muy peligroso.

Se aproximaban a una zona abierta, y el bosque se estaba haciendo más claro progresivamente. Storm le soltó la mano. Reprimía el impulso de cargar a Evalle sobre el hombro y llevársela de regreso a Atlanta.

Durante el trayecto hasta llegar ahí, Storm había tenido una profunda sensación de temor por ella. Había estado seguro de que eso significaba que Evalle ya había entrado en los juegos. Y al verla salir de entre los árboles, ante el embarcadero, la sensación de alivio había sido tan fuerte que casi le fallaron las piernas.

Tenerla cerca debería de tranquilizarlo, y entrar con ella como luchador significaba que podría mantenerla a salvo, pero esa desagradable sensación no cedía.

—¿Dónde se lleva a cabo el evento? —preguntó Evalle en voz baja mientras salían del bosque y se adentraban en un campo abierto.

Entonces vieron a dos guardias que cubrían sus musculosos cuerpos con atuendos espartanos. Como si protegieran el campo abierto que se extendía a sus espaldas.

Entre ambos, una brillante tela plateada caía hasta el suelo.

Storm le respondió:

—El CBA se lleva a cabo detrás de esa cortina.

—Bromeas.

—No. D'Alimonte ha ocultado la celebración de estos juegos. Y eso significa que solamente hay una manera de entrar y de salir, y la tienes delante.

Storm no podía arriesgarse a no disponer de su magia allí. Bajó la voz para que solamente Evalle lo pudiera oír:

—Ahora es cuando tú tomas el mando. Diles que traes un *skinwalker*. Ha llegado la hora de la función.

Storm se sorprendió al ver que Evalle, en lugar de discutir, respondía.

—De acuerdo.

Después de todo, eso iba a salir bien.

Evalle irguió el torso y levantó la cabeza. Dio dos largos pasos en dirección a los guardias. Antes de que Evalle dijera nada, el guardia de la izquierda levantó una mano y, frente a ellos, una pálida imagen holográfica de la cabeza de una mujer cobró forma. La mujer miró a Evalle y dijo:

—Soy Dame Lynn, la domjon. ¿Qué quieres?

Evalle se subió la manga de la elegante chaqueta y le mostró la pulsera.

—Quiero entrar como observadora solamente.

—¿Qué? —intervino Storm. Debía haberse dado cuenta de que Evalle cedía con demasiada facilidad—. No. Yo soy tu luchador.

Evalle lo miró con un rictus severo en los labios.

—No, no lo eres.

La domjon miró a Storm.

—¿Tú qué eres?

—Un cambiante. Jaguar.

—¿Eres el jaguar negro del Club de Bestias de Georgia?

—Sí.

Dame Lynn anunció.

—Petición de luchar denegada.

—¿Por qué?

Storm dudaba que ella pudiera saber quién era él, pero a pesar de ello, nunca le habían denegado la entrada como luchador.

—Has sido acusado de luchar de manera fraudulenta al afirmar que eres un cambiante —respondió Dame Lynn con un frío tono concluyente.

—Ya te lo he dicho. Cobro forma de jaguar.

—Ese no era el tema. Imogenia, del Aquelarre Carretta, ha presentado una queja afirmando que es falso que seas solo un cambiante. Su luchador también aseguró que usaste la magia, y que no lo declaraste. Hasta que este asunto no se aclare con la parte perjudicada, se te prohíbe luchar en el Campeonato de Bestias Aquiles. O puedes solicitar que se te someta a una prueba de la verdad para demostrar que Imogenia miente. Si se la declara culpable de haber mentido, ella y su luchador serán expulsados... después de que se enfrenten a una sanción. Pero si mientes en la prueba, mueres.

Esa molesta Imogenia.

Storm no podía demostrar que era un cambiante, puesto que no lo era, y sí había mentido, aunque por omisión.

Dame Lynn añadió:

—Y no quedan entradas para observadores.

Evalle insistió:

—¿Ni siquiera para un hueso volonte?

—No.

Evalle miró a Storm con una mirada de tal determinación que él tuvo que morderse la lengua para no gritarle que no. Sabía que a Evalle solo le quedaba una cosa por hacer. No lo hagas.

Evalle le dijo a Dame Lynn.

—Entonces quiero declarar un mutante.

—No, Evalle.

Al ver que ella lo ignoraba, soltó un gruñido de advertencia.

La cabeza de Dame Lynn miró a un lado y a otro, suspendida sobre la mano de uno de los guardias.

—No veo a ningún mutante.

Evalle se bajó las gafas lo suficiente para que sus ojos verdes brillaran en la oscuridad.

—Ahora sí lo ves.

—Aceptada. Se te concede la entrada a ti.

Dame Lynn remarcó el «a ti». En esos juegos no había ninguna política de tolerancia para los que intentaban entrar con subterfugios.

Storm vio como su pesadilla se hacía realidad.

Si Evalle entraba allí en calidad de mutante, se vería obligada a luchar. Le dijo:

—Voy a entrar contigo.

Dame Lynn le aclaró:

—En este momento no puedes entrar como patrocinador, puesto que no te has presentado como tal desde el principio.

Storm puso una mano sobre el brazo de Evalle. Ella lo miró.

—Debo hacerlo.

—No voy a permitir que entres sin mí.

Evalle le aguantó la mirada un instante, lo suficiente para darse cuenta de que él cumpliría su palabra y daría su vida por entrar si ella intentaba hacerlo sin él.

Evalle volvió a ponerse las gafas y se dirigió a Dame Lynn.

—Los mutantes pueden entrar gratis, ¿verdad?

—Correcto.

—¿El anfitrión accedería a aceptar este volonte y permitiría entrar a un invitado conmigo?

Storm no había pensado en esa posibilidad, y Evalle todavía necesitaba quitarse de encima ese maldito hueso.

—No.

Storm contuvo la rabia, pero lo hizo solamente por Evalle.

—¿Y qué me dices de un sanador?

La domjon accedió:

—Con un volonte, ella puede hacer entrar un sanador.

Storm preguntó.

—¿Cuál es la normativa específica para usar magia aquí dentro?

—Nadie puede ayudar a su luchador durante la pelea, bajo ningún concepto. Solo es posible emplear la magia para curar a un luchador entre los combates. Si se incumplen las reglas, se paga una sanción y se es expulsado.

En un lugar como ese, la sanción podía ser peor que la muerte.

La domjon continuó:

—Además, el luchador será entregado al anfitrión, quien podría quedarse con él o venderlo al promotor de este evento, el Medb. Sea como sea, el patrocinador o sanador pueden ayudar al luchador de otro, siempre y cuando su propio luchador siga vivo y luchando.

—¿Por qué querría alguien ayudar al luchador de otro? —se preguntó Evalle en un murmullo.

Storm nunca se arriesgaría a perder a Evalle al emplear su magia en un lugar donde pudieran descubrirlo, y esa ley debería impedir que otros ayudaran a un luchador que pudiera hacer daño al suyo. Pero su instinto le decía que no se podía confiar en nadie en ese lugar. Allí, un patrocinador podía llegar a un trato para ayudar a otro patrocinador si resultaba beneficioso. Todo era posible en esos combates.

Evalle preguntó:

—¿Cuándo se someterá a la prueba de la verdad el representante del Medb?

—Eso se ha hecho hace una hora, y fue la sacerdotisa Medb quien se sometió a la prueba. Ella declaró cuáles eran los términos para negociar con los representantes Medb. Todo mutante que sobreviva un combate de élite recibirá la oportunidad de convertirse en un luchador capaz de conquistar la muerte.

Storm preguntó:

—¿Cómo se decide quiénes son los ganadores?

Los mutantes lucharán dos rondas de combates contra los no mutantes. Si sobreviven, su tercera ronda de combates, la última, será contra otro mutante. Los combates terminarán o por muerte o por compensación, a excepción del combate de élite, en el cual la sacerdotisa Medb podrá declarar un ganador y un perdedor si así lo desea.

—¿Qué quieres decir con «compensación»?

—El luchador que esté perdiendo suplica salir del combate, y si el contrincante accede, el perdedor es entregado al Medb sin nada a cambio para el patrocinador.

Evalle miró a Storm, suplicándole de nuevo con los ojos que no entrara con ella.

Storm anunció:

—Soy su sanador.

Pero deseaba encarecidamente no tener necesidad de ejercer como tal.

Dame Lynn le dijo a Evalle:

—Dale el volonte al otro guardia.

Evalle se dirigió al espartano que no sostenía el holograma de la cabeza y le dijo:

—Debes decirme que deseas este volonte. ¿Lo deseas?

—Sí, lo deseo —respondió con voz atronadora, y alargó el brazo.

Evalle levantó su brazo y susurró las palabras que Imogenia había empleado con ella. Luego siguió los mismos pasos, y terminó colocando la pulsera en la muñeca del guardia.

En cuanto lo hizo, Evalle notó que se le relajaba todo el cuerpo, como si hasta ese momento hubiera estado envuelto con un cable de púas que, de repente, se hubiera soltado. Soltó un largo suspiro, satisfecha de librarse de ese maligno hueso.

Entonces Dame Lynn les dio las últimas instrucciones.

—Los luchadores pueden emplear todos los poderes que tengan, y pueden entrar un arma de libre elección.

Evalle dudó un momento.

Antes de que Storm le dijera que no podía pasar nada a partir de ese punto, la domjon dijo:

—Si te quedas con la daga, no podrás entrar las cuchillas de las botas. Si quieres entrar con las cuchillas, tu daga desaparecerá en cuanto entres.

—Me quedo con la daga.

—¿Con qué nombre vas a luchar?

Evalle miró a Storm, y este dijo:

—Guerrera Luz de Luna.

—Bienvenidos al Campeonato de Bestias Aquiles —dijo Dame Lynn.

Y, al instante, la cabeza desapareció.

Storm no quería que utilizara su nombre real en un lugar que estaría repleto de brujas en todas sus formas, aunque corrieran el riesgo de que alguien reconociera su cara. Le puso la mano en la espalda, profundamente aliviado de que ese hueso ya hubiera desaparecido.

Los guardias abrieron la cortina, dejando al descubierto una impresionante sala que daba cabida a, por lo menos, mil seres. Un escándalo de voces llenaba el ambiente de excitación.

Storm le hizo una señal para que entrara delante de él y dejó que se adelantara un par de pasos.

Evalle se detuvo un momento y se dio la vuelta. Lo miró con el ceño fruncido:

—¿Me has dado un golpe?

—No.

Storm olisqueó el aire, y le pareció notar un olor parecido al que había percibido al lado de ese trol que olía tan mal. Conocía ese olor. Al principio parecía humano, pero al momento parecía pertenecer a alguna otra criatura que no podía identificar. Ese no era el momento de hablarlo, pues Storm se sentía incapaz de pensar en nada que no fuera el hecho de que Evalle iba a luchar contra esas bestias. Le hizo una señal con la cabeza para que continuara avanzando.

Ahora que no llevaba la pulsera, Evalle podía cobrar su forma de bestia. Pero ¿lo haría?

Y si no lo hacía, ¿cómo iba a impedir que la mataran?

Veintidós

Lanna siguió a Evalle y a Storm a través de la cortina plateada y se detuvo en el interior del ruidoso estadio.

Le dolía la cabeza por el esfuerzo de mantenerse invisible todo el rato y de tener que camuflar constantemente su olor. Le dolían los músculos de estar manteniendo posturas difíciles mientras procuraba no hacer ruido. Ir en el todoterreno de Evalle había sido sencillo, pero mantenerse invisible en el trayecto desde el coche y en la lancha había requerido mucho trabajo.

Pronto le fallaría el camuflaje.

Lanna se deslizaba entre la multitud de gente que llenaba ese enorme espacio y que olía de formas tan distintas. ¿Dónde encontraría un buen lugar para esconderse?

Storm había olisqueado en dirección a Lanna cuando él y Evalle entraron en el estadio, y Lanna había tenido miedo de que la hubieran descubierto. Estaba segura de que el hechizo que había utilizado para mezclar los olores de Nicole y de *Feenix* había sido el acertado. Eso debería hacer que nadie pudiera percibir su olor, excepto los cambiantes.

Lanna no esperaba que Storm descendiera del cielo como un ángel vengador. Él conocía su olor, y la había asustado al percibir su presencia cuando ella se coló en la lancha.

El corazón estuvo a punto de salirle por la boca.

Apretándose contra la gente, Lanna se abrió paso para no perder a Storm y a Evalle. Ese lugar parecía una pequeña ciudad. Había tiendas por todas partes. La gente se sentaba en asientos que parecían escaleras. La multitud se movía alrededor de dos grandes cuadriláteros iluminados con las brillantes luces procedentes de unas cúpulas que parecían hechas de estrellas brillantes.

¿Cómo era posible que Storm permitiera que Evalle luchara en ese lugar?

Lanna había visto a magos y brujas suficientes para llenar varios aquelarres. Esas brujas practicaban unas artes oscuras, y no como Nicole, cuya aura era de una luz brillante.

En cuanto fuera a la habitación de invitados, Nicole descubriría que Lanna se había escapado. Lanna había colocado las mantas por encima de una forma corpórea que se elevaba y descendía como un cuerpo respirando. Si se hubiera quedado, habría puesto a la amiga de Evalle y a *Feenix* en riesgo.

Evalle había sido muy precavida durante el trayecto hasta casa de Nicole, vigilando por si veía algo amenazador, pero Lanna tenía miedo de que el mago la encontrara a pesar de que ella no convocara a los elementos. Hacer eso sería como lanzar una bengala de aviso.

Grendal estaba en Atlanta.

La idea de Lanna había sido muy sencilla.

Irse con Evalle, con la esperanza de que Grendal creyera que Lanna se había ido de Atlanta para siempre. ¿Pero quién podía imaginar que Evalle conduciría durante siete horas? ¿Y dónde estaba esa isla Cumberland? Ahora Lanna debía quedarse con Evalle para poder regresar con su primo Quinn.

La mano empezó a cobrarle forma.

Lanna dirigió su poder hacia sus brazos para volver a hacer invisible su mano, pero el cuerpo le tembló a causa del esfuerzo. Había sido capaz de mantener la invisibilidad hasta ese momento porque antes había descansado, en el Expedition, de camino hasta allí. Se había escondido en una pequeña zona de la parte posterior del todoterreno y no tuvo que permanecer invisible mientras Evalle conducía.

Las puntas de los dedos volvieron a cobrarle forma.

Se metió las manos en los bolsillos de los tejanos. Mantén la calma. Si se preocupaba, perdería la concentración y perdería la capacidad de permanecer invisible.

Delante de ella, Evalle y Storm se detuvieron para observar algo que Lanna no podía ver.

Miró a su alrededor en busca de un lugar donde esconderse. No era una misión fácil, pues ese lugar parecía un torneo al aire libre. Miró hacia los puestos de comida, que desprendían todo tipo de olores, y hacia las escaleras de asientos. ¿Quizá encontraría algún espacio entre esos altos asientos? Quizá. Debía moverse entre la multitud sin llamar la atención.

Si chocaba con algún humano solo provocaba un susto. Pero chocar con alguien más poderoso era mucho más peligroso.

Las mujeres vestían ropas elegantes, como en el hotel del primo Quinn. Los luchadores llevaban collares engarzados con piedras, cinturones y correas que olían a magia.

En ese evento, una gran cantidad de dinero pasaba de mano en mano.

Pero Lanna se dio cuenta de otra cosa también: no había visto a nadie de su edad. Sacó la mano del bolsillo y se dio cuenta de que empezaba a ser visible de nuevo.

En ese momento, la multitud se abrió un poco por delante de ella, ofreciéndole por fin un camino de salida.

Un hombre que tenía delante se dio la vuelta lentamente. Tenía una expresión atenta, como si buscara a alguien. Era alto, debía de medir más de metro ochenta, y llevaba muy corto el cabello, grueso y del color del limón maduro. La capa negra que vestía le confería un color aún más enfermizo a la piel, pero ese mago no estaba enfermo.

El diablo había dado ese color a la piel de Grendal.

Lanna se quedó helada. Todo en ella le suplicaba que saliera huyendo, pero las piernas le fallaron y la invisibilidad le falló.

Veintitrés

—¿Cuánto poder se necesita para ocultar un área grande como esta durante tanto tiempo? —preguntó Evalle en voz baja—. Creí que solamente Sen podía hacer algo así, pero ahora veo a los centauros de otra manera.

Storm se puso al lado de Evalle, y sus ojos no paraban quietos, mirándolo todo.

—Esto no es solo un escudo de invisibilidad. Solo hay una forma de entrar y de salir. Este D'Alimonte ha recibido un poco de ayuda, quizá la de varios magos o hechiceros, para mantener toda esta zona segura e, incluso, para impedir que se emplee el teletransporte sin pedir permiso.

Lo cual significaba que Tristan no podría salir teletransportándose. Evalle no sabía si eso sería una ventaja o no.

—Esto parece como una tienda inflable, si es que es posible que una tienda tenga un techo de treinta metros de altura. Eso es lo que debe medir. Veo dos campos de lucha… escenarios —se corrigió a sí misma, mientras calculaba que las gradas de los asientos que rodeaban las dos zonas debían de dar cabida a mil asistentes—. ¿Y ese gran edificio que conecta los dos teatros, qué debe ser? ¿Vestidores?

—Son zonas de espera individuales para que los luchadores estén separados y dispongan de un lugar donde ser sanados lejos de la mirada de todos.

Nada había salido como Evalle esperaba, empezando por el hecho de que Storm se había presentado allí. Por lo menos no lucharía, ¿pero cómo podría ella luchar contra un mutante sin adoptar su forma de bestia?

Macha había permitido que Evalle tomara sus propias decisiones sin temer las consecuencias, siempre y cuando Evalle no pusiera el panteón de Macha en conflicto con VIPER y actuara por el interés de los veladores.

Entrar en el CBA ponía claramente a Evalle en conflicto con VIPER, según lo que Sen había dicho. Pero si Evalle conseguía impedir que los mutantes se unieran al Medb y mostraba pruebas a VIPER de que se había empleado la magia Noirre, tendría poder de negociación con el Tribunal.

Eso si Macha respaldaba a Evalle llegados a ese punto. Lo cual era dudoso.

Si adoptaba su forma de bestia lo arruinaría todo, puesto que las reglas de VIPER prohibían a Evalle adoptar otra forma que no fuera la forma de batalla de un velador. Eso ofrecía más fuerza al cuerpo de un velador y aumentaba su poder, pero no se podía comparar con la fuerza de una bestia. Pero, por otro lado, también le consumía energía, así que solamente lo haría si era absolutamente necesario. Quizá pudiera apañárselas si conseguía ganar sin mutar y si podía salir de allí con unos mutantes que testificaran que se había negociado con magia Noirre. Estaba segura de que eso sucedería esa noche.

Pero si ponía el panteón de Macha en conflicto con VIPER, entonces no podría afirmar que trabajaba por el interés de los veladores, ¿no?

Gracias por nada, Macha.

—¿Qué sucede? —preguntó Storm, observando el piso inferior donde se encontraba el teatro. Su estado de ánimo no había mejorado desde que había llegado con el helicóptero.

—Solo estoy pensando en cuáles son mis opciones.

Evalle había pensado que, después de que se besaran, Storm se había tranquilizado. Pero solo había sido un descanso del enojo que sentía.

Storm avanzó unos pasos y soltó un gruñido de profunda frustración.

—Eso no es una respuesta. Evitar la verdad es lo mismo que mentir, Evalle, como en los textos que me mandaste. ¿Qué es lo que te preocupa?

El tono de su voz era cortante.

—Tú.

Una mujer pasó por su lado y dio un golpe a Evalle sin darse cuenta, mientras rebuscaba en un bolso enorme. Storm la fulminó con la mirada e indicó con la cabeza que fueran a buscar una zona alejada del tráfico que había entre las dos pistas de combate. Cuando consiguieron un poco más de intimidad, Storm volvió a adoptar su fría actitud reservada. Cruzó los brazos en un gesto severo, como si su mirada no consiguiera expresar lo enojado que estaba con ella.

Evalle apretaba la mandíbula.

—¿Quieres dejar ya de enojarte porque me fuera de Atlanta sin ti? No podía soportar la posibilidad de ponerte en riesgo otra vez.

—No soy yo quién corre un riesgo, eres tú.

—Eso viene con el tipo de trabajo que hago.

Storm apretó los labios y sus ojos se oscurecieron hasta el punto de que parecieron negros.

—Esto no. Deberéis luchar contra algunas criaturas desconocidas, y si ganas esos combates, deberás enfrentarte a otro mutante que adoptará su forma de bestia, y tú no lo harás. Y por si esto no fuera suficiente... —Se pasó una mano por la nuca con una súbita expresión de... ¿culpabilidad?

—¿Qué, Storm?

Puesto que él no respondía, Evalle lo imitó:

—Omitir la verdad sigue siendo mentir.

—Esa maldita bruja a la que he estado persiguiendo. Me preocupa que se pueda acercar a ti.

Esa última frase puso a Evalle en alerta.

—¿La que huele a regaliz?

—Sí. —Storm se pasó una mano por el rostro y meneó la cabeza. Apretó la mandíbula y la miró a los ojos—. Ella quiere matarme a mí, pero el instinto me dice que también puede ser una amenaza para ti, y no sé por qué.

Como si eso la hiciera sentir mejor.

—¿Qué interés puede tener en mí?

—No lo sé. Te lo hubiera dicho antes, pero creí que había tenido esa visión porque ella se había enterado de que nosotros somos compañeros en VIPER y que eso le hacía pensar que si te encontraba a ti también me encontraría a mí. Pero hoy, cuando no sabía dónde estabas, yo... —Negó con la cabeza y la miró con ojos torturados—. Creí que te tenía. Creí que te había llevado a algún lugar donde no te podría encontrar.

Eso explicaba la rabia que había sentido. Evalle lo había asustado, y no había nada que asustara a ese hombre.

Saber que él se preocupaba tanto por ella le llegó tan hondo que, por un momento, Evalle experimentó una felicidad que nunca había sentido antes. No permitiría que esa bruja le hiciera ningún daño.

—En cuanto salga de aquí, iremos a por ella.

—Y es exactamente por eso que nunca te conté gran cosa de ella. Esta mañana quizá me la he encontrado por casualidad, pero ahora creo que puede encontrarme si lo desea, así que ir en su búsqueda será algo que vaya a favor de sus planes, sean los que sean.

Evalle deseó ponerle las manos encima a esa bruja loca, pero eso no podría ser hasta que saliera de ahí con vida. Respiró profundamente, decidida a hablar con convicción:

—Debes marcharte. Ahora. Es evidente que tienes recursos. Fuera de aquí.

Storm levantó una mano para acariciarle la cara, pero no la tocó pues recordó que debían hacer su papel. Así que bajó la mano.

—No hay nada que puedas decir para convencerme de que te deje aquí.

Y ese era el porqué ella quería tener la oportunidad de estar con él.

Storm se movía con la elegancia de un peligroso felino de la jungla, y su cuerpo de guerrero habría hecho morir de vergüenza a Adonis. Además, seguía su código de honor con la misma facilidad con que otros hombres llevaban su pantalón tejano favorito. Pero había sido él quien había acudido cada vez que ella no había tenido a nadie más en quien confiar, y sería él quien se quedaría con ella por muy mal que se pusiera la situación.

Evalle tenía las palmas de las manos húmedas de sudor. No sabía qué decirle a un hombre que daba tanto y que pedía tan poco a cambio.

—Yo… tú…

—Lo sé —dijo él con expresión cariñosa y una ligera sonrisa en el rostro—. Vamos a ocuparnos de que salgas de aquí con vida. Quiero encontrar un lugar desde donde ver los combates y donde te sea fácil verme. No puedo emplear la magia, pero sí puedo instruirte.

De repente, la voz de Dame Lynn llenó la sala proyectándose desde un lugar invisible.

—Los primeros contrincantes, Varkal y Ixxkter, acaban de entrar en la zona de espera. El primer combate empezará dentro de unos minutos.

El público estalló en gritos de emoción y ánimo.

Puesto que Storm estaba más familiarizado que Evalle con esos eventos, dejó que fuera él quien la guiara. Acababan de pasar por en medio de un grupo de gente cuando Storm se detuvo y se inclinó hacia delante para mirar entre dos personas.

Evalle lo imitó y susurró.

—¿Qué sucede?

Storm soltó una maldición.

—Lanna.

—¡No es posible!

Storm salió corriendo y Evalle lo siguió. Se detuvo delante de Lanna, que se había quedado completamente pálida.

—¿Cómo has entrado aquí?

Lanna tenía la mirada extraviada y habló con voz temblorosa.

—Está aquí.

Evalle se dio la vuelta para ver qué era lo que tenía a Lanna aterrorizada. Vio el destello de un pelo corto y rubio y una piel cetrina que ya había visto antes, en el Club de Bestias del monte Oakey. ¿Era él quién aterrorizaba a Lanna? Evalle, en lugar de estrangularla por lo que había hecho, se inclinó hacia ella.

—¿Quién está aquí?

—Grendal.

Las palabras de Storm parecieron descender del cielo como copos de nieve:

—Debemos irnos.

Por suerte, en ese momento la multitud los rodeaba. Evalle dijo a Lanna:

—Vuélvete invisible y síguenos.

La mirada de Lanna se aclaró.

—Todavía no es posible. Debo descansar.

Evalle se puso en pie y le preguntó a Storm:

—¿Puedes hacer algo?

—Sí, pero debo limitar el uso de mis poderes, puesto que quizá los necesite luego para curarte. —Dirigiéndose a Lanna, continuó—: Vamos a ir hasta las gradas para encontrar un lugar donde dejarte. Camina entre Evalle y yo. No mires a nadie ni digas nada.

—Comprendo.

Storm hizo un gesto con la cabeza y Evalle empezó a abrirse paso a través de la multitud, segura de que Lanna y Storm la seguirían pegándose a ella. Para apartar la atención de la gente de Lanna, Evalle levantaba las manos de vez en cuando. Lo hacía por dos motivos: en primer lugar, las mangas de su chaqueta reflejaban la luz y dejaban a algunos momentáneamente cegados; en segundo lugar, otros se alejaban de ella temiendo que ese movimiento de manos significara algún hechizo.

Llegaron a un pasillo que separaba las gradas de los asientos. Allí, dos hombres que parecían hechos con el mismo molde y que llevaban el cabello plateado y corto, unos anchos pantalones de color naranja y unas chaquetas amarillas sin camisa, oían a todo aquel que quisiera hacer apuestas para el primer combate.

Un marcador cilíndrico colocado encima de una de las zonas de combate anunciaba «Cuadrilátero Uno» y contaba la puntuación de los dos contrincantes durante los cinco primeros combates.

Evalle miró a su alrededor. Esa zona estaba llena de patrocinadores que apostaban de todo, desde joyas a hechizos. Vio que en el lugar en que la parte trasera de las gradas se encontraban con el suelo había una abertura, y se dirigió hacia allí. Al llegar se dio cuenta de que había un oscuro cubículo de aproximadamente un metro ochenta de largo por un metro veinte de ancho. Bastante grande para que Lanna se acomodara en él.

—¿Es muy hondo? —preguntó Storm, detrás de ella.

Evalle metió la cabeza para mirar. El espació se alargaba unos seis metros hasta una pared del fondo.

No era un lugar idóneo, puesto que solo tenía una salida,

pero debían ocultar a Lanna si no querían que los expulsaran en cuanto alguien se diera cuenta de que se había colado en el campeonato.

En realidad, si eso sucedía, Lanna y Storm se enfrentarían a un castigo y a la expulsión. Y Kol D'Alimonte tomaría posesión de Evalle, lo cual significaría que correría la sangre. La suya y la de Storm, puesto que él no se marcharía sin presentar batalla.

Evalle se incorporó mientras Lanna corría a meterse dentro del cubículo.

—Dame un minuto.

—Os ocultaré.

Storm se dio la vuelta y Evalle sabía que emplearía su magia para protegerlas.

Desde dentro oyeron la voz de Dame Lynn:

—En el cuadrilátero uno, Varkal, un cambiante rinoceronte, entra por la puerta uno; Ixxkter, el mutante, entra por la puerta dos. Los otros dos contrincantes que lucharán en el cuadrilátero dos son…

El estadio se llenó de gritos y golpes de pies contra el suelo al oír el nombre de Ixxkter. Evalle se acercó a Lanna para que pudiera oírla.

—No podemos llevarte con nosotros, y no te pueden ver aquí. Tienes dieciocho años, pero pareces más joven y no tienes entrada. Si te quedas aquí, nadie te podrá ver.

Se oían unos gruñidos procedentes del cuadrilátero uno, probablemente del rinoceronte. Luego, un profundo rugido de desafío. Debía de tratarse del mutante.

Evalle esperó a que el ruido bajara de volumen.

—¿Cómo se te ocurrió, Lanna?

La chica la miró a los ojos con expresión de culpabilidad.

—Lo siento, Evalle. No quería provocarte ningún problema.

—No, eso no vale. Lo has hecho con pleno conocimiento de que no sabías a dónde irías, y me mentiste cuando accediste a quedarte con Nicole.

Evalle percibió unos ojos clavados en ella. Se dio la vuelta y vio que Storm la miraba arqueando una ceja, como diciendo que ahora sabía lo que se sentía cuando a uno le daban esquinazo. ¿Cómo había podido oír la conversación en medio de ese ruido infernal? Era cierto que Evalle le había mentido al decirle que lo esperaría en su apartamento, pero ella tenía la responsabilidad de mantener a salvo a Lanna.

Evalle farfulló una queja contra el incordio que suponían los hombres. Sin hacerle caso, volvió a dirigir la atención a Lanna.

—¿Por qué te fuiste de casa de Nicole?

—Porque Grendal podría haberme encontrado allí.

Evalle contuvo el impulso de agarrar a Lanna por los hombros y darle un buen meneo.

—Genial. Así que en lugar de quedarte en un lugar donde te podía haber encontrado, te has ido a un lugar donde se encuentra él y has dejado que te vea. Ahora no podemos salir de aquí para llevarte a casa.

—Storm podría, pero él no te dejará aquí. Demasiado honor.

Lanna no escatimaba esfuerzos para ganar puntos, pero no conseguiría nada. Evalle se pasó una mano por el pelo. Se había olvidado de que se lo había dejado suelto y de que debía volver a recogérselo antes de luchar.

Fuera se oían unos fuertes golpes, de puños o de algo golpeando un cuerpo, y, al momento, un aullido de dolor.

En ese momento, Evalle y Storm deberían haber estado atentos al combate para saber con lo que se iba a enfrentar Evalle. Pero puesto que todo el mundo estaba pendiente del combate, era la ocasión de esconder a Lanna.

Evalle le hizo una señal a Storm para que se acercara. Cuando lo tuvo cerca, preguntó:

—¿Puedes realizar un hechizo que le impida incluso a un mago encontrar a Lanna aquí?

—Sí, si ella no hace trampas con él.

Lanna pareció un poco más animada.

—Eso es bueno. Necesito tiempo para recuperar mis poderes.

—Tendrás un montón de tiempo —le aseguró Evalle.

Storm se dirigió a Lanna y le advirtió:

—Estarás a salvo siempre y cuando no intentes nada, como salir de este lugar.

Lanna lo miró con expresión de horror:

—Debo tener la posibilidad de moverme.

—No, no la tienes. Espero encontrarte aquí mismo cuando regrese.

De repente, un agudo chillido rasgó el aire. De golpe, un chasquido seco y se hizo el silencio.

Dame Lynn anunció:

—Ixxkter gana el primer combate en un tiempo récord. Apuesten mientras el equipo de limpieza retira los restos del rinoceronte. El siguiente combate enfrentará a Ozawa Windago contra Guerrera Luz de Luna en el cuadrilátero uno. Los contrincantes tienen cinco minutos para dirigirse a sus respectivas zonas de espera.

Por el nombre, a Evalle le pareció que Ozawa Windago era peligroso. Y, por la expresión de tensión en la cara de Storm, dedujo que él también lo sabía.

Veinticuatro

—*L*anna estará a salvo aquí, ¿verdad? —le preguntó Evalle a Storm mientras se dirigían a la zona de espera. Necesitaba tener la mente libre para pelear.

Si Ozawa Windago era un juego de letras de la palabra «wendigo», su contrincante ya estaba muerto antes de empezar. Matar a uno de ellos parecía casi un oxímoron.

—He creado un manto de ocultación de la forma de Lanna y de su olor —dijo Storm, mientras conducía a Evalle a través del gentío con unos suaves toques—. Si no hace nada que llame la atención, nadie la encontrará. De todas maneras, buscaré un lugar en este lado para poder vigilarla mientras te observo.

Evalle notaba que el cuerpo de Storm emitía algo que hacía que la gente se apartara. ¿Sería lo opuesto a las feromonas? Debía de tratarse de algo bestial que emanaba de él, porque esa gente no era fácil de intimidar.

Cuando llegaron a la zona de espera del cuadrilátero uno, un guardia espartano esperó a que Dame Lynn apareciera en su mano. Cuando lo hizo, Dame Lynn se dirigió a Evalle:

—Estás en la zona de espera uno, habitación siete. La cerradura responderá al contacto de tus dedos.

Evalle abrió la marcha. Cuando llegó a la zona uno, se detuvo en el interior de una habitación prístina en la que las paredes y el suelo de mármol dominaban el espacio. A uno de los lados había una mesa de color perla y de tres metros de largo por uno de ancho. En el techo, la lámpara le recordaba la de una sala de operaciones. En un rincón había un sofá de color amarillo claro y una silla, colocados como para que los luchadores pudieran sentarse a charlar.

«Eh, ¿cuál es tu estrategia?»

«¿No serás de los que van a buscar los restos del cuerpo cuando todo ha terminado?»

Después de inspeccionar un poco más, Evalle encontró otra zona que tenía unas taquillas amarillas. Aunque no tuviera los ojos tan sensibles, igualmente necesitaría gafas para estar en ese lugar. Había dos tocadores repletos de productos de belleza y de medicamentos. En una esquina había una ducha enorme en la cual, sin duda, cabría el enorme tamaño de su bestia.

Abrió una taquilla para guardar la chaqueta. Se recogió el cabello en una cola de caballo y salió a la zona central donde Storm la estaba esperando.

Los ojos marrones de él se clavaron en los de ella.

—Deberás mutar para ganar.

Evalle iba a decirle que lo haría si era necesario, solo para quitarle esa preocupación, pero eso hubiera sido mentirle. Aunque pudiera hacerlo, esa noche no le iba a mentir más.

—No puedo.

—No quieres.

—Macha...

—No está aquí para ayudarte.

A Evalle no le quedaban argumentos.

—Haré lo que deba hacer. Es lo máximo que puedo decir.

El pecho de Storm se movía despacio siguiendo el ritmo de su respiración. Sus brillantes ojos, encendidos como brasas, amenazaban con prender de un momento a otro. Pero habló con un tono de voz que denotaba aceptación.

—Luchas a muerte.

—A no ser que alguien pida compensación.

—A muerte, Evalle —remarcó Storm—. Si los demás contrincantes, especialmente los mutantes, ven que muestras compasión, sabrán que tienes una debilidad que pueden explotar. Y no te fíes de ningún luchador que te dé compensación.

Se oyó un golpe en la puerta y entró un guardia.

—Un minuto para que tu luchadora se dirija a la puerta dos.

—Ahí estará —respondió Storm en el mismo tono frío pero sin apartar los ojos de Evalle.

La puerta se cerró sin hacer ruido.

Ella no quería separarse de él de esa manera, puesto que no tenía ni idea de a qué se iba a enfrentar ni si volvería a ver a Storm alguna vez. Pero regresar con las manos vacías era impensable.

Nunca había suficiente tiempo para hacer lo que quería hacer.

Sacó la poción y le pidió:

—¿Me guardarías la poción de Nicole?

Él asintió con la cabeza.

Evalle se la dio con la intención de marcharse sin empeorar la situación, pero él la detuvo poniéndole una mano en el hombro.

Evalle no se movió. No quería ver otra expresión de decepción o enojo en el rostro de Storm. Notó que los dedos de él le apretaban un poco el hombro. Storm tenía emociones tan contradictorias que, incluso con la limitada capacidad empática de Evalle, ella sabía que le costaba contenerse. Storm hubiera deseado derribar una pared y gritarle que no saliera por esa puerta.

Pero cuando habló, lo hizo en voz baja y Evalle sintió que su cálido aliento le acariciaba los mechones sueltos del cabello.

—Son ellos o tú. Y ellos no me importan.

Le acarició el cuello con los labios y luego la dejó ir.

Si se daba la vuelta, Evalle no conseguiría salir de esa habitación sin perder el control. Así que asintió con la cabeza.

La puerta volvió a abrirse y Evalle salió. Siguió al guardia hasta la entrada de un pasillo de unos quince metros de largo. Al otro extremo, les cerraba el paso una puerta de barrotes plateados por los cuales se colaba la luz procedente del teatro.

El guardia se puso delante de Evalle para darle las instrucciones.

—Vas a luchar en el interior de un escudo. Si entras en contacto involuntario con él, saldrás directamente al teatro. Cualquiera que intente penetrarlo, se encenderá como una bola de fuego.

Por favor, que Storm lo sepa. Por muy enojado que estuviera con ella, una vez Storm atravesó un muro de cristal para salvarla de las fauces de un trol svart.

El guardia dio un paso a un lado.

Evalle avanzó hasta la puerta. Allí, miró entre los barrotes hacia la zona de combate, vacía. Intentó recordar todo lo que había estudiado sobre las diferentes criaturas. Los wendigos eran seres algonquinos que... no le venía ninguna información a la cabeza.

Estaba segura de que eran unos enormes y mortíferos monstruos.

¿Qué más?

Unas pequeñas luces brillaban en el interior de la cúpula, que se elevaba unos quince metros por encima de su cabeza, y que marcaba los límites del escudo.

Tendría mucho campo para moverse. En un espacio grande como ese podrían jugar dos equipos de baloncesto.

Dame Lynn anunció:

—Ozawa Windago entra por la puerta uno, y Guerrera Luz de Luna, la mutante, entra por la puerta dos.

La cúpula vibró por la fuerza de los gritos procedentes de las gradas.

La puerta dos desapareció. Evalle entró en el cuadrilátero. Las suelas de los zapatos rechinaban sobre el duro suelo de arena. Los barrotes plateados volvieron a aparecer a su espalda. No había forma de salir de ahí hasta que uno de los dos ganara.

La puerta uno también desapareció.

Su contrincante bajó la cabeza, a pesar de que la puerta medía tres metros. El griterío de la multitud se redujo a un tenso murmullo cuando los barrotes de la puerta del wendigo —sí, se enfrentaría a eso— bloquearon su salida también.

Ozawa se puso en guardia con la cabeza levantada, la espalda arqueada y el pecho henchido. La tensión se respiraba en el aire.

Demacrado y musculoso al mismo tiempo. Una piel macilenta cubría su cuerpo cadavérico, que parecía tan frío como el aire que lo rodeaba. Tenía una cintura estrecha, piernas de cánido con potentes muslos, y unas garras afiladas y largas como el antebrazo de Evalle. Los brazos le colgaban hasta el suelo, y los dedos de las manos mostraban unas articulaciones que a Evalle le recordaban las de las patas de las arañas.

Por lo menos, parecía ser un macho.

Un mechón de pelo gris de casi un metro de longitud le colgaba del pecho hasta las rodillas. Probablemente, el pelo le cubría los genitales. Unas esferas de un naranja rojizo brillaban en el interior de las profundas cuencas del estrecho rostro, y otro mechón de pelo gris le salía de la cabeza y caía sobre sus espaldas como una capa.

Ozawa llevó una mano a su espalda y sacó una espada tan larga como una de sus piernas. La levantó sobre su cabeza.

La multitud, sedienta de sangre, prorrumpió en exclamaciones de alegría.

Evalle no tenía intención de verter su sangre, pero entre los largos brazos de Ozawa y la longitud de la espada, parecía que no podía hacer gran cosa.

—Su daga de cuarenta centímetros tenía una hoja hechizada que podía matar un demonio, pero si la sacaba en ese momento, solo conseguiría despertar las risas del público.

Ozawa emitió un grave y gutural sonido que parecía el rugido de un oso enloquecido. La mandíbula le colgaba, dejando al descubierto una lengua roja que entraba y salía de la boca y que goteaba saliva.

No, lo que goteaba era sangre. Evalle lo recordó. Los wendigos eran unos caníbales insaciables.

No quería ganar solamente.

Quería comérsela.

Ozawa lanzó un golpe con la espada con la misma facilidad que un hábil montañés.

Sin apartar la mirada de esos ojos que pasaban del rojo al amarillo, Evalle se apartó de la puerta, y la espada pasó por su lado silbando en el aire. La hubiera podido partir por la mitad. Podía emplear un escudo cinético para resistirlo. O eso esperaba.

Ozawa, ágil, se giró y la persiguió, pasándose la espada de una mano a otra. Sus ojos brillaban con un color rojo otra vez.

Evalle esperó a que se acercara y, entonces, dobló las rodillas. Convocó su fuerza cinética y saltó en dirección a la cabeza de su contrincante.

Pero él saltó a la misma altura. A mayor altura.

Y descargó un golpe vertical por delante de él mientras saltaba.

Evalle alargó las manos hacia delante para formar un campo de energía.

La espada golpeó el campo de energía y la fuerza del golpe la hizo tumbar de lado. Pareció como si la hubiera atropellado un autobús. Salió volando por el aire, cayó sobre el duro suelo de arena y dio unas cuantas vueltas antes de ponerse en pie con las manos alzadas, lista para la batalla.

Entonces fue cuando se dio cuenta de una cosa que podía serle útil. Los ojos de su contrincante brillaron de color amarillo otra vez, y cuando hacía eso, el filo de su espada vibraba.

Evítalo mientras tenga los ojos amarillos.

Evalle esquivó el siguiente golpe, y luego empezó a correr dando vueltas por el interior de la cúpula mientras él la perseguía.

La multitud silbó.

Que les den.

La espada de Ozawa le tocó el dorso de la mano. Evalle soltó un bufido de dolor, pero no aminoró la velocidad. Al ver que había fallado por tercera vez, Ozawa lanzó un golpe con intención de cortarle la pierna.

Ella se puso fuera de su alcance, y eso debería de haber sido suficiente. Pero esta vez él volvió a lanzar un golpe y le hizo un corte en la pierna. La hoja le cortó la piel con la misma facilidad que un bisturí hubiera cortado un tomate verde.

El mismo impulso la lanzó hacia delante y hacia abajo. Dio varias vueltas en el suelo y chocó contra la pared de la cúpula, que soltó chispas a causa del contacto. Pero esa ligera descarga no fue nada comparado con el ardor que sentía en la mano y en la pierna.

Notaba el olor de carne quemada.

Ozawa levantó la espada, y se dirigió hacia ella sin prisa. Blandía la espada en el aire, lo cual emocionaba al público.

Un espectáculo canibalesco.

Evalle estaba tumbada de espaldas, con un brazo doblado a un lado y el otro estirado sobre el suelo. Su respiración era corta y agitada.

Giró la cabeza a un lado y vio a Storm, que se abría paso entre la multitud. Cuando sus miradas se cruzaron, Evalle pronunció con los labios «confía en mí».

Él dudó un momento, pero continuó avanzando sin quitarle los ojos de encima.

Ozawa se acercó a ella caminando con sus poderosas piernas de cánido. Cuando se detuvo, Evalle notó el nauseabundo olor a carne podrida que desprendían sus garras. Sujetaba la empuñadura de la espada con las dos manos, y la levantó con intención de dar el último golpe.

Mientras la espada descendía, Evalle oyó el rugido de Storm, en el otro lado de la cúpula.

Evalle convocó toda su energía cinética para poner un escudo entre ella y la espada, paralelo al suelo.

La espada cayó con fuerza sobre el campo de protección, aplastándola contra el suelo. El brazo cedió bajo esa fuerza doblándose por el hombro, pero Evalle empujó con todas sus fuerzas.

Es mi turno.

Se acercó la daga a los labios y le susurró que no se detuviera ante nada. Entonces lanzó un golpe horizontal por encima de los tobillos de Ozawa y se los cortó.

Los fieros ojos de Ozawa perdieron el brillo amarillento, y sus ojos rojos se llenaron de confusión. Aturdido, se tambaleó y cayó de espaldas al suelo con un fuerte golpe.

Evalle soltó el escudo de energía y sujetó la daga con la otra mano para ponerse en pie. Dio un salto por encima del cuerpo inerte de Ozawa, aterrizando a unos centímetros de su cabeza.

Le clavó la daga en la cuenca de uno de los ojos.

Ozawa levantó las garras y se las clavó en el brazo.

Evalle aguantó con fuerza y giró la daga a un lado y a otro mientras reprimía un grito de dolor. El cuerpo de Ozawa se debatía a un lado y a otro. La tensa piel de su pecho se rasgó y dejó al descubierto la vibrante musculatura. Su boca se abrió. Unos espíritus negros salieron aullando en todas direcciones y al chocar contra la invisible pared de la cúpula se convirtieron en bolas de fuego.

Cuando el cuerpo de Ozawa quedó inerte, Evalle extrajo su daga y la limpió en la mata de pelo que le salía de la cabeza. Luego se irguió, con dificultad, pues el dolor de las heridas le hacía apretar las mandíbulas con fuerza.

Mientras se dirigía a la puerta dos, vio de reojo a Storm, que desapareció en dirección a la entrada de la zona de espera. Justo cuando llegaba al pasillo, una explosión hizo temblar el suelo. Evalle dio un traspiés, pero continuó adelante. Si ese lugar estaba siendo volado por los aires, esperaba que Storm fuera a buscar a Lanna.

El guardia que esperaba al otro extremo apareció con una calma que parecía excesiva para una situación de crisis, así que la explosión debió de haber sido en el otro cuadrilátero. Antes de que se lo preguntara, el guardia le dijo:

—Tienes sesenta minutos como máximo hasta el siguiente combate. Si no estás preparada cuando llegue la hora, renunciarás a él y pasarás a ser propiedad del anfitrión.

¿Pertenecer al hermano de Deek?

Eso no sucedería mientras ella pudiera respirar. Asintió con la cabeza, indicando que había comprendido.

Storm apareció ante su vista.

Mientras el guardia se iba, Storm alargó la mano para tocarla.

Cualquiera podía estar mirándolos.

Evalle negó con la cabeza.

Sus ojos oscuros se volvieron negros. No dijo nada, sino que caminó a su lado mientras ella se dirigía, cojeando, a la zona de espera número uno, habitación siete.

Por el camino, Evalle susurró:

—¿Cómo está Lanna?

—Continúa escondida e infeliz, pero está a salvo. Nadie ha reparado en ella.

Evalle se dejó caer en una de las sillas que estaban al lado de la mesa de operaciones y apartó la mirada de la mano herida. Por lo menos, no se trataba de su mano dominante.

Storm cerró la puerta y se acercó a ella sin prisas.

Evalle se dijo que sería mejor acabar con eso cuanto antes.

—¿Qué?

Storm no levantó la voz, pero hubiera sido mejor que lo hiciera en lugar de hablarle con ese tono de decepción.

—No podrás sobrevivir a estos combates sin, por lo menos, adoptar la forma de batalla de los veladores.

—Intentaba esperar para hacerlo.

Evalle tenía miedo de, si lo hacía, no poder evitar continuar cambiando de forma hasta adoptar la de bestia mutante.

—No podrás llegar a la siguiente ronda si no sobrevives a esta. Has sido entrenada para matar en defensa propia o para proteger a alguien. Esos luchadores matan y punto. No les importa si te pareces a su madre, si es que tienen madre.

Storm tenía cierta razón, pero ella no tenía por qué admitirlo.

—Debes ocuparte de curarte —gruñó él—. Si no puedes hacerlo tú, yo sí puedo.

Supongo que nuestra pequeña discusión de estrategia ha terminado.

—No, será mejor que reservemos tu magia para cuando la necesite. Quiero darme una ducha y me gustaría ponerme ropa limpia.

—Voy a buscarla.

Storm salió de la habitación.

A Evalle, las heridas le dolían mucho; pero el corazón le dolía más.

Storm estaba decepcionado porque creía que ella no lo estaba intentando con todas sus fuerzas. Le iría bien que le dieran un poco de ánimos en ese momento, pero Evalle sabía que se sentiría de la misma manera si fuera él quien se negara a adoptar su forma de jaguar para enfrentarse a un ser poderoso. Se fue a la ducha, cojeando, se quitó la ropa y abrió el agua caliente a toda presión. A sus pies se formó un remolino de agua rojiza. El jabón líquido le recordó el olor refrescante de la lluvia, y el champú olía a hierbabuena.

Por supuesto, si Kol se parecía en algo a Deek, solo tendría lo mejor.

Cuando se sintió limpia, dejó que el agua caliente resbalara por su cuerpo y, de pie sobre el suelo de granito de la ducha, se concentró en sanarse. Sintió que la bestia mutante se removía en su interior, lista para liberarse, pero Tristan le había enseñado a controlarla para que fuera capaz de emplearla cada vez que necesitara sanarse.

Empezó a concentrarse en las heridas. La mano se le curó rápidamente, lo que significaba que la herida no había sido tan grave. Luego se concentró en el fuerte dolor que sentía en el muslo. Cuando creyó que había recuperado la fuerza suficiente para moverse sin que le doliera, apagó el grifo y salió de la ducha. En un banco había una gruesa toalla de baño y un ordenado montón de ropa.

Ni rastro de Storm.

Se vistió y se recogió el pelo. Cuando salió del baño, de sus heridas no quedaba más que un sordo dolor.

—¿Cuánto tiempo me queda?

—Cuarenta minutos. Vamos.

Evalle no quería hacer nada con él mientras estuviera tan enojado.

—¿Adónde?

—A ver luchar a los demás mutantes, si es que piensas llegar a la última ronda.

Evalle debería alegrarse de que Storm no pusiera mala cara, ¿verdad? Entonces, ¿por qué se sentía herida?

—Si piensas pasarte todo el rato enojado conmigo, vete.

—¿Crees que estoy enojado? —El tono de voz de Storm expresaba una calma poderosa.

—Eso parece. Si no es así, ¿qué es lo que te preocupa?

Debió de haber sido una pregunta poco adecuada, porque Storm inspiró con fuerza y dijo:

—Te diré lo que no va bien. Quiero hacer picadillo a Tristan por no haber ido a reunirse con Macha la primera vez. Y Macha no es mucho mejor que él, si te ha puesto en esta situación en la cual ni Tzader ni VIPER te pueden respaldar. —Storm se acercó a ella—. Pero lo que está a punto de sacarme de quicio es lo poco que valoras tu vida.

—Yo me valoro a mí misma.

—No, no lo haces, porque, a excepción de un pequeño grupo de amigos, has sido tratada como una hija bastarda. Macha no te hizo ningún favor cuando te chantajeó para que asesinaras a cambio de obtener la libertad, y ahora estás intentando salvar a una raza entera de mutantes cuando ni uno de ellos te está ayudando a ti. Y, además de todo esto, yo no puedo hacer nada para protegerte sin ponerte en un riesgo mayor. Enojado ni se acerca a explicar lo que siento.

Puestos de esa manera, resultaba difícil negar que sus argumentos eran válidos. Pero estaba equivocado en una cosa: Evalle se valoraba a sí misma. Se acercó a él, le puso una mano sobre el pecho y notó los acelerados latidos de su corazón. Storm tenía los músculos del cuello tensos.

Evalle quería hallar un punto de encuentro entre ambos, pero no sabía cómo hacerlo.

—Sí quiero sobrevivir a esto, y tú eres el motivo de que quiera hacerlo. Pero si no lo consigo, quiero que sepas… que siento haber malgastado el tiempo que hemos vivido juntos.

Storm soltó un largo suspiro que se convirtió en un gemido de dolor. Luego alargó los brazos hacia ella.

Emocionada por sentir el cuerpo de él tan cerca, Evalle se acurrucó en sus brazos. El corazón le latía con fuerza. Storm la besó, y Evalle sintió un escalofrío de placer que le recorrió toda la piel y la penetró hasta lo más profundo.

Le rodeó la nuca con ambas manos, sujetándose con fuerza a la única persona sin la cual no creía poder vivir.

Storm le sujetaba la cabeza con suavidad, pero sus labios se mostraban hambrientos y exigentes.

¿Por qué no podían estar en casa, tumbados delante del fuego?

Evalle le lamió los labios y lo besó. Deseaba sentir su piel sobre la suya. Y este deseo era enteramente suyo, no había ninguna pulsera que la estuviera volviendo loca por poseerlo. Storm le puso las manos sobre las nalgas y la apretó contra sí. Evalle le rodeó la cintura con las piernas, temblando de deseo.

Storm introdujo una mano por debajo de la camiseta y le acarició la piel con los dedos hasta que encontró el cierre delantero del sujetador. Le frotó el pezón con el pulgar haciendo que ella arqueara la espalda de placer.

Su contacto la volvía loca. Lo besó con mayor fuerza, exigiéndole lo que necesitaba de él. Él continuó acariciándola suavemente hasta que Evalle sintió que toda la piel de su cuerpo había cobrado vida.

Evalle apartó un momento los labios y musitó:

—Podríamos… quizás aquí…

Él se quedó quieto, todo su cuerpo se tensó, su pecho se movía al ritmo de la respiración agitada.

—No, no podemos. —Apoyó la frente en la de ella—. Este

no es el lugar adecuado para que tú hagas el amor por primera vez. Los guardias pueden entrar en cualquier momento que les apetezca. Maldición, no debería haber dejado que esto se nos fuera de las manos, pero cuando estoy contigo pierdo la cabeza.

Ella sonrió.

Storm, al verla sonreír, le dio un suave pellizco en el pecho.

Evalle dejó de sonreír.

—Esto es tortura.

—Ajá. Ni se acerca a lo que tú me has hecho padecer durante semanas.

—Le daré una patada en el culo a quien quiera impedir que salga de este sitio contigo.

Storm apartó la mano de su pecho y la levantó un poco para que ella pudiera poner los pies en el suelo. Evalle nunca le había contado lo que le había sucedido de adolescente, pero en ese momento sintió que necesitaba ser honesta con él.

—Debes saber, Storm, que cuando nosotros... estemos juntos, no será mi primera vez. Quizá sea inexperta, pero yo... yo no soy virgen.

Storm le puso una mano sobre la mejilla y le habló con ternura.

—Existe una diferencia entre la definición de tener sexo y la de hacer el amor, pero tú no experimentaste ninguna de las dos, ¿verdad?

Ella bajó la cabeza, incapaz de mirarlo a la cara.

—Digamos que sé cómo funciona.

Él la apretó contra sí unos instantes y le preguntó con amabilidad:

—¿Qué sucedió?

Evalle no quería recordar esa noche que pasó en el sótano, encerrada con un hombre a quien había llegado a considerar su único amigo. Aunque estaba preparada para tener intimidad con Storm, todavía tenía miedo de mutar involuntariamente si se sentía atrapada y esa pesadilla la atacaba de nuevo.

Storm merecía conocer la verdad.

Evalle inspiró profundamente y, aunque se sentía temblar y tenía el cuerpo vibrante de emoción, decidió contárselo rápidamente sin darse oportunidad de cambiar de opinión.

—Después de que mi padre me abandonara, mi tía me crió,

o, mejor dicho, me vendió. Dijo que su hermano le pagaba un salario y que no quería volver a verme nunca más, puesto que yo era muy rara porque no podía exponerme a la luz del sol. Storm la escuchaba con atención mientras le masajeaba suavemente la espalda.

—Mi madre murió al darme a luz, así que no conozco su versión de la historia. Mi tía me encerraba en un sótano que había arreglado como un pequeño apartamento. Durante el día se iba a trabajar de enfermera a un hospital.

—¿Dónde está tu tía?

Esa hubiera sido una pregunta sencilla si Storm no la hubiera formulado con esa carga de amenaza.

—Muerta. Cuando llegué a la adolescencia, empecé a sufrir calambres y dolores, así que convenció a un joven médico para que viniera a visitarme a casa. Por lo menos, yo creía que era médico. Más que nada, él sentía curiosidad por alguien que no podía exponerse a la luz del sol. Era amable, y me daba una medicina que aliviaba los calambres, pero dejó de venir durante un mes entero hasta el día que dijo que debía examinarme. Debía hacerme un examen ginecológico.

Storm detuvo la mano con que le masajeaba la espalda. Con voz tensa aunque controlada, la animó:

—Continúa.

—Eso fue... difícil, pero el médico dijo que todo estaba bien y se fue. Luego vino otra noche y me dijo que mi tía se quedaría a pasar la noche en el hospital para ayudar, porque les faltaba personal. Le dije que yo estaba bien sola, pero él tenía una expresión muy rara en los ojos. Yo me di cuenta de que no me escuchaba. Al principio intentó convencerme de que debía examinarme otra vez. Cuando me negué, me obligó a tumbarme y empezó a quitarme la ropa. Chillé, pero nadie me oía. Le pegué, pero era más grande que yo. Me arrancó la ropa. Él...

Evalle tembló al ver la enloquecida expresión de él y al sentir sus manos en su cuerpo otra vez. Él le dio una bofetada y luego la golpeó con el puño una y otra vez, diciéndole a gritos que dejara de comportarse como una niña mientras la penetraba, la violaba. El corazón de Evalle latía con tanta fuerza que ella oía los latidos. Chilló hasta quedarse afónica, y entonces empezaron a mutarle los brazos, la piel se le rasgó bajo la presión de los cartílagos.

Su boca se agrandó... y él dejó de golpearla.

Se le había quedado el rostro lívido de miedo.

La voz de Storm interrumpió el horror de Evalle.

—Shhh, tranquila, cariño. Estoy aquí. —La abrazaba con fuerza—. Tranquilízate.

Los brazos de Evalle se habían hinchado, musculosos, y la mandíbula había empezado a deformársele. Su bestia mutante salía a la superficie.

Debía parar.

Storm continuó hablándole con voz suave, diciéndole que estaba a salvo con él. Despacio, los brazos y el cuerpo de Evalle se fueron relajando y recuperando su forma humana. Movió la mandíbula y se pasó la lengua por los dientes. Eran dientes naturales.

Evalle lo abrazó, y tragó saliva sintiendo un dolor en el estómago. Storm le dio un beso en el pelo y en la frente.

Evalle temía encontrar una expresión de pena o de disgusto en el rostro de Storm, pero cuando lo miró a los ojos lo único que vio fue rabia.

Storm le sujetó el rostro con las dos manos.

—Quiero un nombre.

—Está muerto.

Storm asintió con la cabeza, dando por sentado que ella lo había matado.

Bueno, en cierta manera lo había hecho.

—Empecé a mutar por primera vez, lo cual me asustó. No conseguí mutar del todo, pero lo aterroricé. Salió corriendo, cerró la puerta de acero y oí el rechinar de las ruedas del coche al arrancar. —Evalle cerró los ojos, deseando poder borrar todo eso de su memoria para siempre—. Mi tía llegó a casa doce horas después, totalmente enojada, y me dijo que había encontrado a un celador que quería quedarse conmigo y que yo lo había arruinado todo. Se estrelló con el coche, y vivió lo suficiente para decir que había visto un monstruo.

—Hijo de puta. Tu tía mandó a un hombre adulto que ni siquiera era médico para que te reconociera, sabiendo lo que podía suceder...

Storm no fue capaz de terminar la frase.

Evalle se dio cuenta de que el hecho de haber compartido eso con Storm no la había dejado con ningún sentimiento de vergüenza, como había temido, sino con una sensación de alivio.

—Eso pertenece al pasado, pero ahora ya sabes por qué tengo miedo de perder el control cuando estoy contigo.

Storm le dio un beso en la frente y le pasó una mano por el pelo.

—No me preocupa. Tendremos nuestro momento, y cuando lo hagamos tú estarás bien.

Evalle confiaría en él cuando llegara el momento.

Si vivía para ello.

En ese momento oyeron la voz distante de Dame Lynn anunciando a Chi Dalvin contra el mutante Boomer.

Storm suspiró, resignado, y le dio otro largo beso.

—Es hora de ir a ver la competición.

—No sé contra quién voy a luchar ahora.

—No importa. Debemos observar a los mutantes.

Evalle pensó que el hecho que él pensara en los combates finales significaba que confiaba en que ella ganaría el próximo combate. Movió la mano dolorida, aunque útil todavía, y se dirigió hacia la puerta.

—¿Qué has descubierto de momento?

—He visto a una hembra mutante llamada Satén Negro que no es más grande que tú cuando muta, pero que tiene un pellejo marrón-gris moteado que parece difícil de perforar, y además tiene unos peligrosos colmillos.

—¿Contra qué luchó?

—Contra un gigante tracio.

—No sé qué es.

—Un bastardo enorme que pesaba unos setenta y cinco kilos más que ella incluso cuando ya había mutado. Tenía una mano cubierta de púas de acero de treinta centímetros de longitud y parecía capaz de derrotar a un ejército entero con una sola mano. Pero Satén Negro lo desarmó. No fue rápida, pero ganó. —Cuando llegaron a la zona en que se encontraba Lanna, Storm aminoró el paso. La chica estaba sentada con las piernas encogidas y la cabeza apoyada en las rodillas. Storm le preguntó—: ¿Quieres hablar con ella un momento?

Evalle lo pensó, pero negó con la cabeza.

—No, hasta que regresemos. Así solo veré su dolor una vez.

Evalle observó a la gente que pasaba por allí hasta que se convenció de que Lanna estaba fuera de la vista.

Siguieron adelante. Evalle llamaba la atención del público. Demasiadas miradas de admiración para que Storm pudiera estar tranquilo.

Pasó un brazo por encima de los hombros de Evalle en un claro gesto de posesión.

—¿Cómo mató Satén Negro al tracio? ¿Tenía algún arma?

Storm habló en voz baja para que solo lo oyera ella.

—Esa parte me preocupa. Ella no tenía ningún arma visible, pero creo que empleó un hechizo, quizá incluso se tratara de magia Noirre, para enojarlo. Se mantuvo fuera de su alcance, provocándolo igual que un matador juega con un toro, hasta que el gigante cargó contra ella.

—¿Él no le clavó el puño de púas?

—No. Las manos de ella se convirtieron en dos cabezas de serpiente que tenían colmillos planos afilados como cuchillas. Y es rápida. Le dio dos estocadas que no parecieron graves hasta que él empezó a retorcerse y a correr de forma enloquecida. Entonces se dio de cabeza contra una pared y...

—Explotó en una bola de fuego —terminó Evalle, dándose cuenta de que esa había sido la explosión que había oído. Si uno se daba un golpe contra el muro, no sucedía nada, pero si chocaba de cabeza intencionadamente, uno ardía.

—Y luego está el troyano —dijo Storm.

—¿Qué es un troyano? ¿Es un nombre o es un patrocinador? —Evalle chasqueó los dedos en un intento de subir el estado de ánimo de Storm—. Ya lo tengo. Lucha desnudo para asustar a sus contrincantes con su arma. —Evalle rio—. Por lo que les he oído decir a las mujeres que trabajan en las calles por la noche, los hombres que se pavonean no acostumbran a dar la talla. Literalmente.

Storm intentó sonreír, pero su preocupación no disminuyó y continuaba mostrando una expresión tensa en el rostro.

—Creo que tiene más que ver con el caballo de Troya, que esconde sorpresas. Sorpresas desagradables.

—Oh.

Evalle giró la cabeza para mirar por segunda vez a un hombre que se agachó y desapareció entre la multitud. No podía tratarse de Horace Keefer. Tzader no habría enviado a ningún velador, especialmente cuando sospechaba que Evalle se encontraba allí. Además, Horace estaba retirado. Tzader nunca lo enviaría a un lugar como ese.

Debía de ser un error.

—¿Eso es todo lo que puedes decir de un troyano? —preguntó Storm.

Ella lo miró.

—Se parece a un zombi caníbal de color lila que lleva un feo peinado.

—Ni de lejos.

Veinticinco

—¿Cómo va? —le preguntó Evalle a Lanna cuando se acercó a ella, al cabo de veinte minutos.

La chica no podía mostrarse más triste aunque quisiera.

—Me duele la cabeza.

Lanna se apoyó en la base de los asientes de las gradas. Storm les daba la espalda, ocultándolas a la vista del público. Giró la cabeza y le dijo a Lanna:

—Si dejas de intentar atravesar la zona de protección, no tendrás dolor de cabeza.

Sin hacerle caso, Lanna replicó:

—He descansado. Puedo hacerme invisible. Dejadme salir y os ayudaré.

—No. —Evalle ya tenía bastante con evitar que Storm interfiriera. Lanna era una entrometida—. Quédate aquí. Me acaban de llamar para el segundo combate. En cuanto termine el tercero, nos iremos.

—Si ganas... —empezó a decir Lanna, pero rápidamente rectificó—: Cuando ganes, te ofrecerán la inmortalidad. Lo he oído. ¿No aceptarás?

—¿De los Medb? No, por supuesto que no.

La voz de Dame Lynn interrumpió la conversación.

—Guerrera Luz de Luna contra Sandspur dentro de cinco minutos. Hagan sus apuestas.

—¿Qué es Sandspur? —preguntó Lanna.

Evalle pensó en el combate que acababan de ver y respondió:

—No tengo ni idea, pero con suerte no medirá tres metros y medio y sus brazos no serán tan largos.

Storm advirtió:

—La gente se está dando cuenta de que estás aquí.

—Ya voy. —Y dirigiéndose a Lanna, dijo—: Volveré pronto, ¿de acuerdo?

Lanna encogió las piernas y miró a Evalle con expresión fulminadora.

¿Por qué creyó Quinn que yo sabría cómo manejar a Lanna? Evalle regresó a su sala de espera justo en el momento en que el guardia iba a buscarla. Storm le dio un apretón en el brazo y se fue.

Las heridas se habían sanado. Evalle estaba preparada para el combate, y llegó a la puerta uno mientras Dame Lynn anunciaba:

—Guerrera Luz de Luna la mutante contra Sandspur.

Pero esta vez, cuando las dos puertas desaparecieron, delante de Evalle no se veía a ningún contrincante.

Evalle entró en la cúpula, sorprendida al notar que la arena del suelo era fina como el azúcar. Buscó a Storm con la mirada entre los asientos, y vio que se había acomodado tan cerca que podía distinguir las arrugas de su frente.

Quizá se iba a librar de esa, o…

De repente, una energía penetró en la cúpula.

Evalle dirigió la atención hacia el otro extremo, y vio que el suelo, ante la entrada de la puerta dos, se elevaba y levantaba un bulto.

El bulto creció y apareció una gruesa criatura cilíndrica de un metro y medio de longitud.

Evalle no se movió. Su contrincante continuó avanzando bajo la arena hasta el centro de la pista. El público dejó de gritar y solo quedó un murmullo de tensión en la sala. La excitación crecía, a la espera de ver a Sandspur.

Cuando finalmente salió de debajo de la arena, Evalle ya tenía la daga en la mano, preparada para el ataque.

Sandspur sacó primero la cabeza con dos cuernos. Luego, al dejar al descubierto la mitad del cuerpo, Evalle se dio cuenta de que era como la versión en gusano del hombre Michelín, pero ese gusano gigantesco no tenía patitas a los lados. Tenía el cuerpo de un color parecido al del agua, atravesado por unas rayas negras y naranjas, como de tigre, que se hacían más delgadas a medida que se acercaban a la zona del vientre. La cabeza de Sandspur parecía una margarita, con tres pétalos blancos y unos enormes ojos rosas y azules en el centro.

Gracioso, a su manera.

A *Feenix* le encantaría como compañero de juegos.

¿Cómo iba a herir, y mucho menos matar, a algo que ni siquiera tenía piernas? ¿Cómo podían los luchadores entrar en esos cuadriláteros y atacar a algo que no los había amenazado?

Comprendía que el boxeo fuera un deporte, pero las batallas de bestias no eran un deporte.

Allí, el público exigía el desmembramiento y la muerte.

Si sonreía ante ese gracioso diablillo estaría enviando una señal equivocada. Intentaría asustar a Sandspur para que este suplicara la compensación, así que hizo girar la daga rápidamente en la mano y se agachó, colocándose en posición de ataque.

Sandspur abrió las fauces, llenas de afilados dientes largos como dedos y soltó un grito que era impresionante para un gusano, pero demasiado agudo y débil para resultar temible. El público estalló en carcajadas.

Evalle se mordió el labio para no reír. Pobrecito. Por suerte, eso no iba a durar mucho. No quería ver a Sandspur humillado.

—Vamos, chico —lo llamó en voz baja, inaudible en medio del griterío del público—. Vamos a ponernos en marcha y a sacarte de aquí.

Los ojos de Sandspur pasaron del color rosa al azul fuego. De repente, seis de las rayas negras de su cuerpo se soltaron y se alargaron ocupando una longitud de tres metros a cada lado de su cuerpo. Alrededor de cada una de ellas salían unos tentáculos largos como dientes de tiburón, y en los extremos lucía unas afiladas pinzas.

Mierda.

Sandspur avanzó como si se deslizara por encima de un riel supersónico. Lanzó un latigazo hacia Evalle con uno de los tentáculos.

Evalle dio un salto empleando la fuerza cinética y aterrizó en el otro extremo de la cúpula.

SHERRILYN KENYON - DIANNA LOVE

Sandspur se giró a la velocidad de un molino, los tentáculos flotando en todas direcciones.

Acercarse lo bastante para apuñalar ese cuerpo gordo sería suficiente.

Sandspur se lanzó hacia ella a una velocidad increíble. Evalle volvió a esquivarlo, apartándose de las pinzas que chasquearon frente a su rostro. Pero la hilera de dientes de uno de los tentáculos le rasgó el hombro izquierdo, haciéndole una profunda herida.

Luchar hacía que la sangre manara copiosamente.

Pero no había alternativa.

Evalle rodó por el suelo alejándose de los tentáculos y se puso en pie. Convocó su forma de guerrero velador, ya que podía emplearla sin ser castigada. Los brazos se le hincharon de musculatura. Los cartílagos rasgaron la piel y la camisa. El cuello se le ensanchó y las piernas rompieron los tejanos.

Su bestia mutante quería emerger, pero Evalle la mantenía fuertemente controlada.

Evalle esquivó otro ataque dando una voltereta lateral y aterrizó con los pies firmemente plantados en el suelo y de cara al gusano gigante.

—¿Eso es todo lo que puedes hacer?

Sandspur se detuvo un momento, ladeó esa flor que tenía por cabeza y se rio.

Ya te enseñaré yo lo que es divertido, miserable...

Gran error. La risa de ese gordo zurullo había tenido por objetivo despistarla. Y había funcionado.

Lanzó un latigazo con uno de los tentáculos.

Esta vez, el tentáculo se alargó y llegó mucho más lejos que los otros tentáculos, haciéndole un corte en la pantorrilla. Evalle perdió el equilibrio, pero consiguió girar sobre sí misma y cortar el tentáculo con la daga.

El apéndice amputado, de un metro de longitud, soltó un chillido y se alejó arrastrándose por el suelo y abriendo y cerrando la pinza en el aire.

Sandspur lanzó otro latigazo, esta vez iba dirigido al rostro de Evalle.

Evalle dejó caer la daga al suelo y lo agarró con las dos manos, justo por debajo de la pinza. El contacto era el de una piel como de goma que recubría un fuerte cartílago o un hueso. Estaba recubierto con púas de tres centímetros de longitud que se le clavaron en las palmas de las manos. Evalle se dio cuenta de que perdía fuerza en el hombro, y se debatía por mantener la pinza alejada de su rostro.

¿Quizá Sandspur solo podía lanzar un latigazo con un tentáculo cada vez? Eso parecía, pero ahora Sandspur se apoyaba en la pinza para arrastrar su gordo cuerpo por el suelo en dirección a ella mientras intentaba alargar los otros tentáculos.

¿Quizá no podía ir tan deprisa cuando le agarraban un tentáculo?

Pero Evalle tenía los dedos sangrando.

Dos de los pinchos le habían atravesado la mano y sobresalían por el dorso. El dolor de la mano, el hombro y la pierna la hacían sentirse un poco confusa, pero no estaba dispuesta a soltar a ese maldito gusano.

Empezó a marearse y sintió el sabor de la bilis en la garganta.

¿Era posible que esos pinchos de los tentáculos le hubieran inyectado algún tipo de veneno?

Evalle apretó la mandíbula con fuerza y cerró las manos alrededor del tentáculo para cortarle la circulación de la sangre, si es que era sangre lo que corría por las venas de esa cosa.

Sandspur se puso a temblar y emitió un sonido gutural. Empezó a batir la arena del suelo, que se levantaba a su alrededor formando una nube.

Si Evalle perdía las gafas en medio de esa arena brillante, o si la arena le golpeaba la cara, perdería la visión. Pero no podía soltar el tentáculo para coger la daga si no quería que esa pinza se le clavara en el cráneo.

Mientras ese pequeño tornado de arena le rodeaba el cuerpo, Sandspur encogió los otros tentáculos y empezó a hacerse más grande. Pero, al mismo tiempo, pareció que se ahogaba y trastabillaba.

Evalle notó que el tentáculo que tenía entre las manos perdía fuerza, así que se arriesgó a echar un vistazo de reojo hacia Storm para comunicarle con su expresión que no fuera en su ayuda. Storm la miró como diciendo «¿Qué?».

Sin hacerle caso, Evalle empujó el tentáculo hacia el suelo.

Entonces el tentáculo se dobló sobre sí mismo y le hizo un corte en la muñeca con la pinza.

Evalle reunió todas las fuerzas que le quedaban y apretó el tentáculo contra el suelo con el antebrazo. Así consiguió tener libre una mano para coger la daga y clavarla en el tentáculo, inmovilizándolo en el suelo.

Sandspur se debatía y soltaba chillidos agudos.

Esto no te ha gustado ni un pelo, ¿eh?

El pequeño bastardo giró con fuerza, intentando alcanzarla.

Evalle levantó una mano con la palma hacia él y parpadeó para aclararse la vista. Sandspur se estrelló contra un muro de energía cinética.

Evalle le susurró a la daga que se quedara donde estaba, y se puso en pie. Cojeaba un poco, pero mantenía la barrera cinética para protegerse de Sandspur. Este se lamentaba mientras tiraba del tentáculo, intentando soltarse.

Evalle lo tenía inmovilizado contra el suelo, pero esa criatura tuvo la audacia de reírse.

Buen intento.

Evalle no cometería el mismo error por segunda vez.

Alargó la mano, temblorosa y sangrante, hacia el tentáculo amputado, que todavía se arrastraba por el suelo abriendo y cerrando la pinza frenéticamente, y lo atrajo con energía cinética. El tentáculo voló hasta su mano. Apretando las mandíbulas, Evalle lo sujetó con fuerza y lo giró dirigiendo la pinza hacia el suelo.

Sandspur dejó de reír.

Con un último impulso de energía, Evalle soltó el escudo cinético un momento y clavó la pinza justo por debajo de la cabeza de tres pétalos de Sandspur.

El bicho abrió las fauces y soltó un chillido.

La pinza no conocía la lealtad, y desgarraba cualquier cosa con la que entrara en contacto. Hizo una herida en la cabeza de Sandspur y de ella empezó a manar un líquido de un sucio color rojo. Los ojos azules se volvieron rosas, y luego cambiaron a un tono marrón. La cabeza se desprendió del cuerpo.

Evalle dejó la pinza clavada allí y se dio la vuelta. El tentáculo que estaba clavado en el suelo con la daga empezó a secarse.

Evalle se dirigió con paso tranquilo hacia la puerta dos, llamó a la daga para que volviera a su mano y la cogió mientras recorría el pasillo con paso inseguro.

Recorrió el pasillo cojeando y dando trompicones de un lado a otro. Storm corría hacia ella.

Cuando llegó a su lado hizo ademán de sujetarla, pero Evalle negó con la cabeza.

—Ni se te ocurra cogerme.

Storm soltó una maldición y abrió la puerta que daba a la zona de espera.

En cuanto entraron en la habitación, Storm la cerró de una patada y la cogió en brazos para llevarla a la zona de ducha.

—No empieces.

A Evalle no le quedaban fuerzas. Gimió de dolor. No quería mirarse la mano, que sentía hinchada como si hubiera cobrado el tamaño de un guante de béisbol.

A pesar de ello, intentó tranquilizar a Storm.

—No me estoy muriendo.

—¿De verdad? —El tono había sido de un sarcasmo seco, pero Evalle detectó también miedo en su voz. Storm tenía miedo por ella—. Has dejado un rastro de sangre que parece vertido por la arteria carótida, y estás arrastrando la pierna—. La dejó sentada en el banco que había al lado de las duchas y le quitó las botas y los calcetines. Uno de ellos estaba empapado de sangre. Lo lanzó al suelo. El aire se llenó del metálico olor del fluido rojo.

Storm se puso a rasgar a tiras sus tejanos con las manos.

Evalle intentaba quitarse la camiseta pasándosela por encima de la cabeza, antes de que la sangre de la espalda se le secara. Storm la ayudó, y se la quitó con suavidad a pesar de los nervios que tenía. Evalle se quedó en braguitas y sujetador.

Evalle debía levantarse y ducharse sola.

—Ahora puedo yo.

Al ver que él no se movía, insistió:

—Por favor.

Storm se puso en pie y se apartó con los brazos cruzados y una expresión de frustración en el rostro.

Evalle podía hacerlo, y lo haría, tan pronto la habitación dejara de dar vueltas. Se puso en pie y, por un momento, tuvo un sentimiento de orgullo al creer que podía sostenerse por sí sola. Pero fue a dar un paso, y la pierna herida le falló.

Storm soltó una maldición y la cogió por debajo de los brazos.

—La piel se te está volviendo verde. Seguramente tienes veneno en la corriente sanguínea.

—El baño.

Evalle casi no había terminado de pronunciar la palabra cuando Storm ya le había hecho dar la vuelta y la había llevado hasta el retrete. Allí, vació el estómago.

La cabeza le daba vueltas. Se sentó, apoyando la espalda contra la pared.

Storm le dio una taza de agua que ella había utilizado anteriormente para enjuagarse la boca. Todo lo que tragaba, lo vomitaba.

Luego la ayudó a ponerse en pie y, pasándole un brazo por la cintura, la acompañó hasta la ducha. Los grifos ya estaban abiertos.

El agua estaba helada.

—Despacio.

Storm empezó a hablar en ese extraño idioma que ella ya le había oído emplear en otras ocasiones.

Evalle sintió un calor que le crecía dentro del pecho, justo por encima de los senos. Bajó la vista hacia la esmeralda; solo veía su borrosa forma verde. La piedra empezó a brillar, y su brillo fue creciendo a medida que Storm cantaba.

Evalle notaba que el poder del veneno remitía.

Entonces Storm calló un momento y le dijo que empleara a su bestia mutante para empezar a sanarse. Luego continuó cantando mientras la sujetaba bajo el chorro de agua fría. Ella consiguió hacerlo, pero esta vez tardó un poco más. Esa no era una buena señal, teniendo en cuenta que después debería enfrentarse a un mutante.

Evalle notó que sus miembros recuperaban la fuerza poco a poco. El hombro dejó de dolerle y la vista se le aclaró.

—Creo que ahora estoy bien.

—Yo no. —Storm le hizo darse la vuelta y la sujetó contra sí. Alargó una mano y cerró el grifo. Luego, le puso la mano contra la cabeza y se la apretó contra el pecho—. Verte luchar es una tortura.

Ella se hubiera sentido igual si hubiera sido él quien luchara.

—Lo comprendo, y aprecio lo que has hecho, pero no puedes volver a hacerlo.

Él la soltó y la miró a la cara.

—¿De qué estás hablando?

Ella se apartó y salió de la ducha. Cogió una toalla y se envolvió con ella.

—Cuando Sandspur estaba inmovilizado. —Se secó la cara y empezó a frotarse el cuerpo con la toalla—. Hiciste algo para mantenerlo quieto allí y para debilitar su tentáculo.

—No, no lo hice.

Evalle bajó la toalla y preguntó:

—¿Pues quién pudo...? —En cuanto Storm abrió la boca, Evalle supo de quién se trataba—. Lanna. —¿Es que esa chica quería que la mataran?—. Eso significa que se ha escapado de la zona segura y que va por ahí protegida por su invisibilidad.

Storm frunció el ceño, pensativo.

—Si ha conseguido liberarse del hechizo que hice y si ha intervenido con Sandspur, Lanna es mucho más poderosa de lo que creíamos. Debería haberme dado cuenta de ello cuando consiguió pasar la barrera del domjon.

—Pero su energía no está entrenada, y eso significa que todavía no puede enfrentarse a ese mago, Grendal. Debemos encontrarla antes de que lo haga él.

Veintiséis

*L*anna rodeó a un grupo de gente que contemplaba cómo los guardias de seguridad capturaban a una bruja que había ayudado a un mutante durante uno de los combates. Dos temibles hombres, vestidos con trajes de guerra similares a los que llevaban los guardias de la entrada, corrieron a coger a la bruja, que tenía el pelo largo y blanco. Llevaba una máscara de oro que solo le dejaba al descubierto la boca y la barbilla.

—Soltadme.

La bruja se debatía contra los guardias.

Otro de ellos se colocó delante de la bruja y levantó una mano.

La cabeza transparente de Dame Lynn apareció encima de su palma.

—Imogenia, del aquelarre Carretta, has sido vista ayudando a tu luchador...

—No he hecho nada —gritó Imogenia, peleándose contra los poderosos guardias, quienes no la soltaban.

—... y renunciarás a dicho luchador, además de enfrentarte a una sanción por el delito.

—¿Cómo podéis expulsarme, si mi luchador ni siquiera ha ganado?

Lanna estaba de acuerdo con Imogenia. Su luchador, un delgado joven, se había convertido en una bestia mutante lo bastante grande para enfrentarse a un oso, pero huyó aterrorizado. La bruja mintió, pues había hecho que el oso tropezara, pero decía la verdad cuando afirmaba que habían perdido.

Su mutante se había hecho un ovillo en el suelo y había suplicado que le concedieran la compensación.

Imogenia achicó los ojos detrás de la máscara.

—Exijo ver a Kol.

Dame Lynn se limitó a decir:

—Si insistes.

Lanna sintió que se le erizaba el pelo de la nuca a causa de algo que Dame Lynn, a pesar del tono agradable de su voz, no decía.

Un centauro —un ser mitad hombre y mitad caballo— apareció al lado del guardia que sostenía la cabeza de Dame Lynn. El cabello negro le caía hasta más abajo del cuello. Tenía un rostro fuerte y atractivo, pero también temible. No llevaba camisa, y el torso humano, musculoso y con una piel aceitunada, emergía del cuerpo del caballo, justo donde debían encontrarse el cuello y la cabeza del cuadrúpedo.

—Yo soy Kol —anunció con voz poderosa, con los brazos abiertos y dando patadas en el suelo con los cascos. Al oír los gritos de bienvenida de la multitud, sonrió. Llevaba una perilla que le otorgaba un atractivo sexual un tanto perverso. Bajó la cabeza, saludando a Imogenia.

—Tu deseo se te concede. Aquí estoy. ¿En qué puedo ayudarte?

La bruja hizo una mueca de timidez con los labios. Inspiró profundamente, hinchando el pecho, lo cual empujó sus senos por encima del apretado escote. La multitud murmuraba. Al espirar, Imogenia dijo:

—Quisiera disponer de un momento en privado para hablar de mi pequeño error.

Kol tenía los ojos azules, del color del mar profundo, que brillaban de una forma no muy agradable.

—Ojalá pudiera concederte este pequeño deseo, pero si lo hiciera solo conseguiría que más mujeres de las que ya lo hacen buscaran mi afecto.

A Imogenia se le torció la sonrisa.

Kol adoptó un tono mortífero cuando dijo:

—Y, para ser sincero, no siento afecto por nadie. Tú has infringido mis reglas. Pagarás el precio.

—No, por favor, no, yo…

Imogenia arqueó la espalda mientras sus brazos se elevaban por encima de su cabeza. Los músculos de su rostro se tensaron como soportando un asalto invisible. La capa que llevaba atada al cuello salió volando por encima de la multitud y aterrizó detrás de Lanna, quien la recogió rápidamente y volvió a ponerse de puntillas para ver.

A Imogenia se le hincharon las venas y dejaron toda su piel recubierta de unas líneas de color vino. La barbilla y los brazos se le llenaron de ampollas. De repente, el cabello se encendió y le quemó la cabeza. Imogenia chilló. Al cabo de un momento tenía la cabeza calva y cubierta de llagas y quemaduras. El vestido se le desintegró formando una nube de polvo dorado que cayó al suelo, dejándola desnuda. Todo el mundo pudo ver la piel que le colgaba y las terribles quemaduras de su cuerpo.

Finalmente, los brazos cayeron a ambos lados de su cuerpo, inertes, libres de lo que fuera que los estaba sujetando. Ella bajó la mirada hacia su cuerpo con expresión de horror.

—Nooooo, oh, nooo...

Las lágrimas caían por su rostro, y la máscara desapareció, dejando al descubierto una marca de nacimiento de color rojo púrpura que le cubría la mejilla derecha.

Kol gritó:

—Te he concedido otro favor. El defecto que llevabas escondido ahora no llama la atención de nadie.

Imogenia gimió, y las piernas le fallaron.

Pero Kol ordenó:

—¡No! Saldrás de aquí caminando.

—Por favor —suplicó ella, pero las piernas se le pusieron rígidas y empezaron a moverse hacia la salida. La multitud le abrió paso, apartándose para no tocarla. Ella quería darse la vuelta, todo su cuerpo se rebelaba contra sus piernas—. Por favor, Kol, haré lo que tú quieras.

—Ya lo estás haciendo, querida. Estás impidiendo que otros infrinjan mis normas, porque... —hizo una pausa para mirar hacia la multitud— ... que todos sepan que el próximo que se oponga a mí no recibirá un castigo tan suave.

El llanto de Imogenia fue audible hasta que llegó a la puerta de salida.

Lanna tembló ante la idea de que pudieran descubrirla.

Se alejó de la multitud con las piernas temblorosas. ¿La habría visto alguien ayudar a Evalle? Con las palmas de las manos húmedas de sudor, continuó hacia delante hasta que encontró un escondrijo debajo de unos asientos y corrió a meterse dentro. Por fin, se dejó caer en el suelo. No podía permitirse que el miedo le hiciera perder el control, si no quería llamar la atención de Grendal.

Pero tampoco podía quedarse ahí.

Primero, tranquilízate y piensa. Imogenia había sido descubierta de inmediato. Hacía una hora que Evalle había terminado el combate. Si alguien había percibido que Lanna la había ayudado, ya la habrían denunciado, ¿no? Sintió que respiraba con mayor facilidad, pero todavía debía salir de ahí.

Miró la capa de Imogenia, que todavía tenía entre las manos. Se arrastró hacia la abertura y sacó la cabeza para asegurarse de que no había nadie cerca. Entonces cogió un puñado de tierra del suelo. Volvió a sentarse en el interior del escondrijo y puso la capa en el suelo, entre las rodillas. Luego espolvoreó la tierra sobre la capa y, suavemente, invocó a la tierra pidiendo que camuflara su color.

Pidió que le otorgara un color que nadie pudiera ver.

Cuando hubo terminado, levantó la capa del suelo, que ahora tenía el mismo color que la tierra. Se la puso por encima de los hombros y se alegró de que Imogenia fuera tan bajita como ella.

Se cubrió la cabeza con la capucha y dio un paso fuera del escondrijo. Debía regresar al lugar en que Storm y Evalle la habían dejado, pero no quería volver a sentirse encerrada por el hechizo de Storm. Romperlo había sido doloroso, y quizá la próxima vez no pudiera escapar.

Storm y Evalle no comprendían que no pudiera quedarse quieta en un lugar sin correr el riesgo de que Grendal la encontrara.

Grendal tenía ojos por todas partes.

Entonces, oyó que Dame Lynn anunciaba.

—Los combates de élite empezarán dentro de diez minutos. Los mutantes que participen deberán estar en la zona de espera a la hora designada.

Mientras Dame Lynn anunciaba a los contrincantes, Lanna prestó atención para saber con quién se enfrentaría Evalle.

Evalle combatiría en los últimos turnos, en la misma cúpula que en los combates anteriores. Puesto que Storm y Evalle estaban libres hasta que llegara la hora del combate, Lanna tenía que hacer suyo el olor de la capa de Imogenia para que Storm no la encontrara. Se abrió paso despacio entre la multitud con la cabeza gacha, buscando un lugar desde donde observar el combate de Evalle.

No quería enfrentarse a Kol, pero no podía permitir que Evalle muriera.

Dame Lynn anunció:

—Guerrera Luz de Luna, la mutante, contra Boomer, el mutante, lucharán dentro de diez minutos.

Lanna vio un espacio justo delante del lugar en que Evalle iba a luchar, y pensó en meterse debajo de la mesa cubierta con una tela que mostraba las joyas que allí se vendían. Pero no era un lugar ideal para esconderse, puesto que era posible que el vendedor levantara la tela para reponer material.

Pero no encontró un lugar mejor. Lanna esperó a que el puesto estuviera rodeado de gente. Entonces se coló entre ellos y se metió debajo de la mesa. Así no gastaría energía manteniéndose invisible, puesto que quizá la necesitara después para salir de allí sin que nadie la viera y para no poner a Evalle y a Storm en peligro.

¿Pero y si Evalle necesitaba ayuda otra vez?

Nadie había visto a Lanna ayudar a Evalle.

Podía hacerlo otra vez.

Veintisiete

$\mathcal{A}$ Evalle todavía le dolían las últimas heridas, que a esas alturas ya deberían haberse curado. Daba vueltas por la sala de espera. Fingía calmar su ansiedad, pero en realidad estaba estirando el músculo de la pantorrilla, que todavía le dolía cuando caminaba.

Para no hablar de sus heridas, dijo:

—No he visto a Tristan desde que llegamos aquí. Ni a Kizira.

—¿Cómo van?

—Estoy hablando de Tristan.

—No, estás evitando decirme cómo van tus heridas —repuso Storm, apoyándose en la mesa con los brazos cruzados.

Evalle supuso que no había conseguido disimular el dolor tan bien como había pensado.

—No van mal.

Storm se limitó a arquear una ceja indicando claramente que sabía que era una mentira.

—No tan mal como podrían ir —corrigió Evalle—. Quizá yo acabe enfrentándome con Bernie, si es que él ha sobrevivido. —Evalle pensaba que Storm se sentiría aliviado si conseguía vencer en el combate contra un mutante.

—Todavía está vivo, pero a Imogenia no le ha ido tan bien.

—¿Qué sucedió?

—Empleó la magia para ayudar a Bernie y la descubrieron. He oído algunos comentarios mientras venía hacia aquí. Kol se quedó con el mutante y desfiguró a Imogenia para ofrecer un escarmiento público. Luego la expulsó.

Pobre Bernie. Seguramente Kol lo entregaría a los Medb.

Storm se rascó la barbilla con gesto pensativo.

—El veneno de Sandspur debe de haber disminuido tu capacidad de sanarte por completo.

Mientras Storm supiera lo que sucedía, Evalle se sentía segura para intentarlo de nuevo. Se quedó muy quieta e invocó el poder de su bestia para sanarse. Sus músculos vibraron, anunciando la mutación, y Evalle se detuvo de inmediato antes de que eso sucediera.

—Estoy intentando sanarme, pero no está funcionando. Mi cuerpo quiere mutar. No puedo controlar ese poder para lograr detenerme en el momento de la curación como he hecho otras veces.

—Quizá, al estar tan agotada, solo funcionará si mutas del todo. —El le ofreció una mano—. No intento convencerte de que lo hagas, solo estoy pensando en voz alta.

De repente llamaron a la puerta con unos fuertes golpes y el guardia sacó la cabeza.

—Un minuto.

Cuando la puerta se cerró, Evalle miró a Storm. En todo el rato no había dejado de preguntarse si esa sería la última vez que lo veía.

Storm empujó la mesa, se acercó a ella y la abrazó. Ella le devolvió el abrazo, y sentirlo tan cerca le devolvió una parte de su fuerza. Evalle levantó la cabeza y él la besó con tanta ternura que ella sintió que se le llenaban los ojos de lágrimas.

Storm le puso la palma de la mano en la mejilla y dijo:

—No pienso perderte. Haz lo que sea para ganar, porque si no puedes salir de aquí por tu propio pie, destrozaré este lugar y acabaré con todos los que están aquí… excepto Lanna.

En ese aspecto no había ninguna presión por parte de Storm.

—Ya sabes lo que le ha pasado a Imogenia.

—No me importa.

Evalle sintió que su corazón se enternecía al oír esas palabras. Si no fuera por el miedo de que el poder sobrenatural que se había reunido en ese lugar fuera capaz de arrancar un trozo del planeta, se hubiera sentido contenta de que alguien quisiera cobrarse venganza por ella.

Storm le dio un beso en la frente y la soltó.

—Y si Tristan no viene por su propia voluntad…

—Me iré sin él —Pero Tristan había sido capturado porque intentaba salvarla. ¿Por qué no querría irse de allí, si tenía la ocasión de hacerlo?

El guardia volvió a abrir la puerta. Evalle le dio a Storm un último beso y salió sin girarse, por miedo a no ser capaz de salir de allí sin él.

No permitas que esto termine así entre nosotros. No, ahora que había encontrado a un hombre que la comprendía mejor que ella se comprendía a sí misma.

Las palabras de Storm no se le iban de la cabeza: «No pienso perderte».

Debería haberle dicho lo mucho que significaban esas palabras para ella.

¿Por qué no lo había hecho? Porque soy tonta.

Casi sin darse cuenta, se encontró al otro lado de los barrotes de la puerta dos, que ya se desvanecían, y Dame Lynn anunciaba:

—En el combate de élite final se enfrentan Guerrera Luz de Luna, entrando por la puerta uno, y Boomer, entrando por la puerta dos.

Evalle dio un paso hacia delante con los brazos caídos a ambos lados del cuerpo.

Miró a su alrededor en busca de Storm, y vio de soslayo un rostro que desaparecía entre la multitud. Hubiera jurado que se trataba de Horace Keefer esta vez. ¿De verdad estaba allí?

¿O era el veneno de Sandspur, que le confundía la cabeza?

Cuando consiguió localizar a Storm, volvió a mirar hacia el lugar en que le había parecido ver a Horace, pero ya no estaba.

Storm le había contado que habían capturado al langau, pero hasta que no recibiera la notificación de Tristan de que todo estaba bien, no podía emplear la telepatía para contactar con nadie. De no haber sido así, habría contactado con Horace para preguntarle dónde se encontraba en ese momento.

Debía de ser un error.

La multitud prorrumpió en gritos. Evalle volvió mentalmente a la realidad del combate. Los barrotes de la puerta habían desaparecido y su contrincante entraba por la puerta dos.

El suelo de tierra volvía a ser duro.

Boomer entró con paso arrogante. Medía dos metros de altura, y en la mano llevaba una barra de metal de un metro y medio de longitud y cinco centímetros de grosor. Tenía los hombros anchos como un sofá, y lo único que llevaba puesto era un pantalón corto de color rojo. Eso era todo. Sin duda mutaría, pero en ese mismo momento estaba exhibiendo su cuerpo de culturista.

Sus ojos, rasgados, eran verdes y brillantes.

Si Boomer creía que la podía intimidar es que nunca había visto a un trol svart.

Evalle ganaría ese combate.

Las apuestas a favor de Boomer eran muy altas, y el público le lanzaba gritos de ánimo para que acabara pronto con Evalle. Y muchos de ellos querían ver correr la sangre.

Evalle oyó el recuento de cómo iban los combates de élite. En ese momento habían muerto dos mutantes, y cinco habían pedido la compensación.

Boomer, con tono de aburrimiento, la instó a empezar:

—Tú primero, Hollywood.

Estaba claro que Boomer esperaba a que Evalle mutara.

Ella negó con la cabeza, y él se encogió de hombros.

Entonces Boomer alargó los brazos hacia delante, apretó los puños y sacó la musculatura de los brazos adoptando una pose de culturista. Pero empezó a mutar. Los huesos y músculos crecieron y cambiaron de tamaño. La cabeza cambió de forma dos veces hasta adoptar su forma definitiva: la frente salida, una nariz bulbosa y dos pequeñas aberturas en lugar de ojos. Una boca enorme que le llegaba de oreja a oreja se abría para dejar al descubierto unos dientes afilados que hubieran sido la envidia de una barracuda.

Evalle sintió la fuerza de su propia bestia en el cuerpo, intentando obligarla a mutar. Su bestia mutante quería liberarse. ¿Era una reacción por la mutación de Boomer?

Controlando el fuerte impulso, Evalle levantó una mano y llamó a la daga, que llevaba en la bota. Agarró la empuñadura justo en el momento en que Boomer acababa de transformarse en un Hulk samoano.

Boomer pronunció unas palabras que sonaron confusas, pero Evalle lo entendió:

—De rodillas, zorra. Suplícame.

Evalle ladeó la cabeza y clavó los ojos en la zona genital de Boomer.

—¿Hacen condones de talla de dedal?

—Te voy a matar.

Boomer levantó la barra de metal y empezó a hacerla girar entre dos dedos, como si no pesara nada en absoluto.

Evalle se preparó para esquivarlo de un salto, esperando a que él lanzara la barra contra ella.

Pero Boomer, justo en el momento en que la lanzaba al aire, ordenó:

—Ataca al mutante.

¿Cómo podía la barra distinguir entre los dos mutantes?

Quizá iba a por el que no había dado la orden.

Estar vigilando a Boomer y a la barra al mismo tiempo hizo que Evalle tuviera la atención dividida. El arma pareció detectarla y volaba hacia ella. Evalle la esquivó a un lado y a otro, dando saltos y girando para salir del alcance de esa cosa que la perseguía como si fuera un misil guiado por calor.

Evalle lanzó un golpe de energía cinética contra él y consiguió desviarlo. Creyó que lo había lanzado contra el suelo.

Boomer soltó un aullido y saltó hacia ella. Evalle se vio obligada a saltar en la misma dirección en que había tirado la barra, y en ese mismo momento el misil rebotó contra la pared de la cúpula y fue a darle en el tobillo. Le rompió el hueso.

Evalle cayó al suelo.

Un hueso roto en ese combate significaba la muerte.

Boomer se dio la vuelta bruscamente en busca del misil.

Evalle convocó su forma de guerrero velador y se puso en pie, temblando de dolor. Entonces fue cuando vio a Horace Keefer, y se dio cuenta de que él no procuraba ocultar su presencia.

Algo la levantó por los pies.

Boomer estaba utilizando su fuerza cinética contra ella. Evalle lanzó una ráfaga de energía contra él, pero él fue a encontrarla con su mucho más poderosa energía de mutante.

Entonces, la energía cinética de Boomer la sujetó y la lanzó contra el suelo. Evalle se golpeó un costado del cuerpo y notó que se fracturaba un hueso del brazo izquierdo.

Miró hacia Boomer y vio que, detrás de él, Storm se abría paso entre la multitud y se acercaba a la cúpula.

Storm sabía lo que Kol le había hecho a Imogenia.

De repente, la realidad abofeteó a Evalle. Si Horace estaba allí, ¿qué podía ella perder a esas alturas? Probablemente Sen lo había enviado allí, lo cual suscitaba un millón de preguntas que Evalle no tenía tiempo de considerar. ¿Resumen?

Estaba jodida, hiciera lo que hiciera.

Macha le había dado autonomía. Según el criterio de Evalle, mutar en ese momento apoyaría los intereses de los veladores si Macha quería que los mutantes no cayeran en manos de los Medb.

Evalle no podía conseguirlo si no sobrevivía.

Boomer se lanzaba contra ella blandiendo la barra.

Evalle lanzó una ráfaga de energía cinética contra Boomer para ganar un poco de tiempo.

El deseo de su bestia por liberarse era tan fuerte que Evalle solo tuvo que ceder un poco el control. La energía de la mutación le atravesó el cuerpo y le desgarró la ropa. Las botas se le incendiaron cuando sus pies se expandieron, y la daga cayó al suelo, pero Evalle sabía que podía llamarla cuando la necesitara. Su cabeza se dobló de tamaño y el rostro se le hizo más estrecho. La mandíbula se le ensanchó y en el interior de la boca le creció una doble fila de afilados dientes. Los huesos y los músculos aparecieron dando forma a un enorme cuerpo tan desagradable como el de Boomer, aunque no tan grande. Entonces Evalle envió energía sanadora hacia su brazo y su tobillo mientras empleaba la energía cinética para ponerse en pie.

Boomer chocó contra el muro de energía cinética y observó con alarma el cambio de Evalle.

El brazo le mejoró de inmediato, pero la complicada estructura del tobillo requería un poco más de tiempo para sanarse. Evalle se apoyó en el pie izquierdo, dejando que Boomer creyera que todavía tenía dificultad para moverse. Entonces, cuando Boomer hizo girar la barra y la lanzó contra ella, en lugar de esquivarla, Evalle levantó la mano y atrapó la barra al vuelo.

Esa cosa se debatió al sentirse atrapada.

¿Era un ser sensible?

Evalle avanzó hacia Boomer mientras sujetaba la barra con

las dos manos. Estaba claro que esa cosa podía romper los huesos de un mutante. Boomer hizo ademán de acercarse a ella, pero tropezó con sus propios pies.

Evalle miró rápidamente hacia los asientos, y vio que Storm se había detenido abajo de todo.

No le gustaba haber mutado a su forma de bestia delante de él, pero Evalle vio que los ojos de él expresaban admiración y otra cosa maravillosa que le pareció amor. Al ver que Boomer tropezaba, Storm se encogió de hombros y pronunció con los labios «Lanna».

Si esa chica sobrevivía a ese evento, Evalle ayudaría a Quinn a llevarla al cuartel general VIPER, porque era imposible que estuviera a salvo en cualquier otro lugar.

Boomer se levantó y se lanzó al ataque antes de que Evalle llegara hasta él. Boomer la golpeó, con puños duros como rocas, en el rostro y en el pecho. Evalle se encogió, pero él le alcanzó las costillas y rompió varias de ellas. Evalle, luchando por respirar, lanzó un golpe contra su pierna con la barra.

El hueso de la pierna de Boomer cedió y él cayó al suelo sobre una de sus rodillas.

Entonces le golpeó en el hombro, rompiéndole más huesos, y finalmente le dio un poderoso golpe que le destrozó la mandíbula.

Evalle saltaba hacia delante y hacia atrás mientras atacaba. La adrenalina le impedía sentir el dolor del tobillo, y consiguió mantenerse en pie aunque todavía cojeara un poco. Prefería no matar a Boomer, puesto que necesitaba reclutar a cuantos mutantes pudiera encontrar.

Eso en caso de que consiguiera convencerlos de que la oferta de inmortalidad del Medb era un engaño.

Ganar el combate sin matarlo la ayudaría a convencerlo de que se fuera con ella.

Pero Boomer empezó a mover el cuello y los hombros, y los huesos se recolocaron en su sitio emitiendo unos fuertes crujidos.

Sanaba más deprisa de lo que Evalle hubiera podido creer. Y la expresión de Boomer fue de absoluta arrogancia al hacerlo. Se puso en pie y levantó una mano, intentando levantar a Evalle con su fuerza cinética otra vez.

Ella levantó una mano y utilizó su energía para mantenerse en el suelo, y lanzó la barra con la mano que tenía libre. Había llegado el momento de jugar. Evalle lanzó una orden en voz alta:

—Destroza al mutante.

La barra voló por el aire hacia Boomer y le dio en el cuello. Se hoyó el fuerte crujido de la columna al romperse.

La cabeza de Boomer cayó a un lado, inerte. Él dio un paso hacia atrás, y cayó al suelo. Se quedó inmóvil. Al mismo tiempo, la fuerza cinética que tiraba de Evalle disminuyó. Se acercó a Boomer y, con la barra, tocó su cuerpo.

El cuello roto. Mierda. Pero no había tenido otra alternativa.

Evalle se dio la vuelta para recibir la victoria, pero de repente oyó un gemido de dolor.

Antes de que tuviera tiempo de volver a girarse, la barra le fue arrancada de las manos y una descarga de fuerza la lanzó a dieciocho metros de distancia. Evalle chocó contra el muro de la cúpula y recibió una descarga eléctrica que recorrió toda su piel.

Boomer debía ser la abreviatura de búmeran. Esa debía de ser su fuerza. Pero la arrogancia era su debilidad. A la velocidad a la que se recuperaba, matarlo era casi imposible, pero cortar la cabeza a alguien acostumbraba a funcionar. Y Evalle acababa de cambiar de opinión acerca de que quisiera llevarlo con ella.

Evalle soltó un gruñido y empleó su fuerza cinética para apartarse de la pared de la cúpula. Boomer se lanzó contra ella. Evalle llamó a su daga y la cogió en el aire. Apuntó a la entrepierna de él y echó la mano hacia atrás lista para lanzarla.

Boomer se detuvo en seco, dejó caer la barra y se cubrió los genitales con una mano mientras lanzaba un rayo de energía cinética con la otra. Un rayo lanzado con una sola mano era más fácil de esquivar.

En el mismo momento en que lo hacía, Evalle dio un salto en el aire y, al lanzar la daga, le susurró:

—Quédate clavada.

Y la lanzó contra el cuello de Boomer con una puntería mortífera.

La daga se clavó hasta la empuñadura y salió por el otro lado del cuello.

Evalle cayó al suelo sobre el pie dolorido.

Boomer llevó las manos a la empuñadura de la daga, dando traspiés mientras intentaba arrancársela. La sangre le manaba con fuerza de la herida y también de la boca, y le costaba respirar. El rostro se le hinchó y se le puso rojo como un pulgar golpeado con un martillo. Tropezando todavía, se lanzó hacia Evalle con las manos extendidas para cogerla por el cuello, pero ella lo esquivó.

Boomer cayó de rodillas al suelo y, luego, de costado. Los ojos se le cerraron.

Mutó a su forma humana.

Evalle recuperó la daga y se incorporó para recibir los vítores, aplausos y gritos del público.

¿Era porque había ganado o porque estaba de espaldas a ellos totalmente desnuda?

Un guardia apareció con dos batas. Le dio una a Evalle, cubrió a Boomer con la otra y se marchó.

Evalle se puso la bata de color burdeos y se dio la vuelta hacia el público. Vio que Storm estaba allí de pie, con los brazos cruzados, esperando, tal como habían acordado. Le daría tiempo para que hablara con los demás mutantes. Evalle le había dicho que tocaría la esmeralda que llevaba colgada sobre el pecho si sucedía algo extraño, y quería hacerle saber que estaba bien.

Storm había demostrado tener una paciencia infinita con ella, y solo con mirarlo Evalle sabía que todo él vibraba por la necesidad de entrar en la cúpula con ella.

Evalle tocó la esmeralda.

Él siguió con la vista los movimientos de la mano de Evalle. Ella notó la piedra caliente sobre la piel, y fue como sentir un bálsamo en todo el cuerpo. Él sonrió y le guiñó un ojo.

¿De verdad Storm había puesto su magia en esa piedra?

Dame Lynn declaró:

—Guerrera Luz de Luna gana el combate de élite y obtiene la posibilidad de negociar con los Medb. Se ha llegado a un acuerdo para Boomer, el perdedor. Han terminado los combates en el cuadrilátero uno.

Evalle recorrió con la vista los asientos, y finalmente vio a Tristan y a Kizira. Y Petrina, la hermana de Tristan, también estaba allí.

Los ojos de Evalle y de Tristan se encontraron.

Él asintió con la cabeza ligeramente. Kizira fruncía el ceño, y tenía los ojos fijos en Boomer.

Evalle empujó al mutante con la punta de la bota para darle la vuelta sobre el suelo.

Boomer abrió los ojos. Tosió y se puso de rodillas mientras se llevaba las manos al cuello, que ya estaba sanando. Miró a Evalle con cara de odio.

Decididamente, no podría contar con él. Pero Evalle tampoco quería que se quedara con los Medb.

—El combate ha terminado.

Él la miraba con ojos de odio. No era tan bravucón después de perder.

Evalle invocó la fuerza de su bestia y acabó de sanarse el tobillo. Ahora que ya había desaparecido el veneno de su cuerpo, la sanación era mucho más rápida.

O quizá fuera porque Storm le había enviado fuerza sanadora a través de la esmeralda.

Dame Lynn anunció:

—Todos los mutantes supervivientes que no hayan sido reclamados por el Medb, diríjanse al cuadrilátero uno para esperar a que un representante del Medb termine la negociación.

Eso no le dejaba posibilidad de hablar con Storm primero. Evalle le hizo una señal con la mano, indicando que saldría al cabo de un momento para hablar con él.

Él asintió con la cabeza, aunque estaba claro que no se alegraba de tener que esperar.

Esa sería la única oportunidad de averiguar si Tristan estaba de verdad con el Medb o no.

Veintiocho

*L*os mutantes entraban en el interior de la cúpula, en hilera, desde la puerta uno y la puerta dos. Si añadía a Tristan y a su hermana, Evalle debería convencer a ocho de ellos que se fueran con ella. Nueve, si era posible persuadir a Boomer. Los mutantes se miraban con desconfianza, listos para atacar a la menor provocación. El interior de la cúpula estaba en silencio, como si alguien hubiera vaciado de aire esa sala.

Evalle se acercó al extremo en que se encontraba Storm, al otro lado de la pared.

—¿Puedes oírme?

Storm le leyó los labios y negó con la cabeza.

Evalle podía aprovechar el hecho de estar insonorizada allí dentro. Levantó un dedo para pedirle que esperara un minuto y regresó con los demás, quienes mantenían una buena distancia los unos de los otros.

Puesto que hacía una semana que Tristan estaba cautivo, no debía de haber contraído la infección que se estaba contagiando por Atlanta. Evalle contactó con él telepáticamente.

Pero la llamada regresó a ella, como si alguien lo impidiera.

Evalle no podía malgastar el poco tiempo de que disponía hasta que Kizira apareciera, así que se colocó en medio de los mutantes y empezó a hablar:

—La oferta del Medb es un engaño.

Varios de ellos se giraron para mirarla. Boomer volvió a toser. Por muy deprisa que se sanara, la garganta todavía debía de dolerle.

—¿Tienes una oferta mejor que hacernos que la inmortalidad?

—No exactamente.

—Entonces cierra la boca.

Evalle debería enfrentarse a Boomer otra vez, pero ahora con palabras en lugar de armas.

—Siento haberte herido, pero intentaba no matarte.

—Tú no hubieras podido matarme.

—Te equivocas. Si no hubiera sacado mi daga, se habría quedado allí hasta que te hubieras desangrado. Pero hablemos de las posibilidades que tenemos. Los Medb os utilizarán para hacer su trabajo sucio. Una vez lo hayáis hecho, no tendréis ningún valor para ellos.

Boomer replicó:

—¿Qué es un poco de trabajo sucio a cambio de la inmortalidad?

—Hay una trampa en esa oferta. Debe haberla.

Evalle miró a su alrededor, satisfecha al ver que todos la escuchaban. Bernie se había acercado. Evalle se había enterado de que habían cogido a Imogenia. Si Bernie estaba allí, Kol lo había ofrecido al Medb. Y Bernie tenía una novia.

Evalle creía que él sería el primero en dejarse convencer.

—La diosa Macha ha ofrecido protección bajo su panteón a los alterantes. Ha elaborado una escritura que nos dará estatus de raza.

Eso sería tan pronto como Evalle apareciera con la información de Tristan sobre los orígenes de los mutantes, y con cinco mutantes dispuestos a ofrecerle lealtad a Macha. Pero en ese momento no tenía sentido llenar su discurso con demasiados detalles.

—¿Nada de inmortalidad?

Boomer no renunciaba a eso.

—No, y eres un tonto si crees que la obtendrás de los Medb. Hagan lo que hagan, os convertirán en sus esclavos. ¿No preferís ser libres?

—Yo soy prácticamente invencible —se pavoneó Boomer—. Dame la inmortalidad y nadie se atreverá a hacerme un esclavo.

Evalle renunció a Boomer y se dirigió a Bernie.

—¿No te parece bien a ti?

Bernie tenía los brazos cruzados sobre el pecho y los hombros hundidos.

—Pero nos han entregado a los Medb.

Satén Negro intervino.

—Tiene razón. No he visto ningún patrocinador que no sea una bruja negra, un mago o un hechicero. Todos ellos nos están intercambiando por magia Noirre ahora mismo.

—¿Estás segura? —preguntó Evalle.

Satén Negro asintió con la cabeza.

—Los he oído.

Evalle tenía otra carta que jugar, pero era arriesgado.

—Si testificáis ante el Tribunal afirmando que fuisteis intercambiados por magia Noirre, y —Evalle miró a su alrededor— si el resto de vosotros accedéis a venir conmigo, tengo una manera de que salgamos de aquí a salvo sea cual sea el trato al que lleguen ellos.

Evalle no sabía si tenía suficiente poción para todos ellos, pero se arriesgaría a contactar con Tzader. En caso de que él respondiera a la llamada telepática, seguro que enviaría a varios veladores para que sacaran a los demás mutantes de ahí.

Bernie preguntó:

—¿Alguien me ayudará a rescatar a mi novia de Imogenia?

Evalle le aseguró:

—Si vienes conmigo, yo te ayudaré.

Los demás mutantes hicieron preguntas similares a Evalle, y ella los tranquilizó a todos diciéndoles que podrían contar con la fuerza de los veladores si se unían al panteón de Macha.

—¿Por qué deberíamos creerte? —preguntó Boomer—. Los Medb se sometieron a una prueba para demostrar que no mentían.

De repente, unas chispas de luz estallaron en el interior de la cúpula y Tristan apareció en medio de ellos. Eso significaba que había empleado el teletransporte para entrar. Ordenó:

—Todo el mundo en fila entre las dos puertas.

Todos se colocaron formando una hilera.

Evalle se dirigió hacia Tristan y dijo en voz baja.

—He intentado encontrar la manera de entrar en TÅµr Medb para ayudarte a ti, a tu hermana y a tus dos amigos a escapar. Esta era la única manera de poder…

—Ponte en la hilera, Evalle.

—Escúchame, Tristan. Uno de los mutantes tiene pruebas

de que se comercia con magia Noirre. Si me ayudas a sacar de aquí a estos mutantes, yo puedo llamar a los veladores. Si te preocupa la seguridad de tu hermana, tengo una poción que la volverá invisible. Storm está aquí, y me la está guardando. Iremos a buscar a tus dos amigos, también.

Tristan la dejó terminar.

—El único lugar al que puedo ir es a TÅµr Medb. Ponte en la fila.

—¿De verdad has cambiado de bando?

Tristan la cogió por el cuello y la levantó del suelo.

Evalle le agarró el brazo y se lo apretó para romperle el hueso.

Él apretó las mandíbulas y, acercando el rostro de Evalle al suyo, susurró:

—Estoy obligado, maldita sea. No puedo hacer nada para ayudarte, ni a ti ni a ningún otro mutante. Kizira estará aquí muy pronto. Si demuestro flexibilidad contigo, nos matará a mí y a mi hermana. Ha traído a Petrina aquí para que yo tenga claro lo que hará en caso de que haga algo que muestre que no estoy bajo su poder.

Evalle se dio cuenta de que la había agarrado del cuello para disimular el hecho de que estaba hablando con ella, pero Storm debía de estar muy inquieto.

Tristan aflojó las manos alrededor de su cuello, pero mantuvo una expresión amenazadora. Evalle se debatió contra él para hacer creíble la confrontación y susurró:

—No quiero irme de aquí sin ti y sin tu hermana.

—No te vas a ir de aquí, ni ninguno de los demás. Kizira no lo permitirá. Si quieres ayudarnos, ven a TÅµr Medb.

—No puedo. VIPER y los veladores creerán que he cambiado de bando.

—Sen te está esperando fuera.

—¿Qué?

Tristan murmuró:

—Kizira está a punto de llegar —y soltó a Evalle—. Ponte. En. La. Fila. Ahora.

Evalle se incorporó, se sacudió el pantalón y se colocó al final de la fila… al lado de Boomer.

Storm lo había observado todo desde el otro lado de la cúpula. Evalle lo miró e hizo un pequeño gesto con la cabeza para decirle que no hiciera nada. Storm apretaba la mandíbula, y su expresión decidida preocupó a Evalle.

En ese momento se formó un remolino de luz violeta y Kizira, sacerdotisa del Medb, apareció vestida con un ajustado pantalón negro y un top apretado.

—Felicidades por haber sobrevivido a los combates, y felicidades a los que hayáis ganado los combates de élite del Campeonato de Bestias Aquiles.

Kizira continuó:

—Las negociaciones han terminado. Ahora pertenecéis al Medb.

—Yo no tengo ningún patrocinador, así que hablo por mí misma —dijo Evalle—. No creo que podáis cumplir vuestra oferta.

Kizira la miró.

—¿Ah? ¿Entonces por qué has participado en el campeonato?

Evalle esperaba esa pregunta.

—Para decirles a estos mutantes que tienen otra opción.

—Eso sería cierto si no me pertenecieran —replicó Kizira y, dirigiéndose a todos, preguntó—: ¿Quién de vosotros renunciaría a la oportunidad que os ofrecemos y que os permitirá protegeros, a vosotros y a los que amáis?

El grupo murmuró en aprobación.

Boomer se inclinó hacia Evalle y susurró:

—Soy un hombre libre, y en cuanto sea inmortal, tú serás la primera a quién mataré. Y el siguiente será tu apuesto sanador. —Y, dirigiéndose a Kizira en voz alta, dijo—: Llévame a mí primero.

Muchos de los mutantes asintieron. Ni siquiera Bernie se atrevía a mirar a Evalle a los ojos. Todo eso estaba siendo un terrible fracaso.

Evalle le dijo a Kizira:

—Quizá ellos no puedan hacer otra cosa, pero yo sí.

—¿Quieres decir que prefieres irte de aquí y dejar que tu sanador se enfrente a Kol por haberte ayudado durante el combate contra Sandspur?

Evalle miró a Storm y, luego, a Kizira.

—No lo ha hecho.

—Deberá demostrarlo, porque hay un mago llamado Grendal que afirma que tú recibiste ayuda, y él sí puede demostrarlo.

Evalle no podía entregar a Lanna.

Tampoco podía dejar que Storm se enfrentara a Kol.

Puesto que Evalle no decía nada, Kizira continuó haciendo propaganda al resto del grupo.

—Todos vosotros tenéis la oportunidad de convertiros en guerreros que podrán vencer a la muerte, pero no quiero a los que no puedan demostrar que son merecedores de ello. Dad un paso hacia delante si deseáis uniros a TÅµr Medb, donde seréis tratados bien y se os entrenará. Si no dais un paso hacia delante, seréis propiedad de Kol D'Alimonte. —Y, mirando a Evalle, añadió—: Según tengo entendido, VIPER tiene un contingente de agentes esperando a capturar a cualquier mutante que salga de aquí.

Ese era el motivo por el que Sen había sido tan complaciente cuando Evalle había pedido el todoterreno protegido. Había sido un trozo de queso en la trampa, puesto que él había dado por sentado que Evalle iría al combate para obtener la inmortalidad. No tendría ninguna importancia que hubiera ido al combate a causa de un fin más noble: Evalle se enfrentaría al Tribunal si él la capturaba.

Evalle vio que todos los mutantes daban un paso hacia delante. Todos excepto ella.

Ninguno de ellos estaba dispuesto a renunciar a la oportunidad que Kizira les ofrecía.

Marcharse de ese campeonato después de haber sido vista por tanta gente significaba que Evalle debería enfrentarse al Tribunal. Macha no acudiría en su defensa cuando se enterara de que había salido de allí sin ningún mutante.

Si Evalle rechazaba la oferta de Kizira, Storm se encontraría a merced de Kol. Si aceptaba la oferta del Medb, debería alejarse de los veladores, y de Storm, para siempre.

Veintinueve

*E*valle miró a Storm a los ojos. Continuaba en el mismo lugar, desde donde había presenciado lo que sucedía en el interior de la cúpula, pero no había podido oír nada de lo que habían hablado.

El corazón de Evalle no había latido tan deprisa ni cuando se enfrentaba con Boomer. Levantó un dedo y tocó la esmeralda mientras pronunciaba con los labios «Mi decisión».

Y entonces dio un paso hacia delante, uniéndose a los demás mutantes que habían aceptado la oferta de Kizira.

Storm se quedó boquiabierto. Empezó a negar con la cabeza mientras gritaba algo que Evalle no necesitaba oír para saber lo que era. Y luego se fue hacia la izquierda, en dirección a la entrada de la zona de espera y de la entrada a la cúpula.

¿Lo dejarían entrar los guardias?

¿Tendría la oportunidad de decirle adiós por última vez?

Evalle oyó unos gritos al otro extremo del largo pasillo de la puerta uno, pero el escándalo no pasó de ahí.

Al cabo de un momento, uno de los guardias entró en el interior de la cúpula con la cabeza de Dame Lynn. La domjon se dirigió a Kizira.

—Nuestro compromiso se ha cumplido de forma satisfactoria.

Kizira miró el grupo de mutantes y asintió:

—Estoy de acuerdo.

—Tenemos una cuestión que requiere el cierre de las instalaciones hasta que esté resuelta.

—En ese caso, abandonaremos las instalaciones de inmediato.

¿Qué había sucedido para que Kol cerrara ese lugar?

Al cabo de un instante, la cúpula se desvaneció en una nube de colores. Evalle notó que el aire se arremolinaba alrededor de su cuerpo. Tenía el estómago revuelto.

Eso fue lo último que vio del Campeonato de Bestias Aquiles.

Y quizá tampoco viera nunca más a Storm. Ni a Lanna. Confiaba en que él cuidaría a Lanna y la llevaría a casa sana y salva.

Alguien se agarró a las piernas de Evalle. Si se trataba de Bernie, en cuanto aterrizaran lamentaría haberlo hecho.

Cuando el remolino cesó, Evalle dio unos trompicones en el suelo y salió corriendo hacia su derecha, pero chocó contra una pared. Todavía sentía náuseas, pero de momento no había habido ninguna erupción volcánica. Parpadeó, mareada, intentando ver algo en esa habitación oscura donde había aterrizado.

A pesar de la oscuridad, Evalle tenía una aguda visión nocturna.

Y, poco a poco, una tenue luz fue llenando la habitación.

Evalle se quitó las gafas. Se encontraba en un dormitorio que tenía una enorme cama doble adornada con un cobertor dorado, negro y granate y un montón de almohadas a juego. Vio un cómodo sofá moderno y una silla dorada junto a una de las paredes, y una lámpara estilo Tiffany encima de una mesilla de cristal. Una extraña mezcla de muebles antiguos y nuevos.

Kizira apareció.

Evalle volvió a ponerse las gafas de sol y cruzó los brazos. Se apoyó en la pared fingiendo indiferencia, pero en realidad lo hizo para no perder el equilibrio.

—¿Dónde estoy?

—En TÅµr Medb. ¿No era ese tu objetivo al entrar en los juegos?

No, su objetivo era liberar a Tristan, no ser capturada.

—Tu estancia aquí será breve. También puede ser dolorosamente desagradable.

—¿Así que tú sola puedes hacer de poli bueno y malo a la vez? —la provocó Evalle.

—Ten cuidado. No eres la única que sufrirá si no cumples.

¿De qué estaba hablando? Evalle no estaba con nadie. Había desaparecido delante de Storm sin decir ni una palabra, y los veladores la repudiarían de inmediato.

Evalle se encogió de hombros, como si no le importara nadie.

—¿Qué más le puedes hacer a Tristan? Ya es un esclavo zombi.

La mejor manera que tenía de ayudar a Tristan, y quizá a sí misma, era fingir que creía que él había cambiado de bando.

—No estaba hablando de Tristan.

Kizira cruzó la habitación flotando y habló en voz muy baja, como si estuvieran conspirando.

—Quizá creas que tu amigo es un insensato por asociarse con el Medb, pero yo digo que él demuestra mayor insensatez al confiarte a su familia. Te sugiero que descanses y comas. Necesitarás tu fuerza las próximas cuarenta y ocho horas, cuando empecemos mañana.

—¿De qué estás hablando?

—Si eres tan lista como afirmas, te lo imaginarás. Tan solo asegúrate de que nadie abandona esta habitación excepto tú. He cambiado el sofá por un sofá cama, lo cual deberá satisfacer tus necesidades.

Y, después de decir eso, Kizira desapareció.

Evalle reflexionó sobre esas palabras. «Quizá creas que tu amigo es un insensato por asociarse con el Medb, pero yo digo que él demuestra mayor insensatez al confiarte a su familia». Miró el sofá cama.

¿Esas palabras tenían que ver con Quinn y con el hecho de lo mal que Evalle había cuidado de Lanna?

Si era así, al decir que Evalle no sería la única en sufrir, se refería a…

—Aparece, Lanna.

La prima de Quinn cobró forma al lado de la cama.

Evalle no habría creído que su situación pudiera empeorar, pero Lanna acababa de demostrarle que estaba equivocada.

—¿Qué estás haciendo aquí?

—Lo siento. ¡Grendal me vio otra vez! Me escapé antes de que pudiera tocarme, pero… —Bajó la vista con gesto de culpabilidad.

—Lo único que debías hacer era quedarte quieta e irte con Storm.

—No podía irme con Storm —Lanna lo dijo con tono lastimoso y mirando a Evalle con ojos suplicantes.

Evalle sintió un escalofrío al percibir el tono de miedo de Lanna.

—¿Qué pasó?

—Te esperé cerca de la zona de espera, y Storm llegó corriendo. Luego los guardias rodearon a Storm.

—¿Por qué?

—Grendal dijo que Storm se había colado como espía en el combate de bestias. Dijo que Storm era el motivo por el que VIPER estaba esperando fuera. Grendal me describió. Dijo que yo era una espía y que contaría a VIPER lo del comercio con magia Noirre.

Evalle se llevó las manos a la cabeza. Le pareció que iba a explotarle de un momento a otro.

—Jodidamente increíble.

—Por eso seguí al guardia que llevaba la cabeza de Dame Lynn hasta donde estaban los mutantes. Era el único lugar donde Grendal no podía entrar. Pensé que si nadie me encontraba, nadie podría demostrar que Storm había hecho algo malo.

Para ser una adolescente, Lanna tenía dotes de supervivencia. Evalle debía reconocer, además, que pensaba con lógica. Lanna tenía razón. Quizá Kol fuera un semidiós lunático, pero castigar a alguien sin tener pruebas significaría restar crédito a su siguiente evento.

Por favor, dime que Storm salió ileso de ahí.

Pero si VIPER estaba esperando en el exterior del evento, ¿qué les había sucedido?

Evalle no lo sabía. Solo cabía tener la esperanza de que Storm se hubiera tomado la poción, aunque dudaba que lo hubiera hecho, y de que luego hubiera adoptado su forma de jaguar y que hubiera desaparecido en la noche.

En Cumberland había kilómetros y kilómetros de bosque.

Y Storm tenía recursos. Tenía la poción de invisibilidad, y seguro que había tenido un plan para sacar a Evalle de la isla. Pero ahora tenía a Lanna, y debía protegerla.

—No puedes irte de esta habitación, Lanna.

—¿Nunca?

—Por lo que ha dicho Kizira, tengo la buena y la mala sensación a la vez de que esta será una visita breve, pero ella sabe que tú estás conmigo y yo no tengo ni idea de lo que ha planeado el Medb.

—He oído lo que ha dicho. ¿Por qué me permite quedarme?

Evalle consideró hasta qué punto debía contarle la verdad a Lanna, pero probablemente lo mejor sería decírsela, teniendo en cuenta dónde estaban y lo que Lanna podría oír antes de que se fueran de ahí.

—Hace mucho tiempo que Quinn conoce a Kizira. No creo que Kizira quiera hacer daño a nadie relacionado con Quinn.

Lanna frunció el ceño, reflexionó un momento y luego miró a Evalle con enojo.

—¿Estás acusando a mi primo de tener relación de amistad con el enemigo?

—No estoy acusando a Quinn de nada, pero él la conoce. Pregúntaselo cuando lo vuelvas a ver, pero, por favor, no le digas esto a nadie, ni aquí ni en casa. —Evalle esperaba que Lanna no tardara mucho en volver a ver a Quinn—. Mientras tanto, no pongas las cosas más difíciles de lo que ya están. Si vienen a buscarme, hazte invisible hasta que yo me haya ido y no salgas de esta habitación, pase lo que pase.

—Comprendo.

—Sí, bueno, eso de «comprendo» no vale. Quinn cree que tú haces honor a tu palabra, así que quiero que me digas que no saldrás de esta habitación a no ser que yo te lo diga.

Algunos adolescentes eran llorones, pero Lanna no era así. Lanna apretó la mandíbula, enojada. No le gustaba que le dijeran lo que debía hacer.

—Te doy mi palabra. No saldré de esta habitación a no ser que tú me lo digas.

—Gracias.

—Pero si no me utilizas, perderás la mejor oportunidad que tienes de obtener información. Ahora soy capaz de permanecer invisible durante media hora, y estoy trabajando en otras habilidades.

Por un instante, Evalle consideró la posibilidad de permitir que Lanna saliera a buscar información amparada en su invisibilidad, pero rápidamente desechó la idea.

—Practica aquí, y no hagas ruido mientras lo hagas.

—Deberías ayudarme.

¿Tengo pinta de instructora de magia?

—Dudo que alguno de tus trucos nos pueda ser útil aquí. Estamos en la central de los Medb, el lugar donde hay más magia negra de la que puedas imaginar. Ni siquiera Grendal nos podría sacar de aquí.

—Eso es porque Grendal no puede hacer una cosa que yo sí puedo.

Evalle se dirigió hacia el sofá y se dejó caer en él con gesto cansado, hundiéndose en los mullidos cojines. El cuerpo se le había sanado, pero estaba agotada. Soltó un suspiro y preguntó:

—¿Qué es lo que estás practicando y que un poderoso mago no es capaz de hacer?

—El teletransporte.

Treinta

*L*a afirmación de Lanna sobre la posibilidad de teletransportarse había sonado más prometedora de lo que era.

Cuando Evalle oyó «pam» y «ay» por decimoquinta vez, se dio la vuelta sobre la cama y se incorporó, apoyándose en los codos. Lanna estaba de pie al lado del baño, que era igual de grande que el dormitorio. Se frotaba un hombro.

Evalle admiraba la determinación de Lanna, pero dudaba de que el cuerpo de esa chica soportara ese entrenamiento.

—Cuando vuelvas a ver a Quinn, estarás llena de morados. Y él no necesita otro motivo para matarme, además de que tú hayas acabado en TÅμr Medb.

—Hay algo que no hago bien, pero esto sería más fácil en una zona al aire libre.

—No creo que aquí haya ninguna zona al aire libre como en casa. Esto es otro reino. He oído decir que la reina Flaevynn no puede abandonar la torre a causa de algún hechizo. Si en el reino de TÅμr Medb hubiera tierra, como en Treoir, probablemente la veríamos por las ventanas. Es decir, habría ventanas.

Lanna puso cara de «no estoy dispuesta a renunciar» y desapareció para volver a aparecer en medio de la habitación.

Evalle aplaudió.

—Muy bien.

—Esto es sencillo —dijo la chica—. Pero debemos viajar mucho más lejos para escapar. Debo conseguir ir de una habitación a otra antes de probar con una distancia mayor.

Lanna se dirigió hacia el otro extremo de la habitación y desapareció de nuevo.

Luego chocó contra la puerta del baño.

Evalle hizo una mueca al ver que Lanna volvía a aparecer y se frotaba la cabeza.

—Descansa un poco, ¿de acuerdo? Y no intentes ir a ninguna parte fuera de esta habitación.

—Te di mi palabra.

—No pretendía insultarte. Solo que no quiero que aparezcas delante de Flaevynn teletransportada.

—¿Evalle? —oyeron que decía, de repente, una voz masculina desde el otro lado de la habitación.

Lanna se metió en el baño, entrecerró la puerta y apagó la luz.

Evalle, sorprendida de recibir noticias de alguien estando en esa nueva celda, respondió con tono de «todavía no me he tomado el primer café».

—¿Qué pasa?

—La reina quiere verte. Vístete.

—¿Por qué? ¿La desnudez le molesta? —Aunque Evalle no pensaba salir de allí sin su ropa.

—No, porque voy a abrir esta puerta dentro de sesenta segundos.

La carcajada que siguió a esa frase era de Tristan.

Mierda. Evalle salió de la cama a toda prisa; solo llevaba puestas las braguitas. Encontró ropa para ella y para Lanna en el armario: seguramente Kizira la había puesto ahí. No encontró ningún sujetador, así que se puso una camiseta y unos tejanos y las botas justo en el momento en que Tristan abría la puerta.

Evalle se echó el pelo, despeinado, hacia atrás y se irguió.

Tristan, por el contrario, parecía haberse duchado. Llevaba una impecable camisa azul y unos tejanos de color negro. ¿Se había vestido para triunfar en Medb Inc.? Tristan entró en el dormitorio, cerró la puerta y echó un vistazo a Evalle con una mirada decididamente masculina.

¿Dónde estaba su daga cuando la necesitaba?

Kizira se la había quitado durante el teletransporte, la noche anterior.

—Si me vuelves a mirar así antes de que me haya tomado una taza de café te meteré las bolas en un bote de cristal.

—Joder, eres un diablo por la mañana.

—No tienes ni idea. —Especialmente después de pasar la

noche soñando con Storm. Seguro que debió de presentar batalla para salir libre de ahí, en caso de que decidiera cumplir su promesa de destruir ese lugar. Evalle esperaba que no fuera así. Deseaba que se encontrara sano y salvo, y lo echaba tanto de menos que se sentía físicamente enferma—. ¿Qué quiere esa zorra de reina, Tristan?

—Esa no es la actitud correcta si quieres sobrevivir aquí.

—No quiero estar aquí, para empezar.

—Entonces no deberías haber aparecido ayer por la noche —repuso Tristan, pero su tono no era de enojo. A Evalle le pareció que su tono era de preocupación y de culpa cuando añadió—: Ojalá no lo hubieras hecho.

Evalle se acercó a él y habló en voz baja.

—Si trabajas conmigo, saldremos de aquí.

—Estoy intentando encontrar la manera de sacaros a ti y a Petrina, pero no podéis depender de mí. Flaevynn ha hecho que Kizira nos fuerce. Solo se me permite hablar de las cosas que no se me han prohibido, y no puedo hacer nada para ayudarte a escapar.

—¿Qué quiere Flaevynn de los mutantes?

—Que maten a Brina y tomen Treoir.

—¿Cómo?

Tristan abrió la boca para hablar, pero la cerró de nuevo y negó con la cabeza.

Evalle preguntó:

—¿Y eso en qué me ayuda a mí?

—No lo comprendes. No puedo pronunciar las palabras. Al igual que ayer en el BCA, que yo no habría podido entrar ahí si hubiera llevado una escolta armada. Estar comprometido con el Medb es algo absoluto, pero solo en lo que hace referencia a lo que uno se ha comprometido. Así que no lo olvides.

Evalle preguntó:

—Crees que van a someterme.

—Estoy seguro de que ella lo va a hacer. No te resistas. Cada vez que lo hagas, se darán cuenta de que deben especificar más las órdenes que te dan. Acepta lo que te digan, y luego encuentra la manera de hacer la tuya. Como hice yo ayer por la noche para hablar contigo en los juegos.

—Kizira me dijo que descansara porque las próximas cuarenta y ocho horas serían físicamente agotadoras.

—Tiene razón.

—¿Qué va a pasar?

Él levantó los ojos al cielo, exasperado, y dijo:

—Sometido. ¿Lo pillas?

Evalle olvidó su enojo y finalmente prestó atención. Tristan le estaba diciendo lo que iba a suceder y cómo prepararse para ello.

—Lo siento. Kizira dijo que no me quedaría mucho tiempo. ¿Puedes decirme si eso significa que yo me voy a ir pronto o que todos vamos a irnos pronto?

—Todos.

—Entonces debo encontrar a los demás para unirnos en la resistencia para poder escapar cuando sea el momento.

Tristan respondió con una mueca de decepción.

—Nadie va a salir de aquí hasta que nos vayamos a Treoir.

—La observó atentamente y añadió—: Quizá estaría bien que te cepillaras el pelo.

—¿Por qué?

—Estoy aquí para escoltarte. Kizira dijo que Flaevynn y Cathbad van a decidir si vale la pena mantenerte con vida.

—¿Cathbad? —Evalle intentó recordar lo que había estudiado—. ¿No era un druida hace mucho tiempo?

—Hubo un Cathbad el Druida original que vivió durante el reinado de la reina Maeve original. El Cathbad de ahora es su descendiente. Cada seiscientos sesenta y seis años la antorcha se ofrece, por decirlo así, a otro Cathbad el Druida y a otra reina Medb, pero Flaevynn no quiere que nadie sea reina si ella no es inmortal. He conocido partes de esta historia por Kizira. Te dirá más cuando pueda hacerlo.

—Puedes empezar por contarme lo que sepas sobre los orígenes de los mutantes, para la próxima reunión que tenga con Macha.

—Sobre eso, yo estaba equivocado y descubrí —Tristan hizo una pausa, miró hacia detrás de Evalle un segundo y luego volvió a dirigir la mirada hacia ella—. Kizira dijo que te llevara hasta ella ahora.

—¿Es que tienes telepatía con ella?

—Sí. Y tú también la tendrás, cuando…

—¿Cuando qué?

Tristan negó con la cabeza para indicarle que no podía responder esa pregunta. La cogió del brazo y la habitación giró alrededor de ellos.

Teletransporte. ¿Es que no se podía caminar en esa torre?

Treinta y uno

Cathbad estaba de pie al lado de Flaevynn, delante de la cascada de piedras preciosas que hacía las veces de muro de las predicciones. Ahora verían cómo Evalle cumplía su parte en la profecía, o en la maldición, como Flaevynn los obligaba a llamarla constantemente.

—Ha llegado la hora de que Evalle acepte su destino.

Con un gemido de disgusto, Flaevynn levantó las manos y las entrecruzó en el aire. Una cascada doble de agua cayó sobre las piedras preciosas: diamantes, rubíes y muchas otras, algunas grandes como su cabeza. Cuando bajó las manos, una imagen enorme se formó en la cascada. Era Evalle, sola y de pie en un profundo pozo del interior de la torre que se conocía como la arena.

Unos barrotes de titanio cerraban el paso a la única salida que había.

Evalle se encontraba en medio de la sala y miraba hacia arriba, hacia abajo y a su alrededor.

—Holaaaaa. Creí que la reinita me estaba buscando.

El largo cabello negro de Flaevynn se elevó en el aire formando dos gruesos tentáculos que se retorcían y siseaban.

—Tranquilízate, Flaevynn. Evalle quiere provocarte para que te enfrentes a ella.

—¿Estás seguro de que la necesitamos?

Él sonrió al notar el tono de su voz. Flaevynn no se saldría con la suya en eso.

—Si la matas, ya puedes empezar a celebrar tu último cumpleaños ahora.

—¡Eh, mami! —gritó Evalle—. Escucha. Yo no sirvo a nadie y me importa un bledo tu prueba. Si me jodes, tu sangre correrá.

El cabello de Flaevynn se retorció formando un nudo. Cathbad reprimió un gruñido. Flaevynn estaba llegando al límite de la poca paciencia que tenía.

Sería mejor que la mantuviera distraída, así que dijo:

—Invoca la presencia de la hermana de Tristan tal como te he dicho que hicieras para que Evalle no pueda verla, pero los demás sí.

Una imagen de Petrina apareció a poca distancia de Evalle. De las heridas de su cuerpo manaba mucha sangre, que caía hasta el suelo formando un charco.

Cathbad preguntó:

—¿Sabe Tristan lo de su hermana?

—Se lo están diciendo ahora mismo. ¿Estás seguro de que Evalle no puede comunicarse telepáticamente con Tristan?

—No, hasta que esté vinculada con Kizira. Por eso dije que esperáramos hasta que todos los mutantes se convirtieran en grifos para que Kizira los vinculara junto con los nuevos.

—¿Estás seguro de que Evalle se convertirá en un grifo si mata a otro grifo?

—Sí, Flaevynn.

—Si ella es tan importante, quizá deberíamos hacer que matara un dragón, como hizo Tristan.

—No. Lo que te he dicho siempre ha sido cierto. Hice que Tristan matara un dragón solo para mostrarte cómo funciona esto, pero Evalle es mucho más poderosa. No podemos cometer ningún error ahora. Dale la espada a Evalle, mancha de sangre la hoja y abre la puerta. Esta vez se enfrentará a su destino.

Al cabo de un momento, Evalle tenía en la mano una bonita espada Medb de la cual goteaba sangre fresca. La levantó para observarla.

Mientras los barrotes desaparecían se oyó un rugido que ganaba fuerza a medida que se aproximaba. Luego, los golpes de unos pesados pasos hasta que el contrincante de Evalle apareció en la arena. Tristan, en su forma de grifo, vio el cuerpo de su hermana, invisible para Evalle, y soltó un aullido de dolor mientras abría las alas de par en par.

Desde su rostro de águila, los ojos verdes le brillaban de ira. Su piel, del color gris de las nubes de tormenta, estaba cubierta por un sinfín de escamas traslúcidas. Tristan arqueó su cuerpo de león y echó las alas hacia atrás.

Evalle retrocedió un paso. Levantó la espada con una facilidad sorprendente para su forma humana y gritó:

—¿Disfrutas viendo a la gente morir, Flaevynn? Porque eso es lo que le va a suceder a tu bonita mascota.

Tristan abrió el pico y emitió un grito de agonía al tiempo que lanzaba una lengua de fuego contra Evalle.

Ella dio un salto hacia atrás y, usando la fuerza cinética, dio una voltereta en el aire antes de aterrizar de nuevo en el suelo. Pero tenía la piel del rostro y de la parte anterior de los brazos roja, chamuscada por el fuego.

Sujetando la espada con una sola mano, Evalle empleó la otra para lanzar una ráfaga de fuerza cinética contra el grifo, pero solo consiguió hacer retroceder un paso a esa criatura de dos toneladas de peso.

El grifo se lanzó contra ella.

Evalle dio un gran salto y, mientras giraba en el aire, descargó la espada contra una de las alas y la partió en dos.

Eso hizo perder el equilibrio al grifo, que cayó al suelo dándose un fuerte golpe.

Cathbad se daba cuenta de por qué Evalle tenía fama de no malgastar energías en el inicio de un combate.

Evalle se dio la vuelta, saltó y cayó encima de la espalda del grifo para clavarle la espada entre las alas, directa al corazón.

El grifo arqueó la espalda de dolor y se debatió contra ella un momento, pero finalmente se desplomó en el suelo.

Evalle sacó la espada y se alejó de la bestia muerta. Caminando en círculo alrededor de ella, gritó:

—¿Te has divertido viendo a esa pobre criatura morir sin motivo? Me das asco.

Flaevynn dijo a Cathbad con un gruñido:

—¡No se ha transformado!

—Espera un momento. Hubiera sido más fácil para ella si hubiera adoptado su forma de mutante, pero se transformará.

A Evalle le temblaban los brazos tanto que dejó caer la espada al suelo. La espalda se le encorvó, y empezó a crecer. Soltó un chillido, como si la estuvieran partiendo por la mitad. La ropa se le rompió y un cuerpo de león de un color azulado con cabeza de águila empezó a cobrar forma. Tenía unos ojos depredadores dibujados en color negro y unas alas cubiertas de plumas azules y verdes.

Evalle estiró el cuello para mirarse el cuerpo, y dobló una de sus alas para verla.

—Es perfecta —comentó Cathbad, encantado—. Y esa, Flaevynn, es la cabeza dorada que tendrán los cinco grifos elegidos.

Entonces se oyó un gruñido en la arena.

Evalle, moviéndose con torpeza a causa de su forma de grifo, se quedó helada al ver que Tristan movía la cabeza y se ponía en pie.

Flaevynn murmuró:

—No está muerto.

En cuanto vio a Petrina y a Evalle en forma de grifo, Tristan echó las alas hacia atrás y extendió las garras, listo para matar.

Flaevynn se inclinó hacia delante y le advirtió a Cathbad:

—Evalle no está preparada para luchar. No podemos dejar que...

Pero Tristan ya había abierto su mortífero pico y se lanzaba contra Evalle.

Ella levantó una de sus patas de león con gesto defensivo.

Tristán chocó contra una pared invisible y dio unos pasos hacia atrás, trastabillando.

Cathbad sonrió:

—Se adapta más deprisa de lo que hubiera imaginado. Tristan tardó dos días en estar preparado para luchar, y él es fuerte. Evalle matará a Brina y tomará Treoir.

—Pero no será tan fácil convencerla como a Tristan. Tenemos la vida de su hermana en nuestras manos.

—No necesitamos convencerla, solo obligarla.

Treinta y dos

*T*zader se encontraba de pie en el camino que conducía hasta el castillo de la isla Treoir, decidido a derribar sus puertas. Estaba tentado de lanzarse contra ese escudo y ponerlo a prueba, cualquier cosa para llegar hasta Brina. No era posible que ella estuviera realmente dispuesta a casarse con ese guardia. Quizá Macha la estaba presionando para que lo hiciera.

¿Pero cómo podía hacer eso Macha, sabiendo que Brina había sido suya desde que eran adolescentes? Quizá Brina había accedido a comprometerse para ganar un poco de tiempo y para que ella y Tzader encontraran la manera de estar juntos. Tzader quería conocer la verdad de labios de Brina. Sen lo había teletransportado, así no había tenido que pedirle a Macha o a Brina que lo llevaran. Tzader no podía cruzar la puerta del castillo, gracias a su padre y al de Brina, pero podrían hablar cara a cara en la entrada.

Cada vez que se enojaba con su padre, ya muerto, lo invadía la culpa. Pero qué diablos.

Un maldito escudo que rodeaba el castillo lo separaba de la única mujer que amaría en toda su vida.

Macha apareció a su lado.

—¿Qué puedo hacer por ti, Tzader?

¿Desde cuándo la diosa celta de todos los veladores hacía de recepcionista?

—¿Dónde está Brina?

—Está ocupada.

—¿Qué está haciendo?

No debería hablar con la diosa en ese tono, pero se pasaba

los días luchando para proteger a los humanos y a sus veladores, y nunca había pedido nada a cambio. Eso iba a dejar de ser así.

—Quiero hablar con ella.

—Ya te dije que está prometida. Debe ocuparse haciendo planes. —Un banco de granito cubierto de cojines de terciopelo blanco apareció a su lado, y Macha se sentó en él con elegancia. El vestido, del color verde del mar, se dobló y se plegó varias veces hasta que se sintió cómodamente instalado—. ¿De qué otra cosa deseas hablar?

¿Debía sacar el tema y hacerse enviar de inmediato a Atlanta, o debía tragárselo y ocuparse de su deber como siempre?

Pensativo, Tzader soltó una risita. Se reía de sí mismo.

Como si alguna vez hubiera eludido su deber.

—Creo que Evalle ha sido capturada por los Medb.

La diosa se quedó inmóvil al oírlo.

—¿Por qué lo dices?

—Porque he recibido un informe que afirma que Evalle participó en el Campeonato de Bestias Aquiles y luchó en calidad de mutante. —No le estaba diciendo nada que Macha no pudiera averiguar o que, quizá, ya hubiera averiguado; especialmente porque había sido Sen quien había informado a Tzader.

—¿Luchó? —preguntó Macha—. ¿Qué pasó con los demás mutantes?

—Los Medb se los llevaron... y a Evalle.

—Se suponía que Evalle debía traerlos aquí, no unirse al enemigo.

—Estoy seguro de que ella no...

—¿Ah, no? Tal como yo lo entendí, los Medb se llevarían a los mutantes que aceptaran su oferta de inmortalidad.

Macha se había puesto en pie, y su figura emanaba poder. Tzader insistió en el tema que lo preocupaba.

—Fuera lo que fuera lo que los Medb ofrecieran, Evalle está atrapada y debemos traerla de vuelta. No puedo hacerlo si no me ayudas.

Macha habló en un tono helado como el viento del ártico.

—Evalle me juró que no deseaba la inmortalidad. Si se ha

unido a los Medb, ha roto su juramento como veladora y ahora ella es el enemigo. Puedes capturarla y traérmela. Eso no había salido como Tzader había esperado. Él también se puso en pie.

—¿Me estás diciendo que ella fue allí sin hablar contigo antes? Porque no encaja. No, tratándose de Evalle, que siempre está intentando ganarse tu favor y encontrar un lugar en tu tribu.

Sí, estaba enojado, pero ya se había hartado de los crípticos juegos de Macha con Evalle. Y, si era completamente sincero, estaba enojado por el hecho de que Macha no lo hubiera ayudado a que él y Brina estuvieran juntos.

Macha lo miró achicando los ojos con expresión de advertencia.

—Evalle comprendió perfectamente los términos de nuestra conversación.

Aunque solo fuera por una vez, a Tzader le habría gustado obtener una respuesta directa de la diosa.

—Pero yo no he comprendido perfectamente los términos de vuestra conversación, y hacerlo me sería de gran ayuda.

Macha esquivó la petición de Tzader otra vez.

—Tráeme pruebas de que ella no aceptó la oferta de inmortalidad, y lo tendré en cuenta.

Tzader no estaba dispuesto a condenar a Evalle sin haber oído su versión. Creía firmemente que ella estaba comprometida con los veladores.

En ese momento se abrió la puerta del castillo y apareció Brina.

—¿Tzader?

Tzader sintió una punzada de dolor en el pecho al darse cuenta de que no podía tocarla. Intentó encontrar las palabras adecuadas, algo que pudiera decir en presencia de Macha, pero en ese momento apareció alguien más detrás de Brina.

Era Allyn, el guardia de seguridad personal de Brina... y su prometido.

Era el mismo hombre a quien Tzader había visto actuando de forma posesiva con Brina, de pie y demasiado cerca de ella, la última vez que había entrado en el castillo en forma holográfica.

Macha miró a Tzader con expresión maternal y sonrió.

—Hola, Allyn.

—El guardia hizo un gesto de respeto con la cabeza.

—Saludos, diosa.

Macha, dirigiéndose a Tzader, dijo:

—¿Querías comentar algo más?

Tzader no podía decirle lo que deseaba en presencia de otros. Miró a Brina de soslayo, y al ver sus ojos le pareció percibir en ellos nostalgia… y tristeza.

—Lo siento —dijo Brina, dando un paso hacia atrás—. No quería interrumpir.

—No interrumpes nada —la tranquilizó Macha—. ¿Qué tal van los planes de la boda?

¿Boda? Eso era más que un supuesto compromiso.

Macha continuó hablando sin tener en cuenta que cada palabra suya era un cuchillo en el corazón de Tzader.

—Pídele ayuda a la madre de Allyn. ¿Desde cuándo la madre del novio no desea tener un papel en la boda de su hijo?

A Tzader se le secó la boca. No podía mirar a Allyn y no lanzarse contra el escudo para intentar matarlo, y no podía mirar a Brina sin admitir que nunca había dejado de amarla.

Así que musitó una disculpa diciendo que debía hablar con Quinn y los demás veladores de la isla y se fue. Mientras se alejaba, la visión se le hizo borrosa y le costaba ver dónde ponía los pies.

Brina se había agarrado al tirador de la puerta con tanta fuerza que los dedos le habían quedado blancos. Si no se hubiera agarrado a algo, habría bajado las escaleras de Treoir para ir detrás de Tzader. Toda la rabia que había acumulado durante las semanas en que estuvo esperando a que Tzader peleara por ella se dirigió contra Macha.

—¿Cómo has podido hacerle esto?

—¿Lo de la boda? Él lo sabe.

Brina había tenido la intención de hablar con Tzader cuando llegara el debido momento; era parte de su plan para engañar a Macha y para poder estar con Tzader, el único hombre al que amaría en toda su vida. Pero Macha se había metido en medio, como siempre. ¿Qué le habría dicho exactamente a Tzader? Brina miró a la diosa con furia.

—Deberías haber hablado conmigo antes de anunciar mi compromiso.

Macha abandonó la actitud alegre y replicó:

—¿Qué esperas? No es que precisamente tengas otros pretendientes ahora, ¿verdad?

—Teníamos un acuerdo. Yo estoy cumpliendo mi parte. No había ningún motivo para que me pusieras más presión, pues todavía hay tiempo.

Brina, ingenuamente, había creído que Macha la ayudaría a encontrar la manera de estar con Tzader a pesar del escudo, pero la conversación se había torcido a partir del momento en que Macha acusó a Brina de no dejar a Tzader avanzar.

Macha había pensado que Tzader abandonaría el amor que él y Brina habían sentido el uno por el otro desde la adolescencia, pero Brina creía en él. En lo más profundo de su corazón, estaba segura de que Tzader no renunciaría a ella sin presentar batalla, a pesar de que el escudo en el castillo hacía que la situación fuera imposible.

Macha se encogió de hombros al ver el enojo de Brina y dijo:

—Será mejor que planifiques tu boda, puesto que no creo que Tzader haga nada.

Brina no podía salir del castillo sin arriesgarse a morir, pero Macha había dejado un hilo suelto en el acuerdo al que había llegado con Brina. La única manera de aprovecharlo consistía en llevar a cabo una estrategia que no dejaba de ser una apuesta a ciegas, pero Brina era capaz de arriesgar cualquier cosa para estar con Tzader.

Puesto que le habían prohibido hablar con Tzader del acuerdo al que había llegado con Macha, Brina había convencido a Allyn para que actuara como si fuera su nuevo romance con el fin de presionar a Tzader. La diosa aseguraba que Tzader tenía un sentido del honor demasiado alto para decirle la verdad a Brina, para decirle que quería romper su relación con ella. Tzader nunca le haría daño de esa manera.

A pesar del dolor, Brina admitió que él merecía tener una oportunidad justa para tomar esa decisión. Entonces fue cuando Macha enredó a Brina y consiguió cerrar un trato que le había roto el corazón de tal forma que solamente Tzader podría volver a recomponer. Era una situación enredada y se le había ido de las manos.

Brina había puesto todas sus esperanzas en que Tzader no sería capaz de marcharse. Pero lo había hecho. No había dicho nada al enterarse de que se iba a casar con otro hombre. No había tenido ninguna reacción, ni de rabia ni de dolor. ¿Era posible que Macha tuviera razón, después de todo?

Por primera vez desde que accedió a cumplir su parte del acuerdo, Brina sintió verdadero temor de perder a Tzader. Él era toda su vida.

¿Cómo sería capaz de respirar sin él?

Treinta y tres

*L*a mujer a la que amaba más que a su propia vida iba a casarse con otro hombre.

Tzader se apartó a un lado, esperando a que Quinn terminara de dar las instrucciones a las tres patrullas. El castillo de Treoir se alzaba a cuatrocientos metros de distancia. Hasta ese momento, esa había sido la tierra de su infancia. Un lugar al que esperaba poder llamar su casa en algún momento si Brina se iba a vivir en él.

No quería un maldito castillo.

Quería a Brina.

—¿Quién te ha dado una patada donde más duele? —preguntó Quinn con su cerrado acento británico.

—La vida. —En lugar de satisfacer la curiosidad de su amigo, Tzader pasó a otro problema. Estaba amargándoles el día a todos—. Evalle ha desaparecido.

—¿Qué le ha pasado?

Tzader puso al día a Quinn sobre el campeonato de bestias.

—Macha está dispuesta a declarar a Evalle su enemiga, pero yo sé que ella no se unió al Medb por voluntad propia.

Quinn permanecía callado y con la mirada perdida en el horizonte. Él, que era la personificación de la elegancia con ropa informal, se sentía incómodo con ese jersey verde oscuro de manga larga y el pantalón de camuflaje. Había salido de las cloacas rusas para convertirse en un genio de las finanzas y en un poderoso velador con una habilidad que nadie podía igualar.

Soltó un suspiro, se pasó la mano por el pelo y dijo:

—¿Cómo vamos a recuperarla?

—No lo sé, pero hay otro problema. Lanna.

—¿Qué ha hecho ahora esa chica? ¿Ha destrozado el apartamento de Evalle? —Sin dejar que Tzader respondiera, levantó una mano y añadió—: Dile a Evalle que la encierre en VIPER. Ya le dije a Lanna que la metería ahí si causaba más problemas. Allí estará a salvo hasta que pueda ir a buscarla.

—No sé lo que ha hecho, pero ha desaparecido.

El rostro de Quinn se transformó en el de un peligroso guerrero.

—Maldición, ese mago la ha encontrado.

—¿Qué mago?

Quinn le contó lo de Grendal, y Tzader comentó:

—Quizá Grendal no tenga a Lanna. Evalle se la llevó, a ella y a *Feenix*, a casa de su amiga Nicole para que la vigilara mientras Evalle estaba fuera.

—¿Nicole sabe dónde está Evalle?

—No. Nicole se puso en contacto conmigo al darse cuenta de que no encontraba a Lanna. Cree que Lanna se hizo invisible y se fue con Evalle.

—Muy propio de esa chica —gruñó Quinn.

—Así que o bien Lanna está escondida en algún lugar…

—O está con Evalle —terminó Quinn.

Tzader asintió con la cabeza.

—Storm estaba con Evalle en el campeonato de bestias.

—¿Y qué te ha dicho?

—Todavía nada. No he podido encontrarlo. —Tzader echó un último vistazo al castillo—. Sé que estás preocupado por Lanna, pero te necesito aquí. Iré a buscarla, a ella y a Evalle, y te mantendré informado si averiguo algo.

Quinn no podía evitar que su rostro delatara la urgencia que sentía por salir en busca de su prima, pero él era un guerrero y un velador. Además, tenía un vínculo con Evalle y con Tzader, y sabía que podía confiar en que Tzader sería tan concienzudo en la búsqueda como él mismo.

—Me quedaré.

Tzader le dio un apretón en el brazo, agradeciéndole la confianza.

—Haré todo lo que esté en mi mano por encontrarlas.

Pero debería hacerlo con discreción. Si Macha descubría que él no había declarado a Evalle su enemiga, lo cesaría como maestro y lo sustituiría por otro.

Treinta y cuatro

¿*P*or qué morirse debía ser tan doloroso?

Evalle no podía levantar el brazo. Respirar le costaba más que parpadear. Los cinco cortes que tenía en el pecho llenaban de sangre su nueva piel azulada.

Storm nunca la vería como grifo.

Boomer se rio de ella. Las garras chorreaban sangre. Se había transformado en un grifo de escamas negras y doradas. Unas plumas rojas moteadas de negro le cubrían las alas.

Evalle oyó que le decía mentalmente: «Ya no eres tan atrevida, ¿verdad?». Deseó arrancarle esa cabeza dorada, para ver si así se moría aunque fuera un grifo.

Boomer no habría ganado ese combate si no le hubieran dado esas dos espadas. Y si no hubiera tenido ese flexible cuerpo que sanaba tan deprisa.

Kizira apareció en la arena, con las manos en las caderas y el ceño fruncido.

—Ponte en pie. No tenemos tiempo que perder.

Evalle añadió a Kizira en su lista de cortar cabezas.

—Oh, vamos —se quejó Kizira—. Sánate y ponte en marcha.

Después de haber visto a otros, como Tristan, morir para después volver a la vida, Evalle creía que estaría preparada para esa transformación, creía que la haría más fuerte.

Kizira se inclinó hacia ella.

—Sánate o dejaré que Boomer termine contigo.

Boomer soltó un gruñido de satisfacción.

En ese instante Evalle decidió que viviría aunque solo fuera para darle una buena patada en ese miserable culo. Invocó la energía de su bestia y la envió a las cinco heridas que tenía en el pecho, a la pierna y al ala.

Nunca se había sanado tan deprisa, ni siquiera en su forma de mutante.

Batió las alas una vez y se puso en pie, enormemente más alta que Kizira.

Evalle preguntó: «¿Cuántas veces más debo morir?».

Esta vez, Kizira respondió telepáticamente: «Por ahora, ya está. Solo puedes morir tres veces y regresar a la vida. Después de eso, no sobrevivirías a otra herida mortal. Queremos que pases por esto una vez para que te fortalezcas».

«¿Tres veces? ¿Ya está? Es una inmortalidad limitada».

Kizira lo admitió. «Lo sé. Es solo una regeneración de vida temporal».

«Eso significa que mentiste en los combates de bestias».

Kizira levantó la vista hacia Boomer, que esperaba con los brazos cruzados.

Evalle supuso que la impasibilidad de Boomer se debía a que no podía oír la conversación con Kizira.

«¿Cómo conseguiste superar la prueba de la verdad con el detector de mentiras?»

«El Medb nunca declaró que ofrecía la inmortalidad. Como siempre sucede con la información de segunda mano, las cosas se embellecen o se modifican al pasar de boca en boca. Le dijimos a Kol que el Medb ofrecería a los mutantes la oportunidad de convertirse en guerreros que podrían conquistar la muerte. Y, en este momento, tú has conquistado la muerte. Hemos cumplido nuestra promesa, y solo lo puedes hacer dos veces más.

Kizira se dio la vuelta hacia Boomer.

—Has terminado aquí.

Boomer bajó la cabeza, claramente decepcionado al no poder matar a nadie más.

—Tenemos a dos más que convertir en grifos. —Kizira hizo un gesto con la mano y Bernie apareció, quien miró a Evalle y a Boomer y volvió a desaparecer.

Evalle le dijo a Kizira: «Deja que me quede y que lo instruya. Su forma de bestia es muy grande».

«Él no puede comunicarse contigo telepáticamente hasta que cobre forma de grifo y yo lo vincule al grupo».

Evalle no había adoptado forma humana desde el combate contra Tristan, y se preguntó si debía de ser muy duro hacerlo. Tristan lo había hecho, una vez se hubo tranquilizado lo suficiente y se hubo dado cuenta de que le habían hecho creer que Evalle había asesinado a su hermana.

Evalle se concentró e invocó su capacidad de transformación y, después de unos crujidos y torceduras, cobró su cuerpo humano.

Desnudo.

Un bulto empezó a crecer en las plumas de abajo de Boomer.

Evalle dijo a Kizira en tono cortante:

—¡Ropa!

Al cabo de un instante, Evalle apareció con un pantalón de chándal gris y un jersey a juego. A pesar de ello, se sentía desnuda al no llevar gafas de sol, pero no las había necesitado desde que se había transformado en grifo.

¿Significaba eso que podría salir a la luz del sol?

¿Y ver un amanecer o una puesta de sol?

De repente la invadió un fuerte anhelo de hacerlo con Storm. Llevándose las manos al estómago, se obligó a centrarse en su situación actual.

Miró a Boomer y se dio cuenta de que todavía tenía un bulto debajo de esas plumas.

—No me des un motivo para poner a prueba mi nueva fuerza —le advirtió.

Kizira, dando unos pasos alrededor de Evalle y de Boomer, les dijo:

—Escuchadme, vosotros dos. Ninguno de los grifos será asesinado más de una vez. Si infringís esta regla, os enfrentaréis a Flaevynn. Confiad en mí, no os conviene enojar a la reina.

Boomer abrió las alas y asintió con la cabeza.

Kizira le ordenó:

—Ve a entrenarte hasta que yo vaya a buscarte. —Y, con un gesto de la mano, lo hizo desaparecer.

Luego, dirigiéndose a Evalle, dijo:

—Ya instruirás a Bernie después. Tristan te está esperando para informarte.

—¿De qué?

Pero al momento, la habitación en que se encontraban desapareció y otro lugar cobró forma alrededor de Evalle. Era una sala con paredes recubiertas de madera, una gruesa alfombra persa y una mesa de madera pulida ante la cual estaba sentado Tristan en una elegante silla de oficina.

Al verla, se puso en pie.

—Parece que has sobrevivido a la prueba más dura.

—Pero no me apetece volver a pasar por eso en un tiempo. —Evalle todavía no sabía cómo se sentía después de haberse transformado en grifo, aunque sí había disfrutado de haber cobrado una forma más atractiva que la que tenía como mutante—. ¿Has muerto más de una vez?

—No. Los Medb han dejado muy claro que solo una vez por grifo.

—¿Por qué?

—Tienen planes para nosotros, y de momento no quieren gastar las otras dos posibilidades que tenemos de esquivar la muerte.

Evalle se sentó en una de las dos sillas que había delante de Tristan.

—Se supone que debes informarme. ¿De qué?

—El ataque a Treoir.

—No voy a hacerlo.

—Sí, lo harás. Todavía no te han sometido. Cuando lo hagan, te cortarás el brazo si ellos te lo ordenan.

Evalle soltó un bufido de burla.

—¿Tú matarías a tu hermana si te lo ordenaran?

—Lo he hecho. Así es como ella sufrió su primera mutación de poder.

Evalle se sorprendió al oírlo.

—¿Y sabías que luchabas contra Petrina? o te engañaron, al igual que te engañaron haciéndote creer que yo la había matado.

Los ojos de Tristan se llenaron de un sentimiento de vergüenza.

—Sí, yo sabía que estaba atacando a Petrina. Ese era el sentido de todo. Hacerme saber el poder que ejercen sobre mí.

Evalle sintió que se le rompía el corazón por Tristan. Él había luchado en batallas y había sufrido mil horrores para proteger a Petrina.

—Si me someten, yo me resistiré.

—Sé que eso es lo que deseas hacer, pero resistirte no es la manera de evitar la compulsión.

Evalle dejó vagar la mirada por las paredes y el techo, y luego volvió a mirar a Tristan.

—¿No te preocupa que puedan oírte?

—Descubrí el extraño escudo que Kizira puso en este lugar. Las paredes brillan cada vez que se acerca alguien, o si Flaevynn intenta vernos a través de su muro de las predicciones. Cuando Kizira me vinculó con ella, yo empecé a ver los mismos cambios en la habitación que ella veía cada vez que alguien quería escuchar o entrar. Ella me permite encontrarme aquí con mi hermana, a pesar de que se supone que debemos estar separados.

—Es una anfitriona muy considerada.

—A pesar de todo lo que he sufrido con Kizira desde que estoy aquí, me he dado cuenta de que ella es una marioneta de Flaevynn, al igual que yo lo soy de Kizira.

—Debe de haber una forma de salir de aquí.

—No, estoy jodido. No se me permite viajar contigo a Treoir, pero estoy intentando convencer a Kizira de que envíe a Petrina con vosotros. Si lo hace, espero que te inventes una de tus locas estratagemas y la salves.

No era muy halagador, pero era un reconocimiento viniendo de él. Evalle no atacaría Treoir, ni tampoco dejaría a Tristan allí.

—¿Cuál es el plan de ataque?

—No puedo decírtelo. Forma parte del hechizo de sometimiento.

—Entonces, ¿qué se supone que debías decirme?

—Cómo va a funcionar el ataque. En primer lugar, los grifos seguirán a la persona que sea más fuerte.

Evalle lo interrumpió.

—Como al lobo alfa de la manada.

—Exacto. Kizira es esa persona, y es ella quien tiene el poder sobre el grupo. Cinco de vosotros tendréis unos objetivos específicos, puesto que sois más poderosos que los otros grifos.

Evalle levantó una mano para pasársela por el pelo, pero se detuvo antes de tiempo, esperando encontrar plumas.

—¿Los cabezas doradas? Vi a cuatro más.

Miró a Tristan, y recordó que la suya no lo era. Tristan debió de adivinar lo que pensaba, porque dijo:

—No. Yo no soy uno de... —levantó las manos e hizo el signo de comillas en el aire— los «cinco elegidos».

—Pero tú puedes teletransportarte. ¿Por qué no querrían a un grifo que tiene ese poder?

Él se encogió de hombros.

—¿Quién sabe? Sea como sea, cuando lleguéis a Treoir, dos de vosotros sobrevolaréis el castillo en círculo y prenderéis en llamas todo lo que encontréis para marcar la zona de combate. Dos más se colocarán en el interior de esa zona y, empleando la fuerza cinética y las lenguas de fuego, acabarán con los veladores a los que no puedan vincular. Un grifo puede matar a un velador con facilidad, y eso acabará con todos los que estén vinculados.

—¿Estás seguro?

—Solo nuestra fuerza cinética es más poderosa que la de los veladores.

Imaginar esa masacre en potencia la hizo sentir enferma. Si no podía evitar ese ataque, debía encontrar la manera de advertir a su tribu.

—Sé que detestas a los veladores, pero no se merecen esto.

—No los detesto. Ya no. Después de hablar con Kizira, me he dado cuenta de que estaba equivocado sobre los orígenes de los mutantes.

Evalle, olvidando todo lo demás, se centró en esa cuestión que la había perseguido toda la vida.

—¿Cuál es nuestra otra parte de sangre?

Al ver que él no respondía, Evalle se puso en pie y apretó los puños.

—Basta de evasivas, Tristan. ¿Qué somos, además de veladores?

—Todos nosotros tenemos sangre de veladores y sangre de un antiguo guerrero llamado Cú Chulainn. En la batalla, ese guerrero se enfurecía tanto que se transformaba en una bestia.

De ahí vienen nuestras bestias. Él fue un afamado guerrero en la época de Cathbad el Druida original y de la reina Maeve.

—¿Maeve, en el primer Medb? —Tristan asintió con la cabeza y Evalle levantó ambas manos en el aire con gesto de frustración—. Pero eso fue... hace una eternidad.

—Exacto. Ella y el Cathbad original formularon una profecía para acabar con los veladores. Pusieron en marcha un cambio perpetuo de la vigilancia, en el cual la descendiente femenina de Maeve se convertía en reina y se apareaba con un druida descendiente de Cathbad, de lo cual surgieron diferentes linajes. Esos dos siempre tienen un descendiente hembra, que se convierte en la próxima reina Medb al cabo de seiscientos sesenta y seis años, después de la muerte de su madre. Esto ha sucedido generación tras generación, pero Flaevynn se niega a seguir las normas.

Evalle se llevó un dedo a los labios, pensativa.

—¿Y qué se supone que va a suceder ahora que no ha sucedido ni va a volver a suceder en el futuro?

—Esa es una pregunta que nadie ha sido capaz de responder.

—O que no quieren decir —señaló Evalle.

—No, creo que de verdad no lo han averiguado, porque la maldición está escrita en forma de adivinanza. A Flaevynn no le importa. Está decidida a ser la última reina, a pesar de que la profecía no la designa como tal. Se dice que Flaevynn está cruzando la fecha límite y que, al rebelarse contra la profecía, pone en peligro la vida de todo el mundo. Ella la llama maldición.

—¿Tú crees que podrá eludir la profecía?

—Por desgracia, sí. Y no tienes ni idea del tipo de criaturas que ella y Cathbad han acumulado aquí durante estos seiscientos y pico años. Si ella destruye el centro de poder de los veladores, soltará unas cosas peores que demonios que asolarán el mundo mortal.

—¿Pero cómo puede ella eludir la profecía, si las otras reinas no pudieron hacerlo puesto que murieron cuando estaba escrito que lo hicieran?

—Convirtiéndose en inmortal. Cuando Brina esté muerta y un Medb, Kizira, tenga el control de Treoir, Flaevynn y Cathbad creen que o bien la maldición que los mantiene prisioneros en TÅµr Medb se romperá, o bien Kizira les llevará un poco de agua del río que corre por debajo de Treoir y que los convertirá en inmortales. De cualquiera de las dos maneras, esperan salvarse llegado ese momento.

—Prefiero morir antes que ayudar a esos dos a ser inmortales —afirmó Evalle en voz baja. Pero recordó una cosa que él había dicho hacía un momento—: Si todos nosotros tenemos la misma sangre, ¿qué hace que nosotros cinco seamos diferentes?

Tristan parecía reacio a responder, pero al fin dijo:

—Tu padre estaba en el ejército, ¿verdad?

—Sí.

—También el mío, y el de Petrina. No somos hermanos de sangre. Los dos fuimos capturados por un trol cuando éramos adolescentes y nos metieron en unas jaulas. Juntos, encontramos la manera de escapar.

Evalle asintió con la cabeza.

—Comprendo por qué estáis tan unidos.

—Antes de que los veladores me capturaran, otra vez, y me hicieran prisionero, yo estaba buscando a otros mutantes. Averigüé que había tres más, y los tres tenían padres en el ejército. Apuesto a que tu madre se quedó embarazada después de que tu padre parara en algunos sitios.

—No lo sé. Te dije que murió al darme a luz, y mi padre nunca me ha hablado de ello.

—Sí. Yo creía que los veladores habían encontrado hombres con sangre de velador y que habían mandado un hechizo a sus descendientes mientras estos todavía estaban en el vientre materno. Eso fue antes de que los Medb me trajeran aquí. Ahora, por fin, he podido relacionarlo todo. Los Medb creen que los veladores, puesto que son guerreros natos, tienen inclinación por el ejército. Las mujeres que no lo eran, eran mujeres alfas y se sentían atraídas por otros alfas, así que se acercaban al ambiente militar.

—Una deducción razonable, puesto que tenemos a muchos veladores en los ejércitos de países aliados.

Tristan soltó una discreta carcajada de sarcasmo.

—Pero no dedujeron. Te aterrorizaría saber la cantidad de planes que han hecho durante siglos y la cantidad de recursos que han dedicado.

—¿Por qué permiten que tú sepas esto?

—Me he esforzado mucho por convencer a Kizira de que seré fiel a sus planes mientras mi hermana esté a salvo. He estado mal con los veladores mucho tiempo, así que no ha sido muy difícil convencer de mi lealtad a Flaevynn y a Cathbad.

Evalle deseó que Tristan estuviera siendo verdaderamente leal.

—Me contabas que el Medb sabía donde encontrar veladores en el ejército —dijo, deseando que continuara hablando.

—Los machos alfa se sienten atraídos por mujeres fuertes. Kizira dijo que durante todos estos años habían guardado el esperma de los descendientes varones de Cú Chulainn y de la bruja Medb en un barril protegido por un hechizo. Hace treinta años, un druida que tenía sangre de hechicero fue a unas clínicas de fertilidad que se encontraban cerca de los puestos militares donde se sabía que residían los veladores. Siendo un druida celta, era capaz de identificar a los descendientes de los veladores, incluso a los que no eran guerreros.

—Deja que adivine. Eso sucedió más o menos en la época en que fuimos concebidos.

—Exacto.

Evalle hizo un gesto para que continuara.

—El druida empleó la magia para asegurarse de que solo se quedaran embarazadas las descendientes de veladores, y además hizo un hechizo a los esposos no veladores de las mujeres veladoras para que esos humanos no pudieran fecundar a las mujeres. Kizira dijo que el Medb creía que no todas las inseminaciones habían funcionado, solo las que estaban destinadas a convertirse en mutantes.

Evalle estaba mareada.

—Así que, utilizando el esperma de los descendientes de Cú Chulainn y de la bruja Medb, unas mujeres veladoras fueron inseminadas sin saberlo.

—Así me ha parecido entenderlo.

¿La madre de Evalle había ido a una clínica sin que su padre lo supiera? Una vez, Evalle leyó en una revista que una mujer desesperada por quedarse embarazada se había ido a inseminar sin decírselo a su marido porque él se negaba a considerar la posibilidad de que el problema fuera suyo y a someterse a pruebas.

Ella no había conocido a su padre, pero él la había abandonado, así que no le era difícil pensar que quizá le había pasado lo mismo a su madre.

Si eso era cierto, la madre de Evalle había sido acusada de infidelidad injustamente. Solo había sido culpable de querer un bebé.

Tristan continuó explicando.

—Kizira tiene capacidad de premonición. Ella vio que cinco niños, o mutantes, serían más poderosos que los demás.

—¿Y qué hace que nosotros cinco, con la cabeza dorada, seamos tan especiales?

Tristan adoptó una expresión de tristeza.

—Las cinco madres que darían a luz a los veladores más poderosos fueron inseminadas con esperma del único descendiente de Cú Chulainn y de Maeve, la reina Medb original. —Y, con voz triste, como quien comunica una mala noticia, añadió—: Tú eres medio veladora, pero también eres descendiente directa de la reina Medb más poderosa de todos los tiempos, y esa sangre fluye por ti.

Evalle se quedó incapaz de formular ningún pensamiento más allá de la idea de que ella era una Medb.

Treinta y cinco

—¡*N*o se puede confiar en Evalle! La ira de Flaevynn hizo temblar las paredes. Kizira ni pestañeó, pues había presenciado ataques peores en el pasado. La verdad era que había sido ella quien había iniciado la conversación y quien había hecho despertar la duda sobre Evalle en Flaevynn.

Kizira miró a Cathbad, pensando que su padre podría intervenir en cualquier momento y ayudar. Pero no tuvo esa suerte.

—Si la prof... la maldición exige que sean esos cinco quienes dirijan la carga, entonces necesitas a los cinco.

—Acabas de decir que Evalle está intentando resistirse al hechizo de sometimiento —replicó Flaevynn—. Encontrará la manera de echar a perder nuestros planes.

—No cuando esté plenamente bajo nuestro control. Tristan ha seguido las órdenes sin ningún problema.

—Pero Conlan también fue sometido, y acabó siendo una decepción.

Kizira no podía discutir eso. Ella había sometido a Conlan para que la ayudara a atrapar a Tristan, lo cual había salido bien. Conlan se había sometido sin problema hasta que Flaevynn lo empujó a ofrecerle servicios sexuales, y entonces se negó.

Flaevynn lo había encerrado en el calabozo.

Flaevynn se desplazaba por sus aposentos privados flotando a unos treinta centímetros del suelo, e iba de un lugar a otro a una velocidad frenética. A causa de la gran cantidad de energía que se había acumulado en la habitación, el agua que caía de la cascada provocaba chispas en el aire.

Kizira confió en que era el momento adecuado y dijo:

—Es por eso que debemos poner a prueba la lealtad de Evalle.

Si Flaevynn se negaba a hacerlo y Kizira discutía, la reina sospecharía y dejaría de apoyar el plan de Kizira. O la volvería a encerrar en el calabozo.

Sigo esperando que intervengas, papá. Kizira miró a su padre con expresión interrogadora.

Cathbad abrió los brazos en un gesto de rendición y preguntó:

—¿Qué prueba podemos hacerle si nos queda tan poco tiempo?

Flaevynn se detuvo un momento delante de Kizira y de Cathbad y se dirigió a él:

—Dijiste que la necesitábamos —señaló a Kizira con el dedo y continuó— para crear un vínculo con esas bestias. Ella es la única que tiene el control pleno sobre ellas. Eso significa que es responsabilidad de Kizira traerme pruebas de la lealtad de Evalle, o los entregaré a Tristan.

No podía dejar que sucediera eso. Por suerte, Kizira llevaba el pelo suelto y este le ocultaba las gotas de sudor que le caían por el cuello. No le había contado su plan a Cathbad, y no lo haría. Probablemente, él mismo la mandaría al calabozo si supiera lo que Kizira quería intentar.

Flaevynn clavó sus ojos fulminantes en su hija, y Kizira decidió que había llegado el momento de ganarse la confianza de Flaevynn.

—Te traeré pruebas y yo dirigiré a los grifos, que obtendrán la victoria que esperas.

—Entonces, ¿qué haces todavía ahí, de pie?

Contenta de poder marcharse de allí, Kizira desapareció de la vista de Flaevynn y se teletransportó a la pequeña habitación a la que había enviado a Evalle y a Tristan.

Tristan ni siquiera pestañeó al verla aparecer, pero Evalle la miró con expresión de odio. Kizira preguntó a Tristan:

—¿Qué está pasando?

—Acabo de informar a Evalle de su herencia dual.

—¿Y qué relación tiene eso con el ataque?

—Cuanto antes sepa Evalle con qué equipo juega, antes se unirá al plan del juego.

Kizira le dirigió un silencioso gesto de reconocimiento por apoyar su causa y, dirigiéndose a Evalle, dijo:

—La reina Flaevynn pide una prueba de tu lealtad.

Evalle soltó un bufido de burla.

—Dile que no aguante la respiración mientras espera si no quiere morir asfixiada.

—Déjanos solas, Tristan.

Él se marchó de inmediato. Evalle se giró hacia Kizira y la guerrera veladora dirigió una mirada de desafío a la sacerdotisa Medb.

Kizira pensó que, si tuviera tiempo que perder en emociones ridículas, quizá simpatizaría con ella. Evalle no se había pasado la vida bajo el poder del Medb.

—Y en cuanto a tu ADN, ninguno de nosotros decide los genes que tiene.

—Decirme que soy parte del Medb no me convierte en uno de vosotros.

—Cierto, pero decirle esto a Flaevynn no es sensato.

—Dile a esa zorra que...

—Cállate.

Evalle calló un momento y dijo:

—Eso estaría bien.

—Me refiero a ti. Nos estamos quedando sin tiempo y no podemos perderlo con tus ocurrencias. Ya sabes de dónde procedes. Acéptalo y supéralo.

—Pareces creer que me importan vuestros planes.

—Te importarán —le aseguró Kizira.

—Ya. Tristan me ha dicho que cuando me convirtáis en una zombi Medb y me esclavicéis, yo bailaré a vuestro son. Adelante, pero sabed que voy a arrastrar a todos en mi caída si intentáis hacerme asesinar a algún velador.

Kizira, apretando la mandíbula, dijo:

—Tu tozudez será la responsable de más muertes que los Medb.

Evalle se calló al oírla, confundida.

Kizira no quitaba el ojo de las paredes, pues estas se encenderían en colores si alguien intentaba acceder a ese espacio con magia, teletransportándose o si Flaevynn las espiaba con su muro de predicciones.

Sin hacer caso a la creciente tensión que era evidente en Evalle, se acercó a ella.

—¿No te has dado cuenta de que algunas de las veces en que tú y los veladores habéis vencido... a vuestro enemigo... has tenido un poco de suerte de tu parte?

—¿Enemigo? ¿Te refieres a los Medb? —preguntó Evalle, como si estuviera hablando con una imbécil.

¿Qué veía Quinn en esa mujer que le hacía quererla?

Kizira controló su ira. No tenía tiempo para salidas airadas, y no podía arriesgarse a que Flaevynn la enviara al calabozo otra vez.

—Una vez, un hombre quería hacerme preguntas que yo no podía responder a causa de mi sometimiento, así que inventé un juego de palabras.

Esperando la reacción de Evalle, y al ver que no mostraba ningún entusiasmo, Kizira perdió la esperanza. ¿Es que Evalle no se daba cuenta de que le estaba ofreciendo la oportunidad de hacer lo que Kizira no podía hacer: salvar a Quinn?

¿Cómo era que Macha no la había matado todavía?

Evalle reprimió el impulso de maldecir todo lo que tuviera que ver con los Medb y pensó en lo que Kizira estaba diciendo. La sacerdotisa no había echado a Lanna, y había respondido las preguntas de Evalle; incluso le había permitido hablar con Tristan en la habitación protegida.

¿Qué estaba intentando decirle Kizira en ese momento? ¿Cómo podía evadir un hechizo de sometimiento para obtener información? ¿Fue así como Quinn había sacado información durante los ataques de los troles svart en Atlanta, la semana anterior?

Evalle había sospechado que la información de que disponía Quinn procedía de Kizira. Ahora tenía sentido.

No quería sentir nada parecido al respeto hacia Kizira, pero esa mujer se enfrentaba a algo peor al calabozo si Flaevynn descubría que Kizira estaba ayudando a su enemigo.

—¿Me estás diciendo que serás sincera conmigo?

Los ojos de Kizira se encendieron con un brillo de esperanza.

—Procura hacer las preguntas correctas.

—De acuerdo, comprendo. No puedo preguntar cosas directas sobre las que estés obligada a callar.

Evalle se mordisqueó una uña, pensativa. Luego bajó la mano. Todavía no sabía cómo les haría llegar noticias a los veladores, pero necesitaba un poco más de tiempo de esas cuarenta y ocho horas que le quedaban. Quizás un día, como máximo, en el mundo mortal.

Evalle empezó:

—¿Cuándo sería el momento óptimo para que alguien iniciara una guerra?

Kizira negó con la cabeza.

—Mierda. ¿Cómo puede un velador sobrevivir a un ataque contra Treoir?

Kizira soltó un bufido de irritación y negó con la cabeza otra vez.

Quizá no hubiera debido pronunciar el nombre de Treoir.

—¿Qué impediría a los grifos llegar a la isla mística?

Kizira se llevó las manos a la cabeza.

—Eres malísima con los juegos.

—¡Quizá sea porque yo no me dedico a jugar! Dime de una vez lo que necesito saber.

—No puedo decirte lo que estoy obligada a mantener en secreto.

Evalle soltó un gruñido de frustración y, perdiendo la paciencia, ordenó:

—Entonces dime algo que no estés obligada a esconder, maldita sea.

La tensión entre ambas estaba a punto de estallar. Al final, Kizira dijo:

—Espera. Ya está. —Juntó las manos, emocionada—. Me has dado una idea. Primero debemos encontrar la manera de que demuestres tu lealtad a Flaevynn.

—¿Ya volvemos a lo mismo? —se quejó Evalle, molesta.

—Tienes una paciencia de mosquito. Disponer de las respuestas a tus preguntas no te servirá de nada si permaneces en TÅμr Medb.

A Evalle se le encendió la bombilla con tanta fuerza que casi la electrocuta: de repente se dio cuenta de que tenía la oportunidad de regresar a Atlanta. La oportunidad de hablar con los veladores y de ver a Storm. Ya averiguaría cómo jugar a ese ajedrez si eso le ofrecía un billete a casa.

—¿Qué debo hacer para demostrar mi lealtad a Flaevynn? Kizira se tranquilizó. Asintió con la cabeza, y habló con determinación:

—Si traes alguna cosa valiosa que pertenezca a algunos de los veladores más cercanos a ti, Flaevynn lo podría aceptar como señal de lealtad.

—¿Por qué? ¿No podría pensar que yo, simplemente, se lo pedí a alguien?

—No, siempre que te sometas a robar ese objeto y dejes pruebas de que has cometido el robo. Quizá algo de una habitación de hotel —añadió Kizira, arqueando las cejas para que Evalle comprendiera lo que quería decir.

Una habitación de hotel. Debía de referirse al hotel de Quinn, lo cual significaba que debería robar...

—¿Una triqueta protegida, el escudo de los veladores? ¿Estás loca?

—Así que admites la derrota sin intentarlo.

—No, no admito nada, solo estoy pensando en voz alta.

—Y haciéndose a la idea de que debería dejar pruebas de que había traicionado a Quinn. A él le hacían las triquetas a medida en un lugar secreto, especialmente la triqueta protegida, que utilizaba como seguridad personal—. ¿Cómo podré entrar en su habitación?

—Yo puedo ayudarte a entrar.

Evalle dio unos pasos por la habitación con los brazos cruzados, como si se protegiera de un frío que no tenía nada que ver con la temperatura exterior. Una cosa era ser considerada una traidora, y otra cosa distinta era dejar pruebas de que lo era. Esperó tener la oportunidad de explicarse, si sobrevivía... si los veladores no la mataban durante el ataque a Treoir.

¿Pero cómo podía pensar eso? Todo cambiaría después de esa batalla.

Tanto si el Medb ganaba como si perdía, ¿cómo podría Evalle regresar a su casa algún día si los grifos atacaban Treoir? Cualquiera con dos dedos de frente se daría cuenta de que el Medb había convertido a los mutantes en grifos. Eso significaba que no podía desperdiciar esa última oportunidad de regresar a Atlanta.

Debía explicárselo a Storm para que él no la odiara. O peor, que no se sintiera herido. Evalle no podría vivir con ese peso en la conciencia.

—Iré, traeré la triqueta y convenceré a Flaevynn de que estoy con los suyos.

—Ya era hora.

—Hablando de eso, no voy a ir a no ser que me concedas un poco más de tiempo aquí.

—¿Cuánto?

—Seis horas.

—No puedo darte tanto. El ataque... —Kizira se llevó las manos a la garganta y tosió, ahogándose.

¿Así que eso era lo que sucedía cuando uno intentaba resistirse al sometimiento?

—Uf.

A Kizira se le había helado la mirada. Se frotó la garganta y dijo:

—Puedo darte cuatro horas.

Eso sería suficiente, pero ahora Evalle tenía cierta idea de cuándo sería el ataque. Debía ponerse en marcha.

—Está bien. ¿Cuál fue la idea que te he dado antes?

—Me has pedido que te dijera algo que no tuviera prohibido decir. En primer lugar, debes saber que se te prohibirá hablar del tiempo que has pasado aquí, y del ataque. Se te prohibirá decirle a nadie que los mutantes han sido transformados en grifos, y que tú te has convertido en uno. Ya has visto lo que me ha pasado por estar a punto de cometer un error.

—Necesito saber qué es lo que sí puedo decir.

Kizira se presionó el puente de la nariz un momento.

—Presta atención y abandona tu sarcasmo. Yo no te voy a obligar a comunicar tus más profundos deseos.

¿Qué significaba eso?

—¿Qué deseos profundos?

—Por ejemplo, no te obligaré a decirle a alguien que no esté en la coalición que te haría feliz que tus dos amigos más cercanos pasaran las siguiente doce horas vigilando Atlanta en lugar de viajar a lugares más distantes.

Evalle analizó la críptica frase de Kizira, y se dio cuenta de que la sacerdotisa Medb quería que avisara a Quinn y a Tzader para que se alejaran de Treoir.

—¿Crees que yo debilitaría las defensas veladoras de forma premeditada?

Kizira mudó la expresión de esperanza por una de enojo.

—¿Es que no eres capaz de adivinar la adivinanza más simple? ¿Es que te importa algo que no sea cómo todo esto te afecta? —Calló un momento para tranquilizarse y continuó—: Piensa, Evalle. En este juego, las dos podemos perder a personas que queremos.

Eso hizo recapacitar a Evalle. Recordó las palabras de Kizira y se dio cuenta de que se trataba, básicamente, de proteger a Quinn.

—Tú de verdad…

—Lo quiero —se apresuró a cortarla Kizira, mirando a su alrededor con miedo.

—Creí que este sitio era seguro.

—Lo es, pero no me arriesgaré a pronunciar su nombre.

Evalle no acababa de saber cómo se sentía al descubrir esa parte de Kizira.

—¿Qué hay entre vosotros dos?

—No quiero hablar más de esto, especialmente si no vas a cumplir tu parte.

—Oh, ahora que sé cómo manipular las palabras, jugaré a este juego.

—Pero no conmigo. —Kizira apartó la mirada y murmuró, desesperada—: Él no tiene a nadie que le proteja.

Evalle había arrastrado el peso de la culpa por Quinn durante semanas. Si Flaevynn no sabía nada sobre Quinn, parecía lógico pensar que Kizira podría resolver un conflicto interno que Evalle estaba cansada de arrastrar.

—Dime una cosa. Hablando de él, ¿te dijo o no te dijo cómo encontrarme cuando yo estaba con Tristan en el Laberinto de la Muerte, hace un par de semanas?

Eso sorprendió a Kizira, que miró a Evalle a los ojos.

—Sí, pero de forma involuntaria. Yo le saqué la información mientras él hablaba de forma incoherente. Tú quieres saber si sigue siendo tu amigo. Él no te ha traicionado. Sea lo que sea que hayas oído, especialmente el día en que Tristan te llevó a su casa en el campo, es una invención para ponerte en contra de él.

Evalle creyó a Kizira. Sintió que el peso se aligeraba, y que su corazón volvía a latir con calma. Y, si lo que decía Kizira era cierto, Tristan también había sido engañado. Él había llevado a Evalle para encontrarse con un viejo velador que se encontraba en un estado tan miserable que necesitaba un tanque de oxígeno para respirar.

¿Había sido ese viejo el traidor, en lugar de Conlan O'Meary, que todavía era un prófugo?

—Hablando de ese día con Tristan, ¿dónde está el viejo velador que me contó esas mentiras?

—No era un viejo, sino Conlan O'Meary camuflado.

—Así que, después de todo, Conlan es el velador traidor.

Kizira negó con la cabeza.

—No. Cuando se ofreció para unirse a nosotros, sospechamos que era un engaño.

—¿No lo ayudasteis a escapar de la prisión que se encuentra debajo del cuartel general sureste de VIPER?

—¿Por qué íbamos a arriesgar a nuestra gente, si no lo necesitábamos?

Vaya.

—Si Conlan no es el traidor, ¿entonces, quién es el traidor?

—Eso no te lo puedo decir.

Evalle se preguntó en voz alta:

—¿Crees que Qu... nuestro mutuo amigo ayudó a Conlan a escapar?

—¿Cómo puedes pensar eso? Tiene un sentido del honor demasiado alto para hacer una cosa así. ¿Qué clase de amiga eres?

Quizá no fuera una buena amiga, dado que una Medb debía defender a Quinn. Evalle levantó una mano.

—No he dicho que creyera que él lo había hecho. ¿Dónde está Conlan?

—No consiguió demostrar su lealtad a Flaevynn, así que fue arrojado al calabozo. Cathbad afirma que tú eres importante en los planes de Flaevynn, pero créeme si te digo que eso puede cambiar, y que acabarás en el calabozo si no consigues demostrar que se puede confiar en ti para llevar a cabo el ataque.

—¿No te preocupa que los veladores puedan vencer a los grifos?

—No, y si estás intentando averiguar si tienen algún punto débil, no te canses. Nada puede impedir que los grifos venzan. Cuando salgan de aquí en grupo, cumplirán cada una de mis órdenes. Todos vosotros lo haréis.

¿Ya no somos aliadas?

—Creí que...

—No me malinterpretes, Evalle. El ataque se llevará a cabo, y no solo porque yo no tenga otra elección. Necesito que sea un éxito. Es cosa tuya proteger a los que amas, igual que es cosa mía hacer lo mismo.

Eso acabó con el cálido sentimiento que Evalle había sentido durante la conversación, pero si cambiaba el tono de su voz en ese momento, Kizira se daría cuenta de que Evalle había cometido el error de verla como una aliada.

—Quiero que mis cuatro horas empiecen en Atlanta, pero necesito unos minutos en mi habitación, sola, antes de irme.

—No, no los necesitas. Lanna está feliz de practicar su capacidad de teletransporte.

—Pues mándala de vuelta conmigo.

—No. Sería una idiota si te dejara salir de aquí sin nada que perder. Lanna me da la seguridad de que robarás la triqueta, mandas el mensaje y regresas al cabo de cuatro horas. Te dejaré dos minutos con Lanna, pero luego es cosa tuya que convenzas a Flaevynn de que estás bajo mi control.

Kizira levantó ambas manos, dando a entender que eso era todo.

Treinta y seis

*E*valle mereció un óscar después de haberse comportado de forma sumisa delante de Flaevynn para demostrar que el hechizo de sumisión de Kizira la tenía controlada. En cuanto la reina accedió a la prueba de confianza, Kizira teletransportó a Evalle al mundo de los mortales.

Cuando todo a su alrededor dejó de girar, Evalle empezó a distinguir la lujosa suite de Quinn en el hotel del centro de Atlanta. Evalle no cayó al suelo ni vomitó. Quizá teletransportarse era como marearse en alta mar: si uno lo hacía a menudo, se acostumbraba a la sensación de vértigo.

Miró a su alrededor y vio que Kizira observaba con expresión nostálgica la habitación de Quinn.

—Sabes que Macha lo destruirá si alguna vez descubre lo que hay entre ambos.

Kizira se puso rígida y se dio la vuelta.

—Tus cuatro horas empiezan a contar desde ahora.

Bien dicho. Evalle no pensaba malgastar el tiempo ahí.

—La triqueta no está en la puerta. Supongo que solo la necesita para mantener alejados a los Medb que no han sido invitados.

—La esconde encima del armario que hay al lado de la puerta, y eso solo lo podría saber alguien muy cercano a él —replicó Kizira con arrogancia.

Evalle cruzó la habitación, levantó la mano y encontró un trozo de metal que vibraba de energía. Se sentía casi decepcionada por el hecho de que Kizira hubiera tenido razón.

Pero Evalle no la podía coger, tal como le había explicado Lanna, hasta que pronunciara la frase en celta. Lo hizo, y el escudo metálico se depositó en su mano.

—Menos mal que se lo pregunté a Lanna —comentó Evalle, dando a entender que Kizira no lo sabía todo.

Cogió el afilado escudo triangular de los veladores con una mano y con la otra buscó el estuche de piel, que encontró también encima del armario. Guardó la triqueta en el estuche y se lo metió en el bolsillo. Luego se giró hacia Kizira:

—¿Dónde quieres que nos encontremos?

—Cuando llegue el momento, te encontraré estés dónde estés, ahora que estás vinculada conmigo.

Evalle debía encontrar a Storm, y necesitaba la ayuda de Kizira para continuar.

Notó un calor en el pecho, y bajó la mirada hasta la esmeralda, que brillaba. Esa piedra preciosa no había cambiado en absoluto a pesar de encontrarse en tierra Medb.

¿Sabría Storm que había regresado?

Lo único que quería era terminar ahí e ir en busca de Storm.

De no ser por Kizira, no habría tenido esa oportunidad. Le molestaba darle las gracias, pero la sacerdotisa le había proporcionado ropa y sus gafas de sol, a pesar de que la luz ya no la molestaba. Evalle aún no había comentado con nadie ese hecho, y por eso Kizira la había llevado hasta allí mientras todavía era de noche.

Lunes por la noche. ¿La invasión se produciría al día siguiente?

Esa era la idea que Evalle se había formado a partir del juego de palabras de Kizira.

El tiempo corría en su contra, así que dijo:

—Te agradezco la ropa. ¿Crees que podrías proporcionarme una moto?

—El teletransporte sería más eficiente.

Por Storm, Evalle se teletransportaría al otro extremo del mundo.

—Me gusta tu manera de pensar.

—Recuerda, Evalle, que estar sometida no es un juego. Puedes hacer daño a otro tanto como a ti misma.

Pero Evalle lo había comprendido perfectamente cuando Flaevynn le había dicho que una palabra de más podría significar el fin de aquellos a quienes Evalle amaba. Y ver que

Kizira había estado a punto de asfixiarse la había convencido del todo.

Kizira le recordó:

—Asegúrate de mirar hacia la cámara de seguridad al salir, y muestra la triqueta para que Quinn sepa lo que ha sucedido con su escudo. En cuanto lo hayas hecho, te teletransportaré.

Evalle hizo una señal levantando un pulgar y dijo:

—Comprendido.

Kizira desapareció en un remolino de color, y Evalle salió al pasillo del hotel. Localizó la cámara de seguridad y, dirigiéndose claramente a ella, mostró la triqueta unos momentos para que quedara filmado. Al cabo de un segundo, se encontró caminando por una acera del barrio de Storm.

De repente, se vio invadida por los nervios.

¿La perdonaría Storm? Tenía menos de cuatro horas, quizá las últimas que podría pasar a su lado.

Se pasó la mano por el pelo, que llevaba suelto. Kizira la hubiera podido enviar allí en chándal y con el pelo sucio, pero Evalle estaba recién duchada y llevaba puesto un pantalón tejano claro, un suéter de punto de color azul claro, unas botas sin sus cuchillas y una corta chaqueta de piel.

Llegó a la puerta de su casa. Sentía un miedo atenazador.

¿Y si no estaba en casa?

¿Y si le cerraba la puerta en las narices?

Su deseo era que Storm pudiera avisar a los veladores, pero lo que de verdad ansiaba era sentir su contacto. Sentirlo una vez más. Tragó saliva con dificultad y se obligó a subir los escalones del porche.

En cuanto levantó la mano para llamar a la puerta, esta se abrió y apareció Storm.

La tensión entre ellos fue tan fuerte que Evalle se quedó sin respiración.

Todo lo que había pensado decirle se le olvidó por completo.

—Lo siento... —Evalle cayó hacia delante y él la sujetó. Sus poderosos brazos la acogieron con seguridad y la abrazaron.

El corazón de Evalle empezó a latir de nuevo.

Storm apretó sus labios contra los de ella, y sus manos palpaban todo su cuerpo, como si no estuviera seguro de que se encontrara allí.

Evalle levantó los brazos y le rodeó el cuello, sujetándose a él con todas sus fuerzas.

Storm la cogió por las nalgas, la levantó y giró con ella en brazos. Evalle le rodeó la cintura con las piernas. La puerta se cerró con un fuerte golpe. Las gafas de sol salieron volando, pero el interior de la casa estaba a oscuras y, de todas maneras, Evalle ya no las necesitaba.

Storm la empujó contra la fría puerta de madera, y sentir el calor del cuerpo de Storm avivó el fuego que Evalle sentía en su interior. Se agarró a su cabello y lo atrajo hacia sí. Quería sentir a Storm en todas las partes de su cuerpo.

Sintió su lengua en la boca, jugueteando con la suya. Evalle hubiera podido besarlo durante días enteros sin parar. El corazón le latía con tanta fuerza como un redoble de batalla.

Los dedos de él se deslizaron por debajo de su suéter, le desabrocharon el sujetador y… oh, dioses.

Le acarició los pezones con el pulgar, duros, ávidos de ese contacto. Evalle arqueó la espalda y sintió latir su vulva en el interior del tejano.

Storm soltó un gruñido y le mordisqueó el cuello con la respiración agitada.

—No puedo creer que estés aquí.

—No puedo creer que pares.

Los ojos de él se encendieron con un deseo salvaje.

Evalle se frotó contra el cuerpo de él y lo besó en el cuello, en la oreja, sin saber si era un movimiento adecuado. Storm soltó un gruñido más parecido al de un jaguar que al de un hombre. Evalle se apartó un poco y lo miró a los ojos.

—Soy yo, no la pulsera —afirmó.

Storm la abrazó, tembloroso, y le besó el cabello mientras le susurraba:

—Creí que estabas muerta… o algo peor.

Había cosas mucho peores que la muerte en el mundo sobrenatural.

—Lo sé.

Evalle lo besó en los ojos, en las mejillas, en la boca, comunicándole el deseo que sentía y expresando todos los sentimientos que hacía tanto tiempo que estaban contenidos. Los sentimientos que tanto miedo tenía de expresar. Pero se había cansado de comportarse como una cobarde con Storm.

Storm la abrazó, sujetándola con fuerza, se dio la vuelta y se dirigió al dormitorio, que estaba completamente a oscuras. A Evalle no le importaba dónde la llevara siempre y cuando pudiera estar con él.

Los labios de él se volvieron a posar encima de los suyos, y Evalle se perdió en un mundo de fantasía en el cual no existía nada más que el contacto de Storm. Sus firmes labios la besaban, le acariciaban la mejilla y el cuello.

Storm le quitó la chaqueta sin que se diera ni cuenta. Ese hombre tenía manos de mago.

Storm la llevó hasta la cama, y los dos se dejaron caer en ella. El cuerpo de él cubría todo el cuerpo de Evalle. Storm empezó a acariciar con sus labios cada rincón de su rostro y de su cuello, dejando un rastro de encendido deseo. Los jadeos de Storm se aceleraron, pero sus caricias eran cada vez más lentas.

Le acarició el pelo con los dedos, y bajó sus caricias hasta el pecho. Storm mantenía un control férreo de sus impulsos. Evalle debería sentir terror ante el fogoso deseo que emanaba de él, pero no era así. Si temblaba, era de pasión. Evalle tomó el rostro de él entre las manos y lo obligó a mirarla a los ojos.

A Storm le parecía increíble tener a Evalle entre sus brazos, y lo invadía una gran alegría al saber que estaba viva y bien. En ese momento, el único peligro para ella era él, pues solo deseaba sentirse dentro de ella. El sexo aterrorizaba a Evalle, y él se estaba comportando de forma más salvaje que su jaguar.

¿La había presionado?

—Te estoy intimidando.

—No, no lo estás haciendo.

—Bajaré el ritmo… o pararé.

Por ella, Storm estaba dispuesto a conceder todo el tiempo que fuera necesario aunque eso pudiera matarlo, y detenerse en ese momento podía hacerlo.

—No, no lo hagas.

Storm la miró a los ojos, y se dio cuenta de que hablaba en serio.

—Dime qué quieres, cariño.

Evalle se pasó la lengua por los labios.

—A ti. Solo a ti.

Evalle no tenía ni idea de lo que esas palabras causaron en Storm. Hasta qué punto llegaban a un lugar profundo al que nadie más había llegado nunca.

—Soy tuyo, y tú eres mía.

Los ojos de Evalle brillaron, posesivos.

—Tócame. Hazme tuya.

—Sí, te tocaré por todas partes. Pero lo haré con calma.

—No seas tan delicado conmigo, Storm. Estoy bien. Yo... tengo a mi bestia bajo control.

—Tu bestia no será un problema, porque sabes que conmigo estás a salvo. —Apoyó la frente en la de ella y añadió—: Te necesito más que respirar. Nunca te haré daño.

—Yo también te necesito. Confío en ti.

Él la miró a los ojos y vio que sus sentimientos eran claros y sinceros.

—Creí que nunca te oiría decir esto.

Nadie lo había mirado nunca de la forma en que lo hacía Evalle en ese momento, como si él fuera todo su mundo. Evalle susurró:

—Creí que nunca confiaría en un hombre de la manera en que confío en ti. Que nunca sentiría lo que siento por ti.

Amar hasta tal extremo resultaba peligroso para alguien como él, pero era demasiado tarde para preocuparse por eso.

Evalle era suya.

Y Storm no pensaba renunciar a ella.

Storm se incorporó y colocó las rodillas a ambos lados de las caderas de Evalle para sostenerse e introducir las manos por debajo del suéter. Le subió el jersey. Acercó los labios a un pezón y se lo acarició con la lengua.

Evalle contuvo un gemido.

Despacio. Suave.

—Pon los brazos por encima de la cabeza, cariño.

Evalle lo hizo, y él le pasó el suéter por la cabeza pero lo dejó sujetándole los brazos mientras se inclinaba para lamerle el otro pecho.

Evalle soltó un grito, temblorosa, y esa reacción provocó una descarga eléctrica en el cuerpo de él que le llegó hasta la entrepierna.

—Abre los ojos, cariño.

Evalle lo hizo, y se encontró con los brillantes ojos verdes de Storm. La suave esmeralda reposaba sobre su pecho. Storm pensó en quitársela, pero luego cambió de opinión. No lo haría hasta tener la seguridad de que Evalle estaba a salvo del Medb y de la bruja.

—Eres hermosa, ¿lo sabías? —dijo Storm con calma mientras se quitaba la camiseta de manga larga.

Evalle lo observaba, asombrada. Sin duda, después se quitaría el pantalón.

Storm le acarició los dos pezones al mismo tiempo.

Evalle gimió y arqueó la espalda, temblorosa.

Toda esa pasión había estado reprimida hasta ese momento. La única vez que la habían tocado íntimamente, lo había hecho ese bastardo que la había atacado. Era como si todavía fuera virgen y esa fuera su primera vez. Y esta primera vez sería solo para ella. La próxima vez, y habría muchas más, él quería penetrarla profundamente y sentir la pasión vibrando en todo su cuerpo.

Pronto.

Storm le pasó las manos por los brazos, deslizó el suéter hacia arriba y sujetó sus manos con un gesto afectuoso. La besó lentamente, despacio, para hacer crecer el deseo en ella y provocar que le pidiera más.

Quería que el deseo de Evalle fuera tan fuerte que solo pudiera pensar en lo que quería sentir. Solo entonces se quitaría el pantalón tejano.

Le acarició los brazos con los dedos y empezó a besarla en el cuello y en los hombros. Luego, le acarició los pechos con los labios y jugó con la lengua sobre su pezón hasta que la sintió temblar.

Mientras lo hacía, le desabrochó los pantalones y se los bajó. Se deslizó por su vientre, dándole pequeños besos. Se incorporó sobre sus rodillas y acabó de quitarle el pantalón.

Evalle llevaba unas finas braguitas de encaje negro y rojo. Storm se quedó sin habla.

Evalle levantó las caderas y él presionó la cabeza contra su pubis, mordisqueándole las braguitas y tirando de ellas hacia abajo. Era una visón deliciosa. Ella superaba todas sus fantasías, y él tenía unas fantasías muy, muy encendidas.

Le pasó las manos por el interior de los muslos, despacio, hasta el pubis. Las piernas de Evalle temblaban. Evalle arqueó la espalda y, de repente, se incorporó, lo atrajo hacia ella y lo besó. Fue un ataque contra sus labios.

Evalle nunca hacía nada a medias.

Storm ya sospechaba que Evalle sería fogosa en la cama, y no lo estaba decepcionando. Puso las manos sobre sus pechos y le acarició los pezones con los pulgares.

Evalle apartó los labios un momento y dijo:

—Todavía estás vestido.

Estaba mojada, pero ¿estaría preparada para él, para todo él? Storm bajó de la cama, se desabrochó el pantalón, se lo bajó y soltó un gruñido al sentirse libre de sujeción. Volvió a subir a la cama y se arrodilló delante de ella.

—¿Correcto?

—No. —Evalle negaba con la cabeza, pero su sonrisa la delataba—. Diría que es espectacular.

—Eres una salvaje —replicó, y, besándola, la obligó a tumbarse en la cama otra vez, debajo de él.

Evalle introdujo una mano entre los dos y lo sujetó.

Los músculos de la espalda de Storm se contrajeron a causa del esfuerzo por no moverse. No necesitaba preguntarle si todo iba bien, porque percibía el menor cambio en ella y en ese momento notaba claramente que el deseo había tomado posesión de ambos.

—Confío en ti, Storm. No te guardes nada.

No lo hizo.

La volvió a besar, y dejó rienda suelta a todo el deseo que había reprimido desde el primer momento que la tocó. Evalle lo sujetó por los hombros con la fuerza de una guerrera, pero se frotó contra él, y Storm sintió su propia sangre como un torrente por las venas. Deslizó una mano entre las piernas de Evalle y sintió su contacto cálido y húmedo. Introdujo un dedo, y Evalle arqueó la espalda mientras se sujetaba con fuerza a él.

Estaba preparada.

Storm empezó a lamerle un pecho mientras sus dedos entraban y salían de ella y le acariciaba el botón con el dedo pulgar. Podía percibir que Evalle se aproximaba al clímax.

Evalle le clavó las uñas en la espalda.

—Storm.. sí... yo...

Él continuaba acariciándola y se puso a mordisquearle un pezón. En cuanto notó que ella llegaba al clímax, se apartó un poco para observar su primer orgasmo. Sus ojos verdes brillaban de pasión. Evalle arqueó la espalda y tembló con la respiración agitada.

—Oh... —Evalle no podía hablar.

Cuando dejó de temblar, Storm la abrazó y la hizo rodar encima de la cama para colocarla encima de él. Empezó a acariciarle la espalda hacia arriba y hacia abajo, calmándola. Pero Evalle se frotaba contra él, en absoluto calmada.

Storm apretó las mandíbulas y dijo:

—Despacio, cariño. Hace tiempo que no lo hago.

Evalle apoyó las dos manos sobre el pecho de él, y con el pelo salvajemente alborotado, rio. Era un demonio.

—Esto no es todo, ¿verdad?

Un demonio.

Evalle se sentó encima de su pecho y frotó su parte más húmeda contra él.

Storm le agarró las caderas.

—Espera, o me olvidaré de ponerme un condón.

—Pues ve a buscarlo.

Maldición, le encantaba esa parte chulesca de Evalle. Alargó la mano hacia la mesilla de noche, sacó un condón y se lo puso. Pero un vistazo a Evalle fue suficiente para saber que ahora ella estaba un poco atemorizada.

Le apartó un mechón de pelo del rostro.

—¿Tienes miedo?

—Un poco. Pero quiero hacerlo.

—Bésame, cariño.

Evalle sonrió al oír una orden tan cariñosa. Soltó un suspiro y le dio un beso totalmente entregado. Mientras lo hacía,

Storm empezó a acariciarla para llevarla al punto en que había estado hacía solo un momento.

Estaba tan mojada que le empapó los dedos.

Evalle le besó el cuello y, acercándole los labios al oído, susurró:

—Te deseo ahora.

—Entonces, tómame —dijo él—. Tómame por completo.

Él la miró a la cara buscando algún signo de miedo. Ella levantó las caderas y se sentó encima de él. Nada de miedo. Su Evalle no tenía miedo.

Evalle se sostuvo sobre sus hombros mientras descendía sobre él.

No había nada que pudiera compararse a esa sensación de estar dentro de Evalle. Cuando sintió que la hubo penetrado por completo, le sujetó las caderas y empezó a moverse con un ritmo tan natural como la vida.

Storm nunca olvidaría la expresión de éxtasis en el rostro de Evalle. Ella siguió sus movimientos, y cada uno de ellos era una provocación. Storm tuvo que emplear toda su determinación para no llegar al clímax.

Storm llevó una mano a la entrepierna de Evalle y la acarició hasta hacerle perder el control. Ella tenía las manos apoyadas en el pecho de él, la espalda arqueada. Cuando llegó al orgasmo, Storm tomó la iniciativa y aceleró el ritmo, cada vez más rápido y fuerte, hasta que, perdido en ella, estalló en su interior y se dejó mecer en su seno.

Ella era toda su alegría.

Su vida.

Su mujer.

Treinta y siete

*E*valle se resistía a dormirse.

No podía perder el tiempo que le quedaba para permanecer al lado de Storm. Debía decirle que se marchaba.

Pero no lo haría todavía. Tenía tan pocas cosas que celebrar en su vida que no quería renunciar a ese increíble momento a su lado hasta que no fuera absolutamente necesario. Acababa de enfrentarse a sus miedos, y la recompensa había sido mayor de lo que habría imaginado.

Reposaba la cabeza sobre el pecho de Storm y sintió la suave flexión de sus músculos cuando él levantó el brazo para pasarle los dedos por la espalda.

Evalle jugueteó con la suave piel que rodeaba el pezón de él, y Storm le acarició un pecho. Seguramente él esperaba que ella le pediría un poco de descanso, después de lo que habían estado haciendo durante tres horas y media. Pero, en lugar de ello, Evalle le dio un mordisco.

Storm gimió y dijo:

—Estás agotada, cariño. Quiero saber qué sucedió cuando te fuiste, pero ahora debemos descansar un poco. —Le dio un beso en la cabeza—. Tenemos toda la noche.

No, no tenían toda la noche. Era mejor decírselo cuanto antes.

—Debo irme pronto.

Los dedos de Storm quedaron inmóviles.

—¿Por qué?

—He podido venir porque llegué a un acuerdo con Kizira. Ella necesitaba que yo hiciera una cosa, y yo quería verte. Me dio cuatro horas.

Evalle se incorporó y lo miró a la cara.

La última vez que le había visto esa expresión, acabó con dos troles svart que habían estado a punto de matarla. Storm habló con el tono de un hombre que no se arredraba ante nada.

—No voy a dejar que te marches.

—No tengo otra alternativa, Storm, pero sí tengo un plan.

—No. No vas a volver al Medb.

—Kizira puede encontrarme en cualquier parte ahora mismo, y teletransportarme sin decir ni una palabra, nada.

Storm soltó una maldición.

—Te encerraré en VIPER. Allí no podrá entrar.

Meter a VIPER en eso sería un error, así que Evalle negó con la cabeza.

—Eso tampoco funcionaría.

—Pues que me lleve contigo.

—Entonces yo no podría escapar cuando llegara el momento, porque tú acabarías en un calabozo y yo no podría llegar hasta ti. Y yo no te dejaría allí. —Evalle le besó el pecho—. Yo confío en ti. Ahora necesito que tú confíes en que sé lo que estoy haciendo.

Storm le pasó una mano por la cabeza.

—Me estás volviendo loco.

—Ya me has dicho esto antes. —Evalle sonrió, esperando animarlo un poco, y entonces recordó una cosa—: ¿Cómo escapaste de los combates de bestias en Cumberland?

—Utilicé la magia y tomé un trago de tu poción. Salí caminando entre los guardias. Todavía la tengo. Puedes utilizarla.

—No, no puedo, y no puedo explicarte por qué, pero necesito que hagas una cosa por mí.

—¿Qué?

—No es fácil de explicar, porque se me ha sometido para que no pueda decir ciertas cosas.

—Maldita sea. —Con el ágil gesto del jaguar que se agazapaba en su interior, Storm se incorporó—. ¿Qué te han hecho?

—No puedo hablar de por qué estoy aquí, a causa del hechizo. Pero sí puedo decir algunas cosas si elijo con cuidado las palabras. Por eso necesito tu ayuda. Hay personas que necesitan conocer esa información, y no puedo hablar con todos ellos. Gente a quienes conoces y que me ayudarán cuando llegue el momento.

—Dime.

Sintiéndose perdida y mirándolo a la cara, Evalle empezó a hablar:

—Necesito que le digas a…

De repente, la garganta se le quedó rígida. Casi no podía respirar.

—¿Qué te sucede? —El cuerpo de Storm expresaba el deseo de hacer daño a quien la estuviera tocando en ese momento.

—No pasa nada —consiguió decir ella mientras se masajeaba el cuello. Había estado a punto de pronunciar el nombre de Tzader—. No me había dado cuenta de que no puedo decir un nombre.

—¿Sería más fácil si lo escribieras?

—Sí. Quizá sea una buena idea. Así podría revisar que no se me hubiera escapado nada antes de dártelo. El hechizo no me hace nada hasta el momento en que hago el acto de compartir información. —Bostezó, deseando poder tumbarse a su lado y dormir durante días.

Storm le pasó el brazo alrededor de la cintura y la atrajo hacia él con un fuerte abrazo posesivo. La besó con algo más que pasión. Con algo más profundo. Como si estuviera dejando una marca en ella.

Storm pronunció unas palabras amorosas que abrazaron a Evalle, que acariciaron sus sentidos, pero una de esas palabras penetró profundamente en su corazón. Mía. ¿Lo había oído… o lo había sentido?

Quizá el mundo estuviera girando en el espacio, pero el mundo de Evalle acababa de quedarse inmóvil.

¿Le había hecho algo Storm que la unía a él?

¿Le gustaba?

Sí. La hacía feliz.

Evalle se cogió a su musculoso brazo, se agarró a la única persona que había sido un ancla para ella desde el día en que lo conoció. Storm le acarició los pechos con los dedos, meramente rozando su piel sensible, y se apartaron demasiado pronto. Después de horas de estar haciendo el amor, no era posible que Evalle estuviera lista para continuar, pero cuando notó los dedos de él entre las piernas se dio cuenta de que su deseo se había encendido de nuevo. Supuso que no debía de estar tan cansada como creía. Pero el tiempo se les terminaba.

—Storm, quiero…

Él la miró a los ojos y le cogió el rostro con las dos manos.

—¿Qué? Dilo, y será tuyo.

Tú eres lo único que quiero. Pero, en lugar de eso, dijo:

—Tiempo, y eso es algo que ninguno de los dos puede controlar.

Evalle se desperezó y miró el reloj de la mesilla de noche. Solo quedaban veinte minutos, y no quería que Kizira apareciera de repente mientras ellos estaban enredados otra vez. Además, esta vez quería disponer de tiempo para decir adiós, para decirle a Storm que haría todo lo que estuviera en su mano para regresar.

Storm preguntó:

—¿Cuánto tiempo queda?

A veces le parecía que Storm podía leerle la mente.

—Veinte minutos. Quiero darme una ducha rápida.

Storm soltó un suspiro, se sentó y la atrajo hacia sí. Desnudo, y tan cómodo como cuando adoptaba su forma de jaguar, se levantó de la cama y la cogió en brazos.

—Puedo caminar —dijo Evalle con sarcasmo.

—Lo sé.

Storm la dejó en la ducha, que era lo bastante amplia para dar cabida a los dos y que debía de haber sido remodelada, pues esa casa se había construido en la época de las bañeras pequeñas y de las cortinas de ducha.

—Voy a hacer un poco de café y a buscar algo para que puedas escribir.

Después de darle otro beso, Storm se alejó, desnudo. Evalle hubiera podido pasarse horas mirándolo hacer las cosas de cada día sin llevar ropa puesta.

Pero eso no sucedería nunca, a no ser que fuera capaz de dejar un mensaje que Tzader y los veladores pudieran comprender.

Y de que fuera capaz de sobrevivir al ataque de Treoir.

Cuando terminó de ducharse, se secó el pelo en medio de una nube de humedad.

Al otro extremo del pasillo se oía el reconfortante sonido de la cafetera. Quizá Storm estuviera preparando el desayuno.

De repente notó una sensación de calor en el pecho. La esmeralda brillaba. Debía preguntarle a Storm qué significaba eso.

Evalle se envolvió con la toalla y se dispuso a ir a la cocina, pero vio que encima de la cama había un trozo de papel y un bolígrafo. Podía escribir la nota en ese momento. Era mejor, porque en cuanto se acercaba a Storm no podía pensar en otra cosa que no fuera tocarlo.

Tener la posibilidad de hacer llegar un mensaje a los veladores había sido el otro motivo por el que había llegado a ese acuerdo con Kizira. Mientras Brina estuviera amenazada, Tzader no se mantendría al margen. Además, necesitaba la poderosa mente de Quinn, especialmente para detener a los grifos. Quizá tuviera sangre Medb, pero su corazón pertenecía a los veladores.

Evalle se sentó, dejó la toalla encima de la cama y se dispuso a escribir la nota. Escribió dos frases, las tachó y empezó de nuevo. Cuando terminó, pensó que ojalá Storm pudiera explicar lo que ella no había podido. Si no, esa nota parecería una estupidez:

Storm:

Dale esta nota a la persona en quien confío tanto como en ti, y explícale que lo único que puedo hacer es explicar una historia hipotética, puesto que he sido sometida.

Si una persona tuviera unas mascotas que no necesitaran orejas para oír las palabras, y que no pudieran morir, esa persona podría enseñarles cómo robar una casa especial en un lugar muy lejano. Pero ella debería viajar con sus mascotas, porque sería la única que los podría controlar dándoles las órdenes en silencio. Si las mascotas tenían éxito, ella no solo mandaría en esa casa, sino en todas las casas que existieran.

Pero toda fortaleza tiene una debilidad, y la suya está en el corazón.

Y considerar que alguna de esas mascotas es su amiga podría ser realmente peligroso.

Evalle leyó la nota rápidamente, pensando qué más podría

decirle a Tzader. Tenía la esperanza de que Storm no quitara la última línea, porque en ella decía que ella era tan peligrosa para Brina como los demás mutantes. Miró el reloj y se dio cuenta de que quedaban once minutos. Cogió el bolígrafo, decidida a dejar un último mensaje para Storm.

Storm, esto es solo para ti. Gracias por ser todo lo que yo nunca hubiera podido soñar en un hombre. Te llevo en mi corazón constantemente. Confía en que encontraré la manera de regresar a ti. Por favor, no hagas que me enfrente a ti en una batalla. No podré protegerte. En realidad, ahora yo soy el mayor peligro para las personas a las que amo.

Te amo,

Evalle

Dejó la nota encima de la mesilla de noche, se puso la camiseta de Storm, que pensaba llevarse, y al mirar hacia la mesilla se dio cuenta de que había dejado la nota boca abajo. «Gírala para que vea el mensaje».

Pero cuando alargaba la mano hacia ella, la habitación se llenó con una extraña energía.

Kizira apareció al otro lado de la cama. Evalle protestó:

—Llegas pronto. Tengo diez minutos.

—Ha sido inevitable. Flaevynn te está buscando.

Mierda.

—Deja que vaya a decir…

Pero la habitación desapareció de su vista.

Evalle gritó:

—Stooooooormmm. —Pero sabía que había dejado la habitación muy lejos.

Treinta y ocho

Será mejor que Kizira esté preparada para la lucha. Storm sacó dos tazas del armario de la cocina. Evalle debía de haber terminado de ducharse ya. Su jaguar quería más. Él quería más, también. Solo pensar en Evalle hacía que el pantalón que llevaba puesto le pareciera demasiado ceñido. Y no solo eso, pues tenía que resistirse al impulso de transformarse en su animal para matar a cualquiera que intentara quitarle a Evalle. Solo quería llevársela a algún lugar oscuro y a salvo.

Y su parte humana casi no podía contenerse.

Intentó convencerse de que no se trataba más que del instinto de protección que se le había despertado desde que la había conocido. Pero eso no era cierto. Lo único que tenía que hacer era sentir su olor y ella se convertía en parte de él.

Mía. Se había apareado con ella. Había sucedido deprisa, había sido un acto inconsciente que procedía del conocimiento innato de que había encontrado a la única mujer para él.

Pero eso no era una excusa para su falta de control. Debería haberle ofrecido la oportunidad de elegir. Debería haberle dicho que no tenía alma. Estaba hecho, y él moriría por protegerla, pero a pesar de eso debería habérselo dicho antes de hacerle el amor.

Y había querido hacerlo. Pero en cuanto abrió la puerta y la vio allí, en su mente no quedó ningún pensamiento, solo el deseo de tocarla.

Todavía debía recuperar su alma, y la de su padre, y eso sería lo que haría en cuanto matara a la bruja.

Puesto que no quería perder ni dos minutos más, Storm se

alejó de la cocina con la intención de regresar a la ducha por si Evalle no había terminado.

Pero, de repente, lo invadió un potente olor a regaliz.

La bruja se interponía entre él y Evalle. Esa bruja no podía teletransportarse, o no podía hacerlo la última vez que la vio, pero sí disponía de una potente magia que le habría permitido cruzar su sistema de seguridad. La bruja dijo con voz de arrullo, mientras paseaba la mirada por su cuerpo medio desnudo:

—Te he echado mucho de menos...

Bruja chalada. Solo intentaba confundirlo. Sus ojos amarillos brillaron con expresión siniestra y divertida. Como si, respondiendo a las silenciosas preguntas de Storm, dijera: «Mis poderes son más fuertes que cuando nos vimos por última vez, ¿verdad? ¿Te gusta lo deprisa que viajo y cómo camuflo mi olor? Pero la verdad es que he podido entrar porque cuando llegaste estabas tan distraído que no hubieras oído ni a una manada de elefantes».

¿Ella ya estaba allí cuando él llegó, una hora antes de que Evalle apareciera? Entonces había conseguido ocultar su presencia y su olor.

Pero no había intentado hacerse con el control. La bruja todavía lo temía, y tenía buenos motivos.

Justo cuando pensaba que ya no podría sentir una mayor aversión por esa alimaña, Nadina lo sorprendía. Pero no era el momento de luchar con ella. Storm deseó que Evalle se quedara en la ducha. Reprimiendo el impulso de agarrarla por el cuello y ahogarla, pues no lo haría hasta reclamar lo que era suyo, dijo:

—Devuélveme el alma, y la de mi padre y te dejaré vivir.

—Estoy lista para llegar a un acuerdo cuando tú lo estés.

—No hay ningún acuerdo. Me debes las dos almas que robaste.

—¿No llegarías a un acuerdo ni siquiera por Evalle?

Storm tuvo que reprimir una corriente de ira que amenazaba con liberar al jaguar que había en su interior. Inspiró con fuerza, controlándose, pues el animal lo instaba a transformarse.

Si eso era lo que Nadina quería, no lo haría.

Y si se atrevía a tocar a Evalle, tendría una muerte lenta y dolorosa.

—No puedes tener a Evalle, y de todas maneras ella te destruirá.

—No apuestes por el perdedor tan deprisa. No soy la misma bruja que conociste en Sudamérica.

—Una egoísta e inadaptada sociópata. No veo ningún cambio.

Ella sonrió con confianza, tanta confianza que Storm sintió un atisbo de preocupación.

—Oh, he cambiado un poco desde que estoy con Hanau.

¿Hanau? Eso explicaba sus nuevos poderes. Storm disimuló la sorpresa con un bufido de burla.

—Solo una loca llegaría a un acuerdo con él.

—¿Una loca? —Nadina achicó los ojos con expresión de amenaza—. Cuidado con cómo hablas de alguien que goza del favor del gobernante de todos los demonios y del Mitnal —dijo, refiriéndose a la tierra de los muertos.

—De los demonios de Sudamérica, no de aquí —replicó Storm—. Hablando del Mitnal, ¿por qué no estás allí ahora?

—No soy uno de sus demonios.

—Es una pena. Perdiste tu vocación.

—Me encantaría charlar un rato, pero no ahora. Tengo prisa. Esta es la primera advertencia. Vuelve a mí pronto, Storm, y por tu propia voluntad, o me llevaré lo que más deseas. A Evalle.

De repente, las palabras de Kai resonaron en su mente. Su espíritu guardián le había advertido de que si no mataba a Nadina, ella se llevaría lo que Storm más deseaba. Había creído que Kai se refería a su alma, pero ahora sabía que se trataba de Evalle.

Estaba listo para luchar, pero no mientras Evalle creyera que iba a desaparecer pronto.

—Te morirás intentando llevártela.

—Ni siquiera sabes que se ha ido, ¿verdad?

—Mentirosa.

—¿De verdad lo soy?

No habían pasado veinte minutos, así que Evalle todavía tenía tiempo, pero Nadina decía la verdad. Storm hizo ademán de dirigirse a su habitación, y Nadina giró en el aire apartándose de su paso. Esa bruja aseguraba que no era la misma que él conocía, pero era lo bastante lista para darse cuenta de que no sabía cómo había cambiado él.

Storm corrió hasta el baño y hasta el dormitorio gritando:

—¡Evalle!

—Se ha ido. —Nadina apareció ante la puerta de la habitación—. Aquí huele a Medb.

Storm no hizo caso del olor de cítrico quemado que se notaba en el aire. Miró a su alrededor buscando la nota de Evalle, y vio un trozo de papel en blanco encima de la mesilla de noche.

Nadina lo provocó:

—Y no sabes lo mejor de todo esto. Si Evalle consigue evadirse del Medb y tú no vienes a mí de forma voluntaria, yo haré que ella venga a mí en tu lugar.

—¿Y cómo crees que vas a logarlo?

—¿Recuerdas el hueso volonte?

Storm se alarmó.

—¿Qué pasa con eso?

—¿Crees que fue a parar a la muñeca de Evalle por accidente?

«No».

—Ya no lo lleva.

—Lo sé. Todo eso formaba parte de mi brillante plan. Al igual que Imogenia, yo puedo hacer que Evalle venga a mí en cualquier momento y en cualquier parte. Lancé un hechizo al hueso que creó un vínculo entre yo misma y los que lo llevarán después.

Storm sintió que se le secaba la boca y que los dedos de la mano se le curvaban, anunciando una transformación inminente.

Nadina dio un paso hacia atrás.

—Me doy cuenta de que todavía no estás preparado para discutir esto. Supongo que deberé llevármela a ella si tú no vienes de forma voluntaria.

La furia lo invadió de forma tan súbita que empezó a transformarse y las manos se convirtieron en patas de afiladas uñas. Sus hombros y el pecho, sin pelo debido a su ascendencia, se le cubrieron del pelaje del jaguar. Pero en su forma animal no podría hablar ni llegar a un acuerdo con Nadina, así que se controló y obligó a su animal a retirarse.

Pero Nadina desapareció en el aire.

Storm corrió a la cocina, y ella se detuvo delante de la puerta. No se había teletransportado. Era una magia negra que otorgaba gran velocidad, puesto que Storm no había perdido el olor.

Nadina sonrió.

—Solo ha sido una pequeña demostración para que evitemos fingir. No estoy aquí ahora por accidente. Sé que te has apareado. Tienes tiempo hasta que ella regrese.

La puerta se abrió sola y Nadina salió.

Cuando Kai miró el futuro de Storm, le advirtió que perdería a Evalle antes de tenerla.

El momento había llegado. Abrió un cajón, sacó papel y bolígrafo y escribió una nota que esperaba que Evalle encontrara si... cuando regresara.

Cariño:

He ido a encargarme de la bruja y a terminar con esto para que podamos estar juntos. Luego vendré a buscarte, estés dónde estés.

Storm

Storm salió de la casa a toda velocidad, siguiendo el rastro de Nadina. Podría seguirla mientras ella no se teletransportara. Cuando la encontrara, ambos averiguarían cuál de ellos se había hecho más poderoso desde la última vez que se enfrentaron.

Treinta y nueve

—¡Zorra! —gritó Evalle, antes de que el remolino provocado por el teletransporte cesara. En cuanto posó los pies sobre la alfombra del estudio privado de TÅµr Medb, se lanzó contra Kizira y esta desapareció de inmediato.

—¿Estás loca? —gritó Kizira a sus espaldas.

Loca no conseguía expresar el instinto homicida que inundaba a Evalle. Se giró para ver a Kizira.

—Solo necesitaba un minuto. Y todavía me quedaban diez.

—Te los habría concedido si hubiera podido. Te di todo el tiempo que fue posible. Nos vamos a ir de aquí dentro de una hora. Enojar a Flaevynn no nos hará bien a ninguna de las dos.

¿Una hora? Esa información atemperó la furia que la cegaba.

—Voy a ir contigo —dijo Evalle.

—No, si no te tranquilizas.

—Llévame a ver a esa zorra de reina.

—Coge la triqueta.

Evalle se dio cuenta de que llevaba puesto un pantalón tejano, una chaqueta y un suéter azul. ¿Qué había pasado con la camiseta de Storm?

—¿Dónde está la camiseta de manga larga de Storm que llevaba puesta?

Kizira soltó un gemido.

—La he enviado a tu dormitorio, con Lanna, porque huele a él. Si apareces delante de Flaevynn con esa camiseta, ella desconfiará de lo que has ido a hacer a Atlanta puesto que se supone que has ido allí para llevarte la triqueta.

Evalle lo comprendió, pero si le sucedía algo a la camiseta, se encargaría de que corriera la sangre. Introdujo la mano en el bolsillo de la chaqueta y sacó el estuche de la triqueta.

—Vamos.

El entorno cambió a tal velocidad que Evalle no tuvo tiempo ni de pestañear. Ahora se encontraba en la habitación de Flaevynn, y esa zorra estaba sentada en un trono de oro con forma de dragón.

La cabeza del dragón se movió y sus ojos se fijaron en los de Evalle.

Vaya.

Kizira adoptó de inmediato una actitud tensa y profesional.

—Evalle ha cumplido su misión de forma satisfactoria.

Flaevynn señaló a Kizira con una larga uña negra con diamantes engarzados. El rostro de Kizira se puso rojo y, con los ojos llenos de lágrimas, empezó a hacer sonidos de ahogo.

Evalle se apresuró a decir:

—No miente. Lo tengo. —Y sacó la triqueta del estuche—. Espero que te complazca. He robado la triqueta de un velador.

Los ojos de Flaevynn, muy maquillados y con unas pestañas de dos centímetros de longitud, se clavaron en Evalle.

—¿Cómo sé que no te la dio alguien?

«¿No le pregunté yo lo mismo a Kizira?»

—Porque cuando Kizira me sometió, me prohibió hablar con ningún velador o agente de VIPER —replicó Evalle—. Lo hizo de tal manera que yo no hubiera podido aceptarlo aunque alguien me lo hubiera ofrecido por la calle. Y este pertenece a Vladimir Quinn de los veladores, que es... era uno de mis mejores amigos.

Kizira dejó de emitir los sonidos de ahogo. Evalle la miró. Kizira tenía la garganta llena de marcas de garra. La sacerdotisa se inclinó hacia delante y apoyó una mano sobre la rodilla, esforzándose por respirar.

—¿Es verdad, Kizira? —preguntó Flaevynn.

Kizira se incorporó de nuevo, tosió y asintió con la cabeza.

—Sí. Y las grabaciones de seguridad del hotel muestran a Evalle saliendo de la habitación con la triqueta en la mano.

En caso de que Tzader y Quinn no encontraran la manera de detener a Kizira y a los grifos a partir de la críptica nota que les había dejado con Storm, Evalle tenía la esperanza de que, por lo menos, se dieran cuenta de la única cosa que ella quería que tuvieran muy clara: que Evalle era una amenaza para Brina y, por tanto, para los veladores. No soportaba pensar la opinión que tendrían Quim y Tzader de ella, pero si sobrevivían al ataque a Treoir, sería suficiente para Evalle.

Lo único que lamentaba era no tener la oportunidad de decirle a Storm, en persona, que lo amaba y de pedirle que perdonara todo lo que pudiera oír sobre ella a partir de las próximas 48 horas, que, evidentemente, era hoy. Evalle ya había perdido toda noción del tiempo.

Flaevynn se levantó con actitud regia y dijo:

—Te obligo a que me digas la verdad o a que te comas tu propia lengua, Evalle. Y ahora, dime por qué debería confiar en ti.

—No deberías...

Kizira hizo un ruidito con la garganta.

Evalle fingió una expresión de desprecio al mirar a Kizira. Luego volvió a mirar a Flaevynn y afirmó:

—Iba a decir que no deberías confiar en mí si yo no estuviera sometida. Haría todo lo que estuviera en mi mano para ayudar a los veladores si pudiera, pero no puedo, y en cuanto yo aparezca en forma de grifo, ellos tendrán motivos más que suficientes para matarme. El instinto de supervivencia hará que me defiendan, y el control que Kizira ejerce sobre mis actos me obligará a llevar a cabo tu plan.

Evalle se aseguró de imbuir de amargura esas palabras. No había sido difícil, puesto que la amargura le corría por las venas.

Flaevynn levantó una mano, como si llamara a alguien.

Cathbad apareció al lado del trono. Observó a Kizira un momento, pero cambió la expresión de su rostro tan deprisa que Evalle no estaba segura de haber percibido preocupación en él.

Flaevynn, dirigiéndose a Cathbad, dijo:

—Tal como puedes ver, han regresado. Estoy convencida de la lealtad de Evalle. Quiero todos los planes de ataque expuestos aquí, para poder observarlos.

Cathbad dirigió una mirada furtiva hacia Kizira, quien lo ignoró y dijo:

—He hablado con el contacto que tendremos en Treoir.

Sería ese maldito velador traidor que tan caro estaba costando. Evalle le cortaría la garganta en cuanto lo viera.

Cathbad continuó:

—Nuestros contactos me han dicho que la costa de la isla está estrechamente vigilada, pero que él despejará un área de noventa metros para que Kizira y nuestro ejército de grifos puedan entrar.

Evalle permaneció callada, sin mostrar reacción alguna ante la noticia de que el traidor se encontraba en la isla. Por lo menos, había podido dejarles un mensaje a Tzader y a Quinn.

Con las manos a la espalda y dando vueltas por la habitación, Cathbad continuó hablando con la confianza de un general al mando del ejército ganador de una batalla.

—Cuando nuestro ejército llegue a la isla, nuestros hechiceros se encargarán del enemigo mientras los grifos entren.

—Solamente los cinco —interrumpió Flaevynn.

—Sí.

A Evalle le dio un vuelco el corazón. ¿Cómo podría sacar a Tristan de allí si él no podía volar con ellos?

Kizira dijo:

—Quiero llevarme a los diez.

Cathbad se detuvo un momento y preguntó:

—¿Por qué?

—Tú dedujiste la información sobre el destino de los cinco grifos más poderosos de las narraciones de los antiguos, según las cuales, una vez invadieran Treoir, los grifos se quedarían en la isla para siempre. Si ese es el caso, ¿por qué no emplearlos a todos ellos y asegurar, así, la victoria?

Al oírlo, Evalle no sabía si alegrarse por tener la oportunidad de sacar a Tristan y a su hermana de ahí o si angustiarse ante la perspectiva de que un ejército mayor de grifos atacara Treoir.

Cathbad sonrió:

—No es una mala idea, Flaevynn.

—De acuerdo. Llévatelos a todos —dijo la reina, indicando su conformidad con un gesto de la mano. Luego, mirando a Cathbad, preguntó—: ¿Se lo has dicho?

Kizira miró a Cathbad.

—¿Decirme qué?

Ver esa escena entre los tres Medb ofreció a Evalle cierta comprensión de la vida que Kizira había llevado durante esos años en el Medb. Por primera vez, Evalle compadeció a Kizira. Cathbad se acercó a Kizira. La miró, primero con compasión, pero luego con una expresión que no admitía la piedad.

—En cuanto Brina esté muerta, estás obligada a ir a la escalinata del castillo y esperar a que llegue Flaevynn.

Cathbad estaba colocado de tal forma que impedía que Flaevynn viera la expresión de Kizira, pero Evalle sí la vio y le pareció que era de cierta incredulidad... o de dolor.

Pero eso no detuvo a Cathbad.

—Si no apareces en esa escalinata antes de que haya pasado un minuto desde la muerte de Brina, o si tocas el río de la inmortalidad antes de que lo haga Flaevynn, la piel se te desprenderá del cuerpo.

—Creí que debía traerle el agua a Flaevynn —dijo Kizira con expresión de horror—. ¿Por qué...?

—Cuando Brina esté muerta y tú controles el castillo, Flaevynn y yo podremos abandonar esta torre. —Cathbad hablaba como si no sintiera ninguna emoción, pero a Evalle le pareció notar cierta expresión de tristeza cuando añadió—: Esta es la única manera en que pude convencer a Flaevynn de que harías lo que se te dijera.

Evalle había sintonizado su sentido empático y percibió claramente la rabia y el arrepentimiento que invadían a Cathbad.

Entre Kizira y Cathbad se hizo un silencio tan definitivo que parecía vivo.

La reina dijo:

—Te estaré observando desde aquí, Kizira. No me falles.

Kizira, luchando por mantener el control de sí misma, se tragó las lágrimas que le llenaban los ojos y miró a Cathbad con expresión de odio.

—¿Cuándo me voy?

Cathbad respondió:

—El seiscientos sesenta y seis aniversario de Flaevynn será dentro de tres horas. Nuestro contacto en Treoir te está esperando, y los grifos llegarán una hora antes.

Cuarenta

*T*zader lanzó un rayo de energía cinética contra la puerta de entrada de la casa de Storm. Por lo menos, esperaba que fuera su casa. Nicole lo había enviado allí. Una vez dentro, la registró rápidamente y encontró una cafetera todavía caliente. No había tazas, ni platos. ¿Qué era ese olor tan especiado? ¿Regaliz? ¿Algún incienso de los nativos americanos? Tzader cogió un trozo de papel que había caído al suelo de la cocina. Una nota de Storm para «Cariño». ¿Evalle? ¿Así que Storm esperaba que Evalle fuera allí?

Continuó buscando y llegó al dormitorio, e inmediatamente identificó el olor a sexo que emanaba de las sábanas revueltas en la cama. ¿Evalle había estado allí? Incluso una toalla que había en el suelo estaba todavía húmeda. Quinn no había dejado de decirle a Tzader que no asfixiara a Evalle siendo sobreprotector, que Storm ya cuidaba de ella.

Evalle no se hubiera entregado de esa forma a no ser que hubiera confiado en Storm plenamente.

¿Dónde podían haber ido Storm y Evalle?

Pero Evalle no estaba con él, puesto que Storm le había dejado una nota.

Tzader se rascó la nuca mientras caminaba por el dormitorio. Entonces vio otro trozo de papel encima de la mesilla de noche. Una nota en blanco. La cogió por la costumbre de no omitir nada y le dio la vuelta. Entonces vio la letra de Evalle. ¿Por qué se habían dejado notas el uno al otro? Empezó a leerla, sin entender nada, hasta que la leyó por segunda vez.

Ah, diablos.

¿Qué le había hecho el Medb a Evalle? ¿De qué clase de «mascota» hablaba? De una mascota peligrosa, sin duda.

La mano le temblaba. ¿Cómo le iba a explicar eso a Quinn? Le dolía el estómago, como si le hubieran clavado un cuchillo. Primero debía informar a Macha y a Brina de todo esto.

Luego debía preparar a Quinn, y prepararse a sí mismo, para matar a Evalle.

Cuarenta y uno

—*D*eberías unirte a los veladores —sugirió Evalle—. Quizá no les gustes, pero no te torturarán como hacen los Medb.

Kizira se había llevado a Evalle a su estudio privado. Esta vez no había desaparecido como era su costumbre. Con la cabeza gacha, parecía necesitar un momento para recuperarse. Levantó la mirada, y sus ojos estaban tan llenos de desesperación que Evalle se dio cuenta de que estaba sufriendo.

—Puedes creerme o no, pero he trabajado mucho para ver el fin de la guerra entre el Medb y los veladores.

—¿Por qué?

—Porque amo…

—A él —terminó Evalle, puesto que Kizira no quería pronunciar su nombre allí y, por lo que había visto, eso era lo mejor para Quinn.

—Sí. Había pensado conseguir tu ayuda una vez llegáramos a la isla. Pensé… —Parecía que le costaba hablar, y tenía los ojos llenos de lágrimas—. Si pudiera entrar en el castillo y llegar al río, podría detener la batalla antes de que esta llegara al castillo. No quería conseguir la inmortalidad para vivir eternamente, sino para impedir que Flaevynn sobreviviera más allá de su fecha de cumpleaños.

—¿Alguno de vosotros ha pensado que el castillo está protegido para que ningún inmortal pueda cruzar su entrada?

—Cathbad asegura que cualquiera que se convierta en inmortal dentro del castillo podrá disolver el escudo.

¿Eso sería de ayuda para Tzader? No, puesto que él debería cruzar la entrada para llegar al río, así que moriría antes de llegar allí. Evalle apartó sus pensamientos de la vida amorosa de Tzader para poder centrarse en las ventajas que podía haber en esa nueva situación. Kizira amaba a Quinn. Si Evalle pudiera convencer a Kizira de que la ayudara, quizá pudieran salvar a Brina y Treoir.

Si lo conseguía, quizá Macha no acabara con Kizira, Evalle y los grifos.

«Ya puedo esperar la libertad de Sen y una vida con Storm mientras continúe teniendo fantasías descabelladas». Centrándose de nuevo, Evalle dijo:

—¿Qué sucederá si pierdes la batalla?

—Si Flaevynn muere, yo muero. Ella no me ofrecerá la corona. Y Cathbad morirá un día después.

—Espera, ¿eres pariente de esos dos?

—Son mis padres biológicos.

«Y yo que pensaba que mi situación era mala». Hasta hacía muy poco, la muerte de Kizira había estado en los primeros puestos de la lista de deseos de Evalle, pero ahora conocía cuál era su situación y no podía pensar de ella lo mismo que pensaba de los Medb. Evalle sabía lo que era no tener ningún valor para la propia familia.

—Si sobrevivieras a la muerte de Flaevynn, ¿todos los Medb te seguirían?

—Técnicamente, sí.

—Qué sucedería si Flaevynn se marchara de TÅµr Medb antes de que se rompa la maldición.

—Se encendería en llamas, como un asteroide que penetrara la atmósfera de la tierra. Pero Cathbad ha ideado una cosa que no ha contado hasta hoy. Él cree que cuando Brina ya no tenga el control del castillo, él y Flaevynn podrán abandonar esta torre. Yo tenía la esperanza de que él estuviera de mi parte, pero estaba equivocada. Solo procura para sí mismo.

—¿Que te sucedería si Flaevynn muriera por haber salido de esta torre?

Kizira ladeó la cabeza, pensativa.

—Me dijeron que yo me convertiría automáticamente en la reina, pero eso no es posible porque…

—Ella nunca saldría de TÅµr Medb. —Eso acabaría con Evalle, pero si Cathbad decía la verdad acerca de las tres vidas de los grifos, todavía le quedarían dos—. ¿Si fueras reina, jurarías mantener la paz entre los Medb y los veladores?

—Por supuesto. Eso es lo que te dije que siempre he querido desde... —Kizira interrumpió sus palabras.

—Entonces, júramelo a mí y te ayudaré.

—¿Cómo?

—Cambia tu hechizo de sometimiento sobre mí cuando entremos en Treoir para que yo pueda hablar con Tzader y Quinn. Entonces escenificaremos la toma de Treoir y la muerte de Brina para que puedas llamar a Flaevynn.

Hacía solo un momento, Kizira parecía una mujer que se enfrentaba a su propia muerte, pero ahora había recobrado la energía.

—Eso funcionaría, pero requeriría la cooperación de todo el mundo.

—Seguramente, Cathbad pueda salir de aquí con Flaevynn —le recordó Evalle.

—Después de lo que me ha hecho hoy sometiéndome, no le ayudaría ni aunque estuviera ardiendo en llamas.

Bueno, no quedaba ninguna cadena familiar.

—Quiero otra cosa. Quiero hablar con Conlan. Quizá tenga información que nos pueda resultar de ayuda.

—¿Cómo voy a sacarlo del calabozo?

—Dile a Flaevynn que sospechas que los veladores lo enviaron aquí como espía, y que quieres demostrarles que no la pueden engañar. Dile que podemos utilizarlo para confundir a los veladores, puesto que él es una marioneta en tus manos. Ellos lo llevarán hasta Brina, puesto que están en la isla, y cuando lo hagan, él te podrá decir en qué parte del castillo se encuentra.

Kizira bajó la cabeza, pensativa.

—Eso la halagaría mucho.

Evalle tenía la esperanza de no estar poniendo en marcha algo de lo que luego pudiera arrepentirse, pero confiaba que Tzader mantendría a Brina a salvo. Tzader no querría dejar a Conlan en este lugar. Eso le hizo recordar a dos personas más a quienes debía salvar. La lista no dejaba de hacerse más y más larga.

—Tristán no aceptará dejar a sus dos amigos rías, que fueron capturados con él y con su hermana.

—¿Esperas que yo también los saque a ellos de aquí?

Flaevynn no lo aceptará. En cuanto saque el tema, desconfiará. —Los rías se parecen tanto a los mutantes que, cuando mutan, hay que estar muy cerca de ellos para ver que no tienen los ojos verdes. Convence a Flaevynn de que su sacrificio servirá como distracción. —Evalle chasqueó los dedos—. ¡No! Haz que Tristan vaya a exigirle que ellos se queden aquí. Él puede decirle que el trato no consistía en utilizarlos en ese ataque y que ellos no sobrevivirán. Si ella cree que pueden ser de alguna utilidad ahora, deberá utilizarlos.

Kizira arqueó una ceja.

—Me gusta tu manera de pensar, pero nos iremos de aquí con o sin ellos.

—Comprendido. —Evalle salvaría a tantos como fuera posible.

—Voy a enviarte a tu habitación con Lanna —dijo Kizira—. Si no nos volvemos a ver, eso significará que yo también he acabado en el calabozo.

Eso destruiría todos los planes.

—Dile a Tristan y a su hermana lo que está pasando.

—De acuerdo. —Kizira hizo un gesto con la mano.

Evalle aterrizó en su dormitorio, esta vez sin tropezar.

—¿Lanna?

La chica apareció al lado de la puerta del baño y corrió hasta Evalle.

—¿Dónde has estado?

Evalle no había sido muy emotiva en el pasado, pero Storm la había hecho cambiar. Abrió los brazos para recibir a Lanna, y la abrazó disfrutando realmente del momento.

—He estado ocupada intentando encontrar la manera de que podamos salir de aquí.

Lanna dio un paso hacia atrás y la miró con los ojos llenos de excitación.

—¿Nos vamos?

—Muy pronto. Te vas a hacer invisible y montarás en mi grupa.

—Estoy confundida.

—Oh, olvidé decirte que... —Evalle se calló, pues no estaba segura de si el hechizo de sometimiento significaba que no podía contárselo a Lanna—. Mira, me han sometido de tal forma que no puedo decir ciertas cosas, así que deberás confiar en mí y, por una vez, hacer exactamente lo que yo te diga.

—No cometeré ningún error. Haré todo lo que me digas.

La pobre chica estaba aterrorizada, y tenía motivos para estarlo. Evalle intentó ayudarla a comprender la situación.

—Ya sabes que puedo transformarme y adoptar otras formas, así que debes estar preparada para ver algo que te sorprenderá, ¿de acuerdo?

Lanna asintió con la cabeza.

Era una chica inteligente y con recursos. Evalle no tenía ninguna duda de que Lanna cumpliría su parte y seguiría sus instrucciones. Le contó todo lo que pudo sin infringir el hechizo de sometimiento, y le explicó lo que debería hacer cuando aterrizaran en la isla.

No mencionó Treoir, pero Lanna era lista. Le hizo dos preguntas y, después de que Evalle negara con la cabeza dos veces, ya no preguntó nada más.

De repente, la habitación se llenó de una vibrante energía. Kizira apareció con un chico que estaba en tan mal estado que casi ni se tenía en pie. Evalle apartó a Lanna con suavidad y se acercó a Kizira.

—¿Cómo ha ido?

—Flaevynn está dando las instrucciones para el ataque a sus brujas y hechiceros, así que encontré a Cathbad y le dije que tenía una deuda conmigo. Le recordé que él sabía mejor que Flaevynn hasta qué punto yo soy capaz de esquivar sus planes, y que si quería que yo apareciera en esa escalinata y los llamara, debía hacer algo por mí.

—Bien hecho.

—Ahora iré a por Tristan —Kizira miró a Conlan y arrugó la nariz—. Además, aunque Flaevynn esté ocupada, quizá no sea seguro hablar aquí, pues podría aparecer en cualquier momento.

Lanna intervino:

—Yo puedo ocultar vuestras palabras, pero tú deberás someter a Evalle para que permita que una adolescente escuche.

Kizira pareció impresionada, y se encogió de hombros.

—Bien. Estad preparadas para cuando regrese.

Kizira sometió a Evalle, pero esta levantó una mano para impedir que Kizira se marchara.

Evalle se acercó a Conlan, que continuaba encogido, como si llevara mucho tiempo en esa postura. Olía peor que la basura de una semana de un restaurante. Estaba cubierto casi por completo de sangre seca, y tenía varias heridas en la espalda: parecía como si lo hubieran azotado con un látigo. Además, uno de los brazos le colgaba en un ángulo extraño.

Evalle lo señaló y dijo:

—¿Qué tal si le sanamos las heridas y lo lavamos un poco?

Kizira suspiró, como si le acabaran de pedir que se encargara de la colada, pero pasó una mano por encima de Conlan.

El mal olor desapareció. Ahora olía como si acabara de ducharse. Y llevaba un jersey gris limpio y un pantalón tejano nuevo. Conlan se irguió y levantó la cabeza. Ya no llevaba su poblada barba. Tenía un aspecto atractivo y provocador, como un animal decidiendo si debía lanzarse al ataque para escapar.

Pero nada podría quitarle esa profunda expresión de poseído que tenía en los ojos. Con voz ronca, dijo:

—Durante todo este tiempo creí que no había nada que pudiera hacerte romper tu juramento a los veladores.

Evalle dio un respingo, como si le hubieran dado una bofetada, pero Conlan no sabía lo que estaba sucediendo y, por lo que había oído decir, se le seguía considerando un traidor.

—Ahora, que tu amiguita se encargue de hacer lo que necesites —dijo Kizira, y desapareció.

Lanna dijo:

—Debéis quedaros quietos en el mismo sitio. No soy tan buena como Storm.

El mero hecho de oír pronunciar su nombre hizo que Evalle sintiera un pinchazo en el pecho.

Evalle le dijo a Conlan.

—Aunque me dijeron que sospechaban que eras un traidor, he aprendido cosas y estoy dispuesta a escuchar lo que tengas que decir. Y a ti te conviene escuchar lo que yo tengo que decir, puesto que te he sacado del calabozo.

Conlan frunció el ceño y la miró con ojos de reptil.

—De acuerdo.

—Sentémonos para que Lanna lo tenga más fácil. Es la prima de Quinn.

Conlan dirigió sus penetrantes ojos hacia Lanna.

—¿Por qué él permitiría...?

—Todavía no, Conlan —dijo Evalle, dirigiéndose hacia el sofá.

Cuando se hubieron sentado, Lanna dijo:

—No puedo hablar con vosotros mientras hago esto, porque podría cometer algún error y provocar una tormenta.

Seguramente Lanna todavía tenía unos detalles que pulir en su habilidad de hechicera.

Evalle esperó a que Lanna le hiciera una señal con la cabeza. Luego miró a Conlan y le explicó cómo ella —y Lanna— habían llegado a TÅµr Medb. Luego contó todo lo que sabía sobre el inminente ataque a Treoir.

—Así que ahora mismo, soy yo quien sospecha de ti, puesto que tú te escapaste del cuartel general de VIPER y viniste al Medb de forma voluntaria, ¿no es así?

—Así es.

Evalle calló un momento y Conlan levantó una mano.

—Deja que te lo explique. Quinn vio la imagen de cuando yo ofrecí unirme al Medb que pertenecía a la parte de mi mente que proyecta el futuro, pero eso no siempre es fiable, porque el futuro se puede cambiar.

—Pero no cambió.

—Eso fue intencionado.

Evalle no quería creerlo de Quinn, pero alguien había ayudado a salir a Conlan de VIPER, y Quinn se había negado a creer que fuera un traidor. Aunque Kizira se negara a creer que Quinn hubiera cometido ese crimen.

Evalle tampoco lo creía.

—¿Quién te ayudó a escapar?

Conlan permaneció callado durante unos segundos. Finalmente suspiró con fuerza y dijo:

—Supongo que no importará, si no salvamos Treoir. Tzader me sacó de ahí.

¿Tzader? «Asombro» no alcanzaba para definir lo que Evalle sintió en ese momento. Quizá fuera más adecuado «asqueo», «decepción» y «dolida». ¿Pero debía creer eso de Tzader más que de Quinn? ¿Por qué?

—Él sabía que yo nunca saldría hasta que alguien entregara el traidor a Macha, pero no habíamos tenido suerte en encontrar al traidor. Me dijo que me liberaría si yo estaba dispuesto a llevar a cabo un trabajo secreto, porque si no, sería más seguro que me quedara encerrado en VIPER. Quería que utilizara lo que habíamos sabido gracias a mi visión para infiltrarme en el Medb.

¿Por qué Tzader no le había dicho nada?

—¿Lo sabía Quinn?

—Nadie lo sabía, excepto nosotros dos. Tzader no quería poner en riesgo a nadie más, especialmente a ti y a Quinn.

El pobre Tzader había cargado con eso por su cuenta, sin ayuda de Evalle ni de Quinn.

—¿Has averiguado quién es el traidor?

—No, pero sí sé que tiene una cicatriz con forma de X rodeada por una serpiente en el antebrazo derecho. Parece que se la hizo Flaevynn para que su gente no tuviera ninguna duda de en quién debía confiar. —Conlan se rascó la cabeza—. Hablando de confianza, ¿por qué debería confiar en ti y en Kizira?

—Porque tenemos un plan para salvar Treoir, y si no funciona, el Medb se hará con el poder y convertirá el mundo en su campo de juegos. ¿Estás con nosotros o no?

Cuarenta y dos

$\mathcal{T}$zader no tenía ganas de decirle a Quinn lo que debía decirle. Esperaba, mientras su amigo se separaba de la última división de guerreros que se dirigía a ocupar los puestos vacíos a lo largo de la costa de Treoir.

—¿Alguna noticia de Evalle o de Lanna?

Quinn llevaba los hombros hundidos por el peso de la preocupación.

—Más o menos. —Tzader le explicó que había encontrado las notas en casa de Storm y le mostró la de Evalle—. Por algún motivo, Evalle habrá tenido la posibilidad de regresar a Atlanta durante un tiempo y ha aprovechado para hacernos llegar un mensaje. No tengo ni idea de a qué bruja se refiera Storm, pero creo que Evalle nos dice que unos mutantes se dirigen hacia aquí, pero que han cambiado... o que algo ha cambiado.

—Quizá que no mueren —puntualizó Quinn.

—Sí. Es como sí se hubieran hecho inmortales, tal como prometió el Medb. —Otro golpe contra Evalle. Tzader dejó sus emociones a un lado y se concentró en la defensa—. Macha dirigirá todo su poder a mantener el escudo de dieciséis kilómetros alrededor del castillo para detener a los mutantes, pero si es atacado por un buen número de mutantes inmortales, quizá no pueda detenerlos.

—¿Cuál es tu plan?

—¿Quién crees que controlará a los mutantes?

Quinn no dudó ni un momento:

—Kizira.

—¿Puedes establecer un bloqueo mental e interferir su capacidad de control?

Quinn se pasó una mano por la frente.

—Si todos ellos están vinculados a ella, sería como intentar penetrar la mente de un velador mientras está vinculado a un grupo. Es terriblemente difícil, pero lo puedo intentar.

Si alguien podía hacerlo, era Quinn. Tzader todavía no le había hablado de su arma secreta. Los sanadores veladores querían disponer de veinte horas más antes de permitir que se volviera a emplear la telepatía, y Macha había accedido. Tzader solo podía emplear la telepatía con una persona que se creía inmune al contagio: Quinn.

—La nota sugería que este grupo dispondrá de comunicación telepática. Supongo que su sangre de veladores les permite hacerlo, lo cual significa que debería ser posible que nosotros contactáramos con los mutantes.

—¿Estás pensando en interceptar sus pensamientos?

—No, estoy pensando en provocar una enorme interferencia en sus sistemas internos, tanto a nivel de pensamiento como de navegación y de coordinación. ¿Estás seguro de que eres inmune al contagio?

—Ah, comprendo. Sí, soy inmune. ¿Cómo vas a contagiarlos?

Esa era la parte que le revolvía el estómago.

—Hemos traído a un sanador y a uno de nuestros guerreros que todavía están en cuarentena y que sigue infectado.

—Quizá no funcione, a no ser que sea un poderoso telépata.

—Por eso tenemos aquí a Trey McCree. Los sanadores dicen que cuanto más fuerte sea el telépata, más deprisa se propagará la infección. Trey está dispuesto a ser infectado y luego… contactar con Evalle.

Quinn puso cara de decepción.

Tzader tragó saliva.

—Lee la última línea que escribió. Evalle nos dice que no le permitamos llegar hasta Brina. Pero esta decisión es mía. Mi objetivo es capturarla viva, si es posible. Si no, seré yo quien entre en contacto. Solo necesito que tú te encargues de Kizira.

Cuarenta y tres

Grifos de todas las tonalidades de verde, azul, negro, rojo y violeta se habían reunido en una sala de sesenta metros de diámetro, en el interior de TÅµr Medb.

Evalle y otros cuatro grifos tenían la cabeza dorada.

Bernie era uno de ellos.

Evalle sonrió ante esa ironía, pero en cuanto prestó un poco de atención se le pasaron las ganas de reír. Debía mantener a Conlan escondido entre sus alas hasta que llegara el momento de llamar a Lanna. Kizira había ocultado a la chica para que nadie la viera, cerca de allí, pero Lanna tendría que hacerse invisible y abandonar ese escudo. Evalle se mantendría al margen todo el tiempo que le fuera posible para que Lanna estuviera el máximo de tiempo protegida en el escudo de Kizira.

En la sala había dos mil hechiceros y brujas. Flaevynn y Cathbad teletransportarían su ejército sediento de sangre al cabo de diez minutos de que los grifos hubieran partido.

Flaevynn y Cathbad estaban de pie encima de una tarima. Flaevynn levantó una mano para llamar la atención y los murmullos que llenaban la sala se silenciaron.

—Hoy es el día en que tomaremos la isla que ha estado en manos del enemigo durante tanto tiempo. A partir de hoy, los Medb gobernarán Treoir y el mundo de los mortales. Cada uno de vosotros que regreséis después de la victoria recibirá en propiedad una parte de ese mundo.

La sala se llenó de vítores.

—Haced que me sienta orgullosa.

Kizira, flotando a unos tres metros del suelo, se acercó a los grifos y se colocó por encima de la reina de TÅµr Medb.

—Cada uno de vosotros sabe qué debe hacer. Yo mantendré comunicación telepática mientras viajemos y durante todo el tiempo que estemos en Treoir. Estáis obligados a seguir todas mis órdenes.

Boomer y dos cabezas doradas más soltaron un gruñido indicando que estaban listos para partir.

Evalle se puso en contacto telepático con Conlan. «Voy a hacerle una señal a Lanna con la punta del ala. Entonces ella te camuflará para que los dos podáis subir encima de mi espalda».

Al cabo de un minuto, Evalle notó el peso de Lanna y de Conlan a sus espaldas. Lanna le tironeaba de las plumas. «Hazla parar, Conlan».

«Ya está».

Evalle estiró el cuello para ver si todo el mundo estaba en su sitio.

Tal como habían acordado, Kizira subió a la espalda de Tristan y puso los pies entre sus dos amigos rías, que estaban allí en forma humana, temblando. Tristan les había dicho que se mostraran asustados, pero parecía que sentían verdadero terror. Tristan llevaba un arnés dorado y rojo y un látigo que Kizira blandía sobre su espalda. Kizira podía teletransportar a todo el grupo, pero los grifos necesitaban volar en grupo antes de penetrar el espacio aéreo enemigo.

Kizira dio la señal para despegar.

Uno de los muros de TÅµr Medb desapareció, dejando al descubierto un cielo negro y vacío del otro lado.

Evalle batió las alas y se elevó, cruzando la abertura detrás de Tristan y Kizira. Nunca había subido a un avión, y la emoción de sentirse volando por los aires la llenó de euforia y deseó poder compartirlo con Storm.

Cuando todos los grifos hubieron despegado, Evalle oyó la voz de Kizira en su mente, igual que la oyeron los otros nueve grifos: «Preparaos para el teletransporte. En cuanto salgamos, estaremos volando por encima del mar de Irlanda. Volaremos a través de un paso entre dos montañas. Una vez allí, ya sabéis lo que debéis hacer».

Evalle, que ya se había acostumbrado a la sensación del teletransporte, se relajó. El tránsito tardó más que de costumbre, seguramente a causa de que Kizira debía teletransportarlos a todos a la vez. Pero en cuanto llegaron al espacio del mar de Irlanda, Evalle se dio cuenta.

El viento soplaba con fuerza. Evalle advirtió a Conlan que se sujetara bien, y notó que alguien se agarraba a su cuello. Batiendo las alas con fuerza, se estabilizó en el aire. Boomer pasó por su lado dando vueltas en el aire, y Evalle se alegró de ver que no era la única que tenía dificultades.

Quizá Flaevynn les hubiera debido proporcionar más tiempo de entrenamiento de vuelo.

Unas altas olas de seis metros se levantaban por debajo de Evalle. La sal del mar le escocía en los ojos, pero... estaba volando a plena luz del día y sin gafas de sol. Evalle nunca había visto el mundo de día, y el corazón le latía de felicidad.

¿Por qué no podía compartir ese momento con Storm?

No. Se alegraba de que él se encontrara a salvo en Atlanta. Tzader nunca llevaría a un extraño a Treoir, y mucho menos ahora.

Ante su vista apareció una cadena de montañas, y entre dos de sus picos Evalle vio un paso.

Kizira estaba de pie, con los pies un poco separados, encima de Tristan. Llevaba el látigo en una mano, y con la otra, lo conducía. Dirigiéndose a los grifos, gritó: «Entrad por ahí, luego dividíos e iniciad el ataque».

En cuanto cruzó la abertura entre las montañas, Evalle notó que el aire estaba más calmado, como era habitual en Treoir. Miró a su alrededor, en busca del traidor, pero lo más probable era que él ya se estuviera dirigiendo al castillo para estar allí cuando Kizira llegara.

Boomer dirigía a un grupo de grifos que habían empezado a incendiar una zona de tierra que quedaba entre el mar y el castillo para dividir la defensa. Otro grupo se separó y se dirigió a unos puntos estratégicos a los cuales iban a ser teletransportados los hechiceros y las brujas.

Evalle advirtió a Conlan: «Prepárate para virar a la izquierda».

Notó que alguien se sujetaba con fuerza a su cuello mientras giraba por encima de montañas y valles. Evalle se preguntó si los pilotos de los aviones de guerra se sentirían de esa forma. Localizó un lugar en el interior del perímetro asignado para ser quemado, y aterrizó entre los árboles, a un kilómetro y medio del castillo.

Conlan y Lanna saltaron al suelo.

—Iré al castillo para protegerla —gritó Conlan.

Y Lanna añadió:

—Y yo lo ayudaré a entrar.

Evalle respondió a Conlan en silencio.

«Gracias. Dile a Lanna que estoy orgullosa de ella y que, por favor, tenga cuidado. Y dile a Quinn que siento que haya acabado en TÅµr Medb.»

«Lo haré.»

Evalle se elevó batiendo las alas con fuerza. No se había alejado mucho cuando oyó a Trey que le decía: «Evalle, ¿dónde estás?

Su voz sonaba cansada. ¿Se lo podía decir, o el hechizo de sometimiento se lo impediría?

«Creo que no te lo puedo decir, pero si levantas la vista me verás. Soy azul, con la cabeza dorada.»

«¿Qué?… ¿Eres un dragón?»

«Un grifo.»

Evalle se rio, pero de repente se le nubló la vista y empezó a caer en picado. Se le revolvió el estómago. Se precipitaba hacia abajo dando vueltas en el aire.

Podía mover las alas, pero no de forma coordinada. Empezó a batirlas con fuerza. Árboles. Cielo. Montañas. Cielo. Un destello verde y marrón. Se hizo un ovillo y se preparó para el choque.

Kizira gritó: «Boomer necesita ayuda. Está en el suelo y lo están matando».

Cuarenta y cuatro

*Q*uinn escuchaba a través de unos auriculares la información por radio. Le costaba creer lo que oía sobre esos dragones, pero entonces le llegó la voz de Trey, más fuerte que el sonido de la radio.

«He encontrado a Evalle y... he contagiado la infección. He empleado una telepatía muy potente. Ella es... un grifo. Con la cabeza dorada. Está volando, pero ahora está enferma. Está cayendo.»

«Lo voy a comunicar. Ve a ver al sanador antes de que pierdas la conciencia.»

Cuando Trey cortó la comunicación, Quinn recibió la notificación de que una bruja montaba uno de los grifos. ¿Sería Kizira?

Se quitó los auriculares y se concentró para llamarla.

«Kizira, ¿dónde estás?»

«¿Quinn? No deberías estar aquí. Se suponía que Evalle debía avisarte. ¿Dónde estás?»

Evalle no lo había avisado, pero ella debería saber que ni Quinn ni Tzader evitarían una batalla que era necesaria para proteger a la reina guerrera de Treoir.

Quinn puso voz débil y repuso: «Te necesito».

Detestaba emplear esa estratagema, pero esperó. Ella siguió la conexión y vio que se encontraba sentado encima de un tronco, en un lugar muy visible.

Al cabo de un momento, una criatura gigantesca aterrizó al lado de Quinn, y Kizira saltó al suelo desde su grupa. Ahora que lo veía bien, Quinn reconoció el cuerpo de león y la cabeza con forma de águila.

Un grifo.

Pero no tenía la cabeza dorada, como había dicho Trey.

Kizira le dijo algo al grifo, y esa criatura bajó la cabeza un momento y enseguida levantó el vuelo. Ella se dirigió hacia Quinn, pero se detuvo a unos cuatro metros de distancia con una expresión de suspicacia en el rostro.

—No pareces herido. ¿Qué sucede?

—Lo siento.

Quinn se dispuso a penetrar en su mente, pero fue rechazado.

—¿Qué...? ¿Qué estás haciendo?

Quinn se concentró con decisión y volvió a intentar entrar en su mente, cruzando sus defensas.

Kizira se llevó las manos a la cabeza.

—Para, Quinn. No estoy aquí para hacerte daño.

Pero él no cedía, y la penetraba cada vez con mayor profundidad, chocando contra las otras voces que resonaban en el interior de su mente, seguramente las de los grifos. Kizira empezó a chillar mentalmente.

En ese momento, un imponente grifo de cabeza dorada apareció por encima de él, precipitándose hacia el suelo a toda velocidad.

Quinn levantó las manos y lanzó un rayo de energía cinética contra el grifo.

La bestia se desequilibró, como si hubiera recibido un golpe de viento, pero se lanzó hacia el suelo de nuevo. Quinn presenció el aterrizaje asombrado. El grifo tenía las fauces abiertas, y rugía con fuerza.

Quinn se había debilitado a causa del rayo de energía cinética que había lanzado contra el grifo, y se vio obligado a aflojar la sujeción de Kizira.

El propio impulso del aterrizaje hizo que el grifo se precipitara contra Quinn, que no tuvo tiempo de soltar a Kizira para dirigir su fuerza mental contra el grifo.

Kizira desapareció y volvió a aparecer delante de Quinn justo en el momento en que una enorme zarpa iba a partirlo en dos.

Kizira recibió el golpe.

Quinn gritó, se lanzó mentalmente al interior del grifo y, concentrando toda su fuerza cinética, le hizo estallar la cabeza.

La bestia, descabezada, dio unos pasos hacia atrás. Le temblaban las alas.

De repente, Quinn oyó un gemido agudo procedente de Kizira.

—¡No, no! —gritó, corriendo hacia ella y cogiéndola en brazos. Kizira tenía una profunda herida desde la parte inferior del pecho hasta la cadera. Quinn le suplicó—: Sánate, Kizira.

Pero Kizira tenía los labios llenos de sangre.

—No… no puedo. Flaevynn me quitó esa… capacidad antes de venir. Debo… decirte…

Quinn soltó un potente grito. Tenía el rostro lleno de lágrimas.

—Por favor, no mueras. —Quinn nunca había pronunciado las palabras que le tenían el corazón contraído, pero en ese momento, imbuido de pánico ante la posibilidad de perderla, lo hizo—: Te amo.

—Yo también te amo, Quinn. Intenté… para la paz.

Quinn vociferaba, enloquecido, pidiendo a todos los dioses del universo que la salvaran.

Ella le puso una mano en la muñeca.

—La pulsera que te hice con tu pelo… no la pierdas.

—Te quiero a ti, no una maldita pulsera. Lo siento tanto. Debería haber…

—Quinn, por favor, escucha.

Kizira se estremeció y tosió.

—Claro, mi amor.

Quinn intentaba cubrirle la herida, impedir que se le escapara la fuerza de vida. Vio que ella movía los labios, y acercó el oído a ellos.

—No dejes que… el Medb la atrape.

—¿A quién te refieres? ¿A Evalle?

Los ojos de Kizira empezaban a ponerse en blanco.

Él la apretó contra su pecho, suplicándole:

—Por favor, no me dejes.

Kizira, con expresión de soportar un gran dolor, dijo:

—Prométeme…

—Lo que quieras —repuso, rozándole los labios con los suyos para disfrutar de ese último contacto.

—Busca a Phoedra. Cuídala.

—¿Quién es Phoedra?

—Nuestra hija.

Kizira expiró, y la luz desapareció en ella.

El aullido de dolor de Quinn sacudió los árboles y la tierra que los rodeaba.

Cuarenta y cinco

Evalle, hecha un ovillo, chocó contra los árboles. Los miembros le crujieron, y su cuerpo se arañó y se hirió contra las ramas. Bajó rodando por la ladera de una colina y, finalmente, aterrizó con las alas extendidas.

Le parecía que tenía todos los huesos rotos.

Una fuerte sensación de vértigo la asaltó, y sintió el desagradable sabor de la bilis en la garganta. Eso debía de ser la infección.

Trey la había contagiado a propósito.

¿Quizá Tzader no había comprendido el mensaje? Evalle había creído que entre Tzader y Quinn comprenderían que lo único que debían hacer era que Quinn tomara el control de la mente de Kizira.

Evalle sentía tanto dolor que lo único que podía pensar era en cómo detenerlo. Se concentró y llamó a su bestia. La energía sanadora empezó a fluir por su cuerpo, y los huesos se colocaron en su sitio, sanándose. Sus nervios y sus músculos dejaron de quejarse. La vista se aclaró.

Evalle respiraba profundamente, y al cabo de unos segundos empezó a sentirse mejor.

No tenía la infección.

Con un gemido de esfuerzo, plegó las alas, se dio la vuelta en el suelo y se puso en pie sobre sus patas traseras. Abrió las alas y las probó. Guau, se había sanado muy deprisa.

¿Pero dónde estaba esa energía? ¿Esa conexión con Kizira?

Evalle la llamó: «¿Kizira? ¿Estás bien?»

No hubo respuesta.

No quería correr el riesgo de llamar a otros grifos por si también habían sido contagiados. Trey era tan poderoso que era capaz de abrirse paso en cualquier mente que fuera receptiva a la telepatía.

Evalle se quedó inmóvil un momento, presa de un mal presentimiento. ¿Y si le había ocurrido algo a Kizira? No quería ni pensarlo, pero si Kizira no respondía, ya no tenía el control de los grifos.

El mando de los grifos recaía en el grifo más poderoso de todos ellos.

Boomer había fallecido dos veces, y la segunda vez había sido tan solo unos segundos antes, cuando Kizira había avisado de que él había sido atacado.

Un nudo de angustia le atenazó la garganta. ¿Iba Boomer a someterse a su tercera muerte para alcanzar el más alto nivel de poder?

Por supuesto que sí.

¿Dónde estaba?

Evalle levantó el vuelo y se elevó mucho para no poder ser objeto de ningún ataque desde el suelo. Por debajo de ella, los grifos se habían dispersado ocupando la zona del terreno designada y le estaban prendiendo fuego. Debía de haber unos cinco mil veladores defendiendo la isla, pero con nueve grifos más respaldados por dos mil hechiceros y brujas, el Medb tenía toda la ventaja.

Evalle se dirigió hacia el castillo volando a toda velocidad.

Encontró el grifo que estaba buscando. Era difícil no ver a Boomer, debido a su tamaño. Lograba rechazar a los veladores que lo atacaban, pero trastabillaba. Evalle lo vio caer al suelo.

Puesto que se estaban enfrentando a un enemigo que podía matar por lo menos a uno de ellos, los veladores no se arriesgarían a vincularse mentalmente entre ellos y acabar todos muertos. Y, aunque estuviera contagiado, Boomer era perfectamente capaz de acabar con ese pequeño grupo...

A no ser que estuviera intentando morir por primera vez, a propósito. Kizira no lo permitiría, en caso de que todavía tuviera el mando.

Boomer sabía que el objetivo de los Medb era traer a Flaevynn al río. Si Boomer no se encontraba bajo el mando de nadie, él mismo iría a ese río.

Por eso estaba dispuesto a pasar por su tercera muerte y resurrección.

Todo se estaba desmoronando.

Kizira había jurado que sometería a Tristan para que encontrara un lugar donde esconder a Petrina y para que se quedara allí con su hermana hasta que Evalle lo llamara. Evalle tenía la esperanza de que él no se hubiera dado cuenta de que ya no se encontraba bajo las órdenes de Kizira e intentara irse por su cuenta.

Evalle viró a la derecha y se dirigió directamente al castillo.

¿Habrían conseguido llegar a él Conlan y Lanna?

Dos grifos de cabeza dorada aterrizaron en el campo abierto que había delante del castillo. Parecían dos extraños aviones aterrizando en una zona tan grande como el aeropuerto Hartsfield-Jackson de Atlanta.

Un ejército de veladores salió del castillo para impedirles que se acercaran.

Evalle descendió con suavidad, dirigiéndose a las puertas del castillo que se encontraban detrás de la línea de guerreros. Esas puertas estaban protegidas por cincuenta veladores.

Y Tzader se encontraba al frente de ellos.

Evalle detestó tener que hacerlo, pero levantó las patas delanteras y lanzó unas ráfagas cortas de energía cinética que barrieron a los guerreros como si no fueran más que bolos de madera. También a Tzader. Esos guerreros nunca se habían enfrentado a una energía cinética como esa, y quizá quedaran un rato fuera de juego, pero ninguno de ellos moriría.

Pero Tzader nunca le perdonaría que le hubiera hecho eso mientras él protegía a Brina del enemigo. Evalle perdería a un amigo, pero salvaría a los veladores.

El impulso del vuelo lanzó a Evalle contra las enormes puertas de madera del castillo y, a su paso, arrancó las bisagras de los muros. Las astillas de madera volaban por los aires como si fueran metralla.

La fuerza de esa explosiva entrada tumbó a los guardias que se encontraban en el interior del imponente vestíbulo de tres pisos.

Brina bajó corriendo las escaleras con una espada vibrante de fuerza en la mano.

Evalle le gritó:

«¡Vuelve atrás! ¡Escóndete!»

Brina llegó al pie de las escaleras y se detuvo.

«¿Evalle?»

«Sí. Vete de aquí.»

Brina echó un vistazo a los cuerpos tendidos en el suelo y la miró, conmocionada.

«¿Eres esa cosa azul?»

«Sí. Soy un grifo. ¿Dónde está Macha?»

«Está erigiendo un escudo de fuerza contra... ti y los demás.»

¿Evalle lo había atravesado? ¿Qué tipo de escudo?

«Pues nada me ha impedido llegar.»

«Hemos oído decir que eres inmortal. Pero no lo eres. Por eso no has muerto al cruzar el umbral.»

Esos estúpidos rumores típicos del campeonato de bestias.

«¿Por qué, Evalle? —preguntó Brina con voz rota—. Esta es tu gente.»

«Yo no los he matado. Solo están inconscientes».

Evalle no tenía tiempo de explicar nada más. Boomer estaba a punto de llegar, y ella solo podría detenerlo de una forma. Pero primero debía obligar a Brina a ayudarla. Evalle dijo:

«No estoy aquí para matarte, Brina, sino para protegerte. Necesito tu ayuda. He confiado en ti, así que ahora confía tú en mí. Está a punto de llegar un grifo al cual ningún guerrero con forma humana puede detener.»

Brina dudó solo un segundo, luego levantó la espada con un gesto digno de la reina guerrera que era.

«¿Qué necesitas que haga?»

«Debes matarme.»

«¿Te has vuelto loca?»

«No tengo tiempo de explicártelo. Simplemente, hazlo, y confía en mí.»

«¡No puedo!»

«¡Debes hacerlo! ¡No tenemos tiempo! Hazlo. Confía en mí.»

Con las lágrimas cayéndole por las mejillas, Brina sujetó la espada con fuerza y la clavó en el pecho de Evalle.

Evalle apretó las mandíbulas al sentir el punzante dolor y

se encogió, mientras Brina le clavaba la espada en el corazón una, dos y tres veces.

«De acuerdo, ya está. Esto es suficiente.»

Evalle dobló un ala para poder tumbarse de lado y no aplastar a Brina.

Brina se apartó, trastabillando. Todavía le rodaba una lágrima por la mejilla mientras observaba la espada, que goteaba sangre.

«¿Evalle?»

Evalle soltó un bufido de dolor, y respiraba con dificultad, pero debía aliviar el terror que sentía Brina.

«Viviré. Dame un minuto.»

A su alrededor, pareció que el mundo desaparecía. La vida de Evalle se derramó hasta la última gota, hasta que todos sus pensamientos se precipitaron en un vacío oscuro en el cual solo quedó un diminuto destello vibrante.

¿Y si no conseguía regenerarse?

Entonces la pequeña luz se hizo más brillante, y con ella apareció el increíble dolor de la regeneración. Evalle gritó mentalmente, y puesto que había oído los gritos de los demás grifos que luchaban en TÅµr Medb, sabía que su grito era terrorífico.

Sintió unas potentes descargas de energía en el interior del pecho que le hicieron reaccionar el corazón para que volviera a latir y pudiera regenerar los tejidos dañados.

Luego rodó sobre su costado otra vez y se irguió, sacudiendo la cabeza, un poco mareada por haber sanado de forma tan rápida.

De repente, un rugido que hizo temblar el suelo sonó en la distancia.

Boomer.

Evalle invocó los poderes de su bestia para que recorrieran su cuerpo, y la explosión de energía la levantó del suelo. Se quedó de pie sobre las patas traseras. Si se sentía tan bien después de haber muerto por segunda vez, ¿qué experimentaría Boomer después de la tercera vez?

Brina permanecía de pie, conmocionada, al ver a Evalle erguirse en toda su altura.

Entonces, Conlan se puso en contacto mental con Evalle:

«Estamos dentro, y Lanna nos ha camuflado; si no, seguramente Brina me mataría.»

Evalle miró hacia atrás para ver si venía Boomer, pero todavía no estaba a la vista. Volvió a mirar a Brina. Evalle debía
darle otra sorpresa.

«Lanna y Conlan también están dentro del castillo.»

Brina levantó la espada en un gesto instintivo, y Evalle se
apresuró a añadir: «Conlan no es el traidor. Tzader te lo dirá
cuando venga a verte, así que no le hagas daño a Conlan. Él
está con Lanna. Diles que se muestren ante ti, y luego, por
favor, salid de aquí para que yo pueda luchar sin tener que
preocuparme de vosotros. Este grifo que está a punto de llegar se dirige al río de la inmortalidad que fluye por debajo
del castillo.»

Brina dijo en voz alta:

—Conlan O'Meary, muéstrate.

Un velador no podía ignorar esa orden. Lanna y Conlan
se hicieron visibles. Conlan estaba delante de Lanna, protegiéndola.

Conlan le dijo a Brina:

—¡Dame una espada, di a los demás que no me maten y me
uniré a la batalla!

Brina miró un momento a Evalle, luego a Conlan y asintió con la cabeza: al minuto, una espada apareció delante de
Conlan.

Evalle, dirigiéndose a Conlan y a Brina, les dijo:

—Sacad de aquí a estos guerreros inconscientes para que
no mueran quemados durante el enfrentamiento de dos grifos.

Brina y Conlan, empleando la fuerza cinética, amontona-
ron los diez cuerpos de los guerreros y los llevaron arriba de
las escaleras. Allí, Horace Keefer apareció corriendo con una
espada en la mano.

Evalle perdió la paciencia y gritó telepáticamente:

«¡Sacad a todo el mundo fuera de aquí ahora! Conlan, sal
y protege a los guerreros que dejé inconscientes. No te enfrentes a ningún grifo. Brina, por favor, ¿harás algo con Lanna
y Horace?»

Conlan cogió la espada y salió corriendo por la puerta.

Brina, contrariada, miró a Evalle, pero comprendió que

quedarse allí pondría en peligro la oportunidad que tenía Evalle de sobrevivir, al igual que la suya. Y Brina era la única descendiente viva de Treoir. Debía continuar con vida para proteger la base del poder de los veladores. De repente oyeron el batir de unas poderosas alas. Brina, Horace y Lanna salieron de la sala.

Boomer entró. Sus ojos verdes brillaban como dos bolas eléctricas. Abriendo las fauces, lanzó una lengua de fuego hacia Evalle, quien la bloqueó con un escudo de fuerza cinética. Evalle hizo fuerza hacia delante, haciendo que la lengua de fuego se volviera contra Boomer hasta que este se dio cuenta de que se prendería fuego a sí mismo si no cerraba la boca.

En cuanto lo hizo, Evalle abandonó el escudo protector y se lanzó contra él abriendo las fauces con intención de cerrarlas alrededor de su cuello.

Pero antes de que llegara hasta él, Boomer lanzó un zarpazo y la hirió en la garganta.

Y se enzarzaron en la lucha con las fauces abiertas, batiendo las alas y agrediéndose con las garras hasta hacerse sangre.

Cuarenta y seis

*L*anna no estaba dispuesta a abandonar a Evalle, así que dio media vuelta con intención de ayudarla.

Pero alguien la sujetó por la camiseta y la obligó a retroceder.

—No, no lo vas a hacer.

Lanna se giró y se enfrentó a Brina.

—No lo comprendes.

Aunque era una mujer hermosa, la expresión de enojo de Brina era feroz.

—Tú eres quien no comprende. Por mucho que deseemos luchar junto a Evalle, todos tenemos deberes. El mío consiste en proteger el poder de los veladores. El tuyo es hacer lo que yo diga, y el de Horacio es protegernos.

Brina empezó a arrastrar a Lanna mientras esta protestaba:

—Boomer es más poderoso que Evalle. La matará.

—Escúchame bien. Ella volverá.

—No. Solo tres veces.

Brina dejó de arrastrarla un momento.

—¿Tres veces? Explícate.

Puesto que Lanna no había sido sometida, le contó todo lo que sabía de los grifos.

Brina susurró:

—¿Es por eso que no son realmente inmortales?

—Sí —asintió Lanna, también con la cabeza, ansiosa por que Brina comprendiera la situación—. Boomer ha muerto dos veces, y cada vez que lo hace se hace más fuerte.

—Evalle dijo que él intentaría llegar a nuestro río de la inmortalidad.

Lanna se quedó pálida.

—Eso significa que ha muerto tres veces. Evalle no lo podrá detener.

—Ella acaba de morir por segunda vez. Yo la maté.

Lanna se soltó de Brina y gritó:

—Tú la mataste. ¿No sabes lo que ha soportado por los veladores?

Brina la miró con el ceño fruncido.

—Evalle quería que lo hiciera para poder ser más fuerte.

Horace estaba a sus espaldas, protegiéndolas con la espada levantada a pesar de que Lanna había pensado que a ese anciano una brisa un poco fuerte lo podría tirar al suelo. Horace les ordenó:

—Seguid adelante si no queréis que los esfuerzos de Evalle sean en vano.

Lanna no tuvo más remedio que continuar avanzando. Llegaron a una habitación que le recordó un invernadero pasado de moda, lleno de extrañas plantas, macetas adornadas y muebles exóticos de madera cubiertos de mullidos cojines.

Un invernadero, a pesar de que esa habitación era de piedra y no tenía ni una ventana. Más bien era un búnker.

Lanna se dejó caer en uno de los sofás y empezó a apretar los cojines que tenía al lado para soltar la tensión. Entonces oyó que Brina hacía unos ruidos extraños. Levantó la cabeza y vio que el anciano, de pie detrás de Brina, le lanzaba un polvo brillante a la cara.

Lanna notó un olor como de lima podrida.

Magia Noirre. Lo sabía.

Unos finos hilos de color verde y púrpura empezaron a envolver el cuerpo de Brina. La reina luchaba por liberarse e intentaba gritar, pero los hilos le envolvieron la boca. ¿Por qué no llamaba a los guardias telepáticamente?

Lanna se levantó de un salto.

Él dejó de cantar un momento y dijo:

—Tú sabías que un trol mató a mi esposa y a mi hijo mientras yo luchaba con los veladores. Macha lo sabía también. Pero ella no quiso hacerlos regresar. Ahora sabrá lo que es perder aquello que no se puede recuperar.

Lanna se lanzó contra Horace con todas sus fuerzas.

Él levantó una mano.

Su brazo tenía una cicatriz con forma de X.

El traidor.

Lanna se golpeó contra una pared invisible. Fuerza cinética. Una fuerte energía la empujó contra Brina y unos polvos golpearon su rostro. Los hilos empezaron a envolverla a ella también contra el cuerpo de Brina. Lanna se debatía, intentando liberarse, y consiguió sacar una mano y coger la de Brina.

—Ten calma. Voy a teletransportarnos —le dijo a Brina.

Brina susurró:

—No. Yo voy a… holograma.

Fuera lo que fuera lo que Brina quería decir, no funcionaba. Lanna se había quedado casi sin aire en los pulmones. Ambas iban a morir. Entonces aguantó la respiración y se concentró, con la esperanza de no acabar chocando contra una de las paredes.

¿Podría hacerlo mientras Horace las envolvía con la magia Noirre? Lanna cerró los ojos, susurró una palabras y se teletransportó.

Cuarenta y siete

*E*valle sintió que unos colmillos se le clavaban en el hombro. Lanzó un zarpazo contra Boomer, que no mostraba ninguna señal de estar debilitándose. A diferencia de ella.

Evalle no podía concentrarse para invocar a su bestia y sanarse las heridas si no quería que Boomer aprovechara esa distracción para arrancarle la cabeza. Así que envió toda su energía hacia las alas y se elevó del suelo arrastrando tras ella a Boomer, enganchado a su pecho y a su hombro con sus garras.

Evalle voló hacia una pared y la cabeza de él impactó contra ella, lo cual provocó que le clavara los colmillos con más fuerza en el hombro.

Evalle hizo una mueca de dolor.

Evalle se dirigió hacia otra pared e hizo que la cabeza de él volviera a chocar con fuerza. Se oyó el crujido del cráneo, pero unos trozos de carne cayeron al suelo. Su hombro sufría tanto como Boomer.

Entonces las mandíbulas de Boomer se aflojaron y la cabeza le cayó hacia un lado.

Esta era la única oportunidad que tenía de aprovechar esa postura vulnerable. Debía sacarlo al exterior y llevarlo hasta los veladores para que estos acabaran con él.

Evalle batía las alas con fuerza, luchando contra la debilidad que sentía. Sus alas no podrían continuar sosteniéndolos a los dos durante mucho más tiempo.

Cayeron al suelo del castillo con un fuerte golpe, pero por lo menos Boomer quedó debajo de ella.

Evalle levantó la cabeza y el cuello con dificultad. El espacio donde antes estaban las puertas del castillo quedaba solamente a unos metros de distancia, pero Evalle necesitaba sanar primero, y Boomer empezaba a reaccionar.

De repente entró alguien corriendo y gritando:

—¡Brinnnaaaa!

Evalle gritó telepáticamente: «Soy Evalle. Corta la cabeza que hay en el suelo».

Un rayo explotó en la entrada en cuanto el guerrero cruzó la entrada, y este soltó un grito de agonía.

Los ojos de Boomer empezaron a brillar con fuerza.

Una espada cortó el cuello de Boomer, y la fuerza de sus ojos desapareció.

Evalle sintió un escalofrío de alivio y respiró profundamente, dispuesta a sanarse en cuanto se le aclarara la vista.

Tzader cayó al suelo, al lado de Boomer, sin respiración. Se moría. Tzader era inmortal, y el escudo del castillo mataba a cualquier inmortal excepto a Brina y a Macha.

Evalle chilló mentalmente: «¡Tzader, nooo!»

Tzader le dijo: «Protege a... Brina».

«Ese es tu trabajo». Evalle abrió una conexión entre ambos, pero Tzader estaba demasiado débil para conectarse. O quizá se negaba a hacerlo. Los grifos eran más poderosos. Evalle continuó diciéndose eso y se concentró más para abrir esa conexión entre ellos.

Tzader dijo con voz débil: «No lo hagas. Morirás conmigo. Brina. Dile que... la amo».

Evalle se negaba a abandonarlo, y concentró más fuerza en la conexión hasta que esta se formó por completo.

De inmediato, notó que su esencia vital fluía fuera de su cuerpo, deprisa y con fuerza. No era como las otras dos veces. Quizá estuviera demasiado herida para poder regenerarse, y sobre todo para conectarse con otro cuerpo moribundo.

Invocó a su bestia, pero no sintió nada. Ya ni siquiera sentía la conexión con Tzader, que se había vuelto fría y silenciosa.

«¡No! ¡No te mueras, Z!»

El vacío la engulló. No hubo ningún punto de luz.

Moriría con la conciencia tranquila de haber sido fiel a su juramento de veladora hasta el final.

«No es tu hora», oyó que le decía una voz femenina.

«Otra vez tú, no.»

Evalle deseó que esa voz no la siguiera hasta la otra vida. Pero oyó claramente la risa de esa mujer. Cansada, herida, decepcionada y sola, Evalle preguntó: «¿Qué quieres de mí?». «Quizá quiero darte una cosa.» «¿Así que eres mi Papá Noel secreto? ¿Dónde has estado los últimos veintitrés años?»

Evalle percibió tristeza en el silencio que se hizo, y se sintió mal por haberle hablado mal a alguien que, a pesar de haberle dado deseos inoportunos y de haberla molestado, nunca le había hecho ningún daño.

Esa voz le dijo: «Siento que nunca hayas tenido cumpleaños, ni vacaciones, pero puedes tener todo eso con Storm».

«¿Cómo te has enterado de Storm?»

«Me he enterado por ti. Él es tu otra mitad.»

Genial. Ahora esa voz la hacía sentirse deprimida, como si no fuera suficiente estarse muriendo con Tzader. Evalle, sintiéndose culpable, dijo: «No quería descargar mi mal humor en ti. Supongo que es un efecto del hecho de que me estoy muriendo».

Volvió a oír una carcajada.

«Debes regresar con los vivos».

«No sé qué es lo que debo hacer, pero me gustaría regresar».

«No, debes hacerlo porque Storm te necesita. Enviarte de regreso es el regalo que te hago».

¿Storm la necesitaba? Se le aceleró el corazón, angustiada. ¿Pero cómo era posible que le latiera el corazón, si estaba muerta? De pronto, vio una pequeña luz brillar y la luz empezó a hacerse más grande.

El dolor le invadió todo el cuerpo al tiempo que una renovada energía le recorría las piernas, las alas y los brazos. El corazón empezó a latirle más deprisa, golpeándole el pecho con fuerza.

Evalle abrió los ojos y vio veinte espadas que la apuntaban.

Presa del pánico, les gritó a los veladores: «Soy Evalle. ¡No me toquéis o mataréis a Tzader! ¡Estamos conectados!»

Todas las miradas se dirigieron hacia Tzader, que no se movía. Ni siquiera respiraba. «Vamos, Z.» Nada. Evalle se negaba a dejarlo ir.

Cerró los ojos y buscó la conexión. La encontró. Fría. Silenciosa. Con delicadeza, envió energía a través de ella y esperó alguna reacción.

Tzader se movió un poco.

Evalle abrió los ojos y continuó enviando un flujo constante de energía hacia él.

Tzader gimió. Fue el sonido más dulce que Evalle había oído nunca. Respiró una vez. Y luego, otra.

A Evalle se le llenaron los ojos de lágrimas al ver que él ponía las manos en el suelo y se apoyaba en ellas meneando la cabeza.

La miró a los ojos.

«¿Evalle?»

«Sí».

Las lágrimas se deslizaban, completamente libres, por las mejillas de Evalle.

«Te oí mentalmente. ¿Cómo me has salvado?»

«Es una historia larga que pronto te contaré, pero primero diles a los guardias que bajen las armas».

Entonces Tzader levantó la mirada. Debió de enviar un mensaje telepático, porque rápidamente todas las espadas se retiraron y los guardias se distanciaron.

Evalle se relajó, cansada de luchar. Cansada de ser un grifo en ese momento. El cuerpo empezó a cambiarle casi sin que ella se diera cuenta.

Tzader miró hacia abajo y ordenó.

—Que todo el mundo baje la cabeza. Ahora.

Entonces se quitó la camiseta y se la dio a Evalle. Ella se la puso, agradecida de que fuera suficientemente grande para cubrirle las partes más importantes. Luego miró a su alrededor y preguntó:

—¿Dónde está Brina? No puedo creerme que de verdad hiciera lo que le dije y haya encontrado un lugar seguro donde esconderse.

De repente, Tzader se puso tenso.

—¿En qué dirección se fue?

Uno de los guerreros respondió:

—Por el pasillo trasero.

Tzader pidió una espada, y uno de sus hombres le lanzó

una. Tzader salió corriendo de la sala, y Evalle lo siguió con un ejército de pies pisándole los talones.

Tzader se detuvo en seco y se metió en una habitación. Dentro, Evalle se dio cuenta de que olía a magia Noirre.

Horace estaba de pie, de espaldas a la puerta, cantando y lanzando unos polvos hacia Lanna y Brina.

Tzader lanzó una estocada contra Horace, quien chilló y dejó caer una bolsa que olía a lima podrida.

Evalle corrió hacia Lanna y Brina, pero justo en ese momento las dos desaparecieron dejando tras ellas una imagen holográfica de Brina.

Evalle intentó alcanzarlas mentalmente, pero se retiró.

Tzader se puso al lado de Evalle y preguntó en un susurro:

—¿Dónde han ido?

—No lo sé.

Cuarenta y ocho

Sin tener ni idea de qué hacer con Brina y con Lanna, Evalle finalmente se quitó de encima la sensación de aturdimiento que le había provocado recibir demasiadas conmociones a la vez. Alguien tenía que encargarse de la batalla que todavía se estaba librando en Treoir.

Después de la muerte definitiva de Boomer y de que ella se hubiera regenerado tres veces, Evalle se había convertido en el grifo más poderoso.

Evalle ordenó a los grifos que abandonaran la batalla y que volaran en círculos alrededor del castillo.

Siete le respondieron, lo cual significaba que había muerto otro grifo además de Boomer.

¿Quién había conseguido matarlo? La única manera de evitar que un grifo pasara por los tres ciclos de muerte era cortándole la cabeza.

Evalle le dijo a Tzader:

—Todos los grifos se encuentran bajo mi control. Les he ordenado que formen un círculo alrededor del castillo, y necesito que les digas a los veladores que dejen de atacar. Cuando lo hayas hecho, podré enviar a los grifos contra las brujas y los hechiceros.

Tzader tenía la mirada perdida, todavía paralizado por el terror de haber visto el holograma de Brina sometida al hechizo de magia Noirre.

Evalle le dijo con toda la suavidad de que fue capaz:

—Z, te necesitamos.

El guerrero que había en él reaccionó. Tzader asintió con la cabeza, fijó la vista un momento en un punto lejano y finalmente dijo:

—Ya está hecho. Les he dicho a nuestros guerreros que los grifos ahora nos pertenecen y que luchen a su lado.

Evalle dio orden a los grifos de que expulsaran a los Medb de la isla, confiada en que los cinco mil veladores y los siete grifos tendrían éxito en la empresa.

Entonces una energía de color verde hizo vibrar la habitación, y Macha apareció. Tenía un aspecto cansado, poco habitual en ella. Mantener el escudo debía de haber sido agotador.

Macha se quedó mirando el holograma con una expresión de horror en el rostro.

—¿Dónde está Brina?

Tzader le contó lo que había descubierto antes de que Brina y Lanna desaparecieran. Decidido, acabó:

—Le he fallado, y te he fallado a ti.

Macha miró a Tzader con gran detenimiento.

—¿Cómo es que estás con vida en el interior de este castillo?

Él suspiró, y le explicó que había entrado sin pensar en su vida, con la única intención de proteger a Brina.

A Evalle casi le pareció oír el ruido que hacía el corazón de Tzader al romperse, y dijo:

—La encontraremos, Z. Lanna está atrapada con ella. Es la prima de Quinn, y es bastante poderosa. Quinn debe de tener a alguien capaz de seguir la pista de Lanna. Cuando regrese a Atlanta, iré a buscar a Storm. Él tiene otras habilidades, y quizá nos pueda decir más cosas cuando le traigamos aquí. De no haber sido por él, vosotros no habríais recibido mi nota diciendo lo que iba a suceder.

—Él no nos dio la nota —dijo Tzader.

—¿Qué quieres decir? ¿Cómo os hicisteis con ella, si él no os la dio?

—Yo fui a buscarte. —Tzader miró a Macha y esta le devolvió la mirada con dureza—. Tú me hiciste maestro porque confiabas en que podría proteger a los veladores y en que podría distinguir entre quién es de confianza y quién no. Nunca he dudado de Evalle, y tú tampoco deberías hacerlo, en especial ahora, cuando todavía tienes Treoir gracias a ella.

—Pero no tenemos a Brina.

—Eso no es culpa de Evalle, y ella nos ayudará a encontrarla.

Pero Evalle quería saber cómo habían encontrado la nota.

—¿Qué me dices de Storm?

Tzader respondió:

—Cuando llegué a su casa, no había nadie. Tú nota estaba encima de la mesilla de noche.

—Era un trozo de papel entero o...

—Todo. La parte que le escribiste a Storm todavía estaba ahí.

—¿Dónde estaba Storm? —preguntó Evalle. No había querido mostrarse atemorizada, pero era difícil reprimir algunas emociones.

—Encontré una nota que dejó para ti en la cocina. La habitación olía como a regaliz. —Tzader sacó la nota del bolsillo y se la dio a Evalle—. ¿Sabes qué significa esta nota?

Evalle asintió con la cabeza. Tenía los ojos llenos de lágrimas. ¿Por qué Storm había ido tras la bruja sin esperarla?

Evalle no se creía capaz de hacer revivir su corazón otra vez ese día, pero este ya latía de forma peligrosa.

¿Habría engañado a Storm esa bruja?

Cuarenta y nueve

Cathbad miraba el muro de las predicciones con expresión de horror. Dirigiéndose a Flaevynn, preguntó:

—¿Cómo has podido enviar a nuestra hija allí sin ninguna capacidad de sanarse a sí misma?

A Flaevynn le temblaban los labios.

—Ha fallado. Todos han fallado.

—Eres una puta. Has matado a tu propia hija, y ahora morirás.

Temblando, Flaevynn miró a Cathbad.

—Arréglalo. Tú... tú conoces la maldición. Haz... haz algo.

—Muérete, escoria miserable.

Flaevynn perdió los estribos.

—¡Todo esto es culpa tuya!

Intentó lanzarle un golpe con la energía de su uña, pero las fuerzas le fallaron.

De repente, su cuerpo empezó a deformarse y a marchitarse, y fue engullido por un tornado de un polvo de color púrpura.

Cathbad dio un paso hacia atrás, sin saber qué hacer. Había creído que moriría secándose y disolviéndose en el aire, como las otras reinas anteriores.

Cuando el polvo desapareció, Flaevynn había desaparecido por completo pero en su lugar había otra mujer, una mujer definitivamente mucho más bella. El pelo, completamente negro, le caía sobre los hombros y sus ojos eran verdes como las hojas nuevas. Parecía tan sorprendida como Cathbad lo estaba al ver esos delgados brazos y esa fina silueta vestida con un vestido de color púrpura, digno de una reina.

Cathbad se rascó la cabeza. Eso no había sucedido nunca en la historia, según los registros.

—No comprendo.

La hermosa mujer rio con unas carcajadas profundas y sonoras.

—Eso es porque la profecía se ha cumplido. He regresado.

—¿Quién eres?

—Soy Maeve, la primera y única reina Medb verdadera.

—¿Cómo es posible que estés aquí? La profecía...

Ella asintió con la cabeza, y sus ojos chispeaban de alegría.

—... decía nacer antes de morir y morir antes de nacer. Los mutantes nacieron, luego murieron, y luego volvieron a renacer como grifos.

Cathbad todavía no lo comprendía.

—¿Pero la reina inmortal...?

—Esa soy yo.

—¿Cómo?

Maeve suspiró.

—No tienes tiempo para esto, así que seré breve. La mujer grifo debía transformarse después de levantarse por tercera vez. Y debe de haberlo hecho, porque ha cumplido la profecía y me ha traído de nuevo a la vida.

Cathbad intentaba asimilar toda la información tan deprisa como podía. Ahora comprendía lo que no había visto venir. La maldición no tenía nada que ver con conseguir la inmortalidad para la reina en funciones. Tenía que ver con la reencarnación de la reina original.

Pero eso significaba...

—Si eso es así, entonces...

De repente, su cuerpo empezó a deformarse y a marchitarse, y el mismo remolino de antes lo engulló. Cathbad gritó, pero su voz se perdió, al igual que su vida.

—Ya te dije que no tenías mucho tiempo.

Maeve hizo un gesto de despedida con la mano, riendo de alegría por el hecho de que se hubiera cumplido la profecía. Desde luego, esa había sido su esperanza desde el momento en que ella y su avaricioso compañero habían urdido ese plan.

Cuando el remolino dejó de girar, apareció el druida. Era un hombre imponente, con unos profundos ojos marrones que la miraron con expresión de admiración.

—Hola, Maeve.

—Me alegro de verte otra vez, Cathbad. Ha pasado mucho tiempo. —Y se rio de su propio chiste—. ¿Te puedes creer que ese tonto consiguió comprenderlo todo pero no se dio cuenta de que el único objetivo era que nosotros dos nos reencarnáramos?

El druida le devolvió la sonrisa y dijo:

—Ahora mostraremos al mundo lo que son capaces de hacer una verdadera reina y un druida poderoso.

Cincuenta

*E*valle no podría soportar que se le rompiera el corazón otra vez, o eso pensaba hasta que, al salir, encontró a Quinn que llevaba en brazos el cuerpo de Kizira al castillo. Detrás de él, los grifos aterrizaban en el campo. Los hechiceros y las brujas ya habían sido expulsados de Treoir.

Evalle llamó a Tristan telepáticamente: «Me encontraré contigo antes de irme, pero necesito que mantengas a los grifos donde tú estás hasta que yo pueda ir a hablar con ellos».

«Lo haré —repuso Tristan—. Siempre y cuando Macha no nos incordie».

Técnicamente, los grifos debían seguir las instrucciones de Evalle por encima de todo, pero Evalle comprendía la preocupación de Tristan.

«Macha no va a molestarte porque ahora mismo te necesita».

«¿Cómo lo sabes?»

«Brina ha desaparecido, pero su holograma todavía está en el interior del castillo y eso está afectando a los veladores».

Evalle había conseguido que, finalmente, Tzader se apartara del holograma de Brina, que continuaba erigido en el invernadero como una enorme efigie. Tzader parecía desolado, pero todavía estaba al mando de los guerreros veladores, cuyo poder estaba en cuestión ahora.

«¿Tienen poderes los guerreros?», preguntó Tristan.

«Algunos disponen de un uso limitado de sus poderes, pero no pueden establecer conexión, y la telepatía es dificultosa. Pero el no tener físicamente a un descendiente Treoir en el castillo no parece que esté afectando a nuestros poderes de grifo.»

Tristan rio, pero no fue una carcajada de alegría.

Evalle no le hizo caso.

—Los grifos se convertirán en una nueva fuerza de seguridad...

—¿Qué?

—¿Trabajarás a mi lado por una vez, Tristan? Te he sacado de TÅµr Medb, con tu hermana y tus dos amigos rías. Y vivos, añadiría.

Tristan rezongó un poco, pero repuso:

—Será mejor que Macha nos alimente bien.

Evalle sonrió.

—Lo hará. Júntalos a todos y yo iré a verte después de que haya hablado con ella.

Quinn llegó hasta donde estaba Evalle. Caminaba con dificultad, como si lo hiciera sobre arenas movedizas. Tenía los ojos hinchados y rojos, y una expresión triste en la boca.

Evalle bajó las escaleras para ir a su encuentro.

—Lo siento, Quinn. Teníamos un plan que salvaría a Brina y Treoir, y que, además, sacaría a Kizira del Medb.

Las lágrimas caían por el rostro de Quinn.

—Ella me protegió mejor a mí que yo a ella.

No había nada que Evalle pudiera decir para hacer que Quinn dejara de sentirse como lo hacía. Tragó saliva, y tenía la garganta tan tensa que le dolió hacerlo. No conseguía decirle que Lanna había desaparecido. Todavía no.

Tzader bajó las escaleras también. Miró a Quinn en silencio y, finalmente, dijo:

—Convenceré a Macha para que te permita llevarte el cuerpo para enterrarlo.

Quinn asintió con la cabeza con expresión de agradecimiento.

Tzader miró a Evalle y añadió:

—Macha quiere verte.

Evalle abrazó a Quinn con fuerza y permaneció abrazada a él durante un minuto, intentando reprimir las lágrimas, pues eso no ayudaría a Kizira. Luego dio un beso en la frente a Kizira.

—Gracias por querer la paz y por amar a Quinn.

Se dio la vuelta y subió los escalones. Luego cruzó la sala destruida y pasó por en medio de los guerreros hasta que llegó al invernadero. Allí encontró a Macha, que observaba el holograma de Brina.

Macha no hizo ninguna señal de reconocer la presencia de Evalle, pero esta no tenía humor para perder el tiempo.

—Los grifos se quedarán para proteger la isla. Hay dos ríos, pero tienen el control de sus bestias y harán lo que Tristan les diga.

La diosa se giró hacia ella y dijo:

—¿Por qué debemos confiar en los grifos?

Evalle había agotado la paciencia.

—Porque deben seguir las órdenes de su líder, el grifo más poderoso.

—¿Y quién es?

—Yo.

—Muy bien, se pueden quedar.

Pero eso no era suficiente para Evalle. No, después de lo que cada uno de ellos había hecho para salvar Treoir.

—Y deben ser tratados como guardianes protectores, no como extraños. Cada uno de los grifos tiene sangre velador en las venas, y acaban de luchar al lado de nuestros guerreros para expulsar a las brujas y los hechiceros Medb de Treoir.

Macha levantó la cabeza y la miró con expresión de asombro. Al ver que la diosa no la amenazaba con convertirla en ceniza, Evalle añadió en un tono más amable:

—Les explicaré cuáles son sus deberes antes de marcharme.

—Muy bien. Y tu deber es sencillo. No hagas nada que no sea ir a buscar a Brina. Eso es una cuestión de alta prioridad.

—La verdad es que voy a ir a buscar a la única persona que conozco que puede ayudarme a encontrarla.

—¿Quién?

—Storm.

—Oí que Tzader decía haber encontrado una nota en la casa de Storm, encima de su mesilla de noche. Te has acostado con él sin permiso —dijo la diosa en un claro tono de acusación.

—Eso es asunto mío.

—No apruebo que te aparees con él.

—Te repito que eso es asunto mío, y esta conversación no nos ayuda a encontrar a Brina.

Macha observó a Evalle un momento.

—¿Dónde está ese *skinwalker*?

—Si te digo la verdad, todavía no lo sé todo, pero creo que está persiguiendo a una bruja.

No era fácil sorprender a Macha, pero era evidente que eso la había sorprendido.

—¿Una bruja? Si está enredado con ella, lo hemos perdido.

Evalle repuso con vehemencia:

—No. Yo no. Yo voy a encontrarlo.

—No, te prohíbo que malgastes el tiempo con eso.

Después de todo lo que Evalle había arriesgado, las palabras que pronunció no eran nada:

—No te estoy pidiendo permiso. Solo te hago saber que no regresaré hasta que lo haya encontrado.

—¿Te atreves a desobedecerme?

—Me atrevería a joder al universo entero si con eso consigo recuperarlo. Acaba conmigo, Macha, pero que sepas que si lo haces, destruirás la única oportunidad que tienes de encontrar a Brina y de traerla de regreso viva. Y mientras voy en busca de Storm, deberás hacer que VIPER y Sen me dejen en paz. Cada vez que yo me retrase, tú te retrasarás.

Evalle se dio la vuelta y se marchó.

Agradecimientos

De parte de Sherrilyn y de Dianna

*D*amos las gracias a nuestra familia, nuestros amigos y nuestros admiradores. ¡Os queremos a todos, y no habríamos podido hacer esto sin vosotros! Un especial reconocimiento a nuestros esposos: Ken (esposo de Sherri) y Karl (esposo de Dianna), que hacen posible que pasemos millones de horas a la semana escribiendo.

No sería posible hacer un libro sin la lectura y los comentarios de Cassondra Murray, la ayudante de Dianna, que siempre está dispuesta a hacer lo que sea necesario. Jerry Brandon, anterior alcalde de Saint Marys, Georgia, y propietario de Riverview Hotel, nos ayudó mucho cuando Dianna estuvo de visita para realizar tareas de investigación en Saint Mays y en Cumberland Island. Dianna quiere agradecer a Donna Browning el hecho de que le enseñara Cumberland, que está repleta de historia y es tierra de caballos salvajes. Gracias también a Steve Doyle y a Joyce Ann McLaughlin por ser nuestros primeros lectores y por hacer unos comentarios de valor incalculable que apreciamos profundamente. También todo nuestro agradecimiento a Barbara Vey, bloguera de *Publishers Weekly*, que tanto apoyo ofrece a los autores y a los lectores. Gracias también a Sara Reyes y a su equipo Fresh Fiction, quienes realizan un excelente trabajo al informar a los lectores cuando sacamos un nuevo libro y quienes organizan tantos eventos dedicados a autores y lectores durante el año.

Gracias a Louise Burke, nuestro dinámico editor, cuyo entusiasmo solo es superado por su genialidad. Por otro lado, ningún libro alcanza su pleno potencial sin la revisión y la excelente corrección de Lauren Mc Kenna. El compromiso de Lauren por que cada libro sea publicado de la mejor forma posible hace que trabajar con ella sea un placer. Sería una negligencia por nuestra parte no hacer público nuestro agradecimiento también al equipo de Pocket, que consigue que la maquinaria funcione con gran suavidad y precisión. Gracias a la dedicación de Robert Gottlieb por llevar estas series y ocuparse de que continúen llegando a nuestros lectores.

Y por último, aunque no menos importante: nuestro agradecimiento a nuestros lectores que vienen a vernos en cada ciudad a la que vamos, que nos envían mensajes de ánimo que nos llegan al corazón y que leen nuestros libros para que podamos seguir haciendo lo que tanto nos gusta hacer. Para nosotras, sois lo más importante.

Esperamos vuestros comentarios, que podéis hacer en cualquier momento a través de authors@beladors.com o www.SherrilynKenyon.com y www.AuthorDiannaLove.com. No os perdáis nuestro «Reader Lounge» en la página de Facebook Dianna Love's Fan Page.

Coalición de sangre

SE ACABÓ DE IMPRIMIR

UN DÍA DE VERANO DE 2015

EN LOS TALLERES GRÁFICOS DE LIBERDÚPLEX, S.L.U.

CRTA. BV-2249, KM 7,4, POL. IND. TORRENTFONDO

SANT LLORENÇ D'HORTONS (BARCELONA)